D0417942

L'HÉRITAGE D'EMMA HARTE

DU MÊME AUTEUR

L'espace d'une vie

Les voix du cœur

Accroche-toi à ton rêve

Quand le destin bascule

BARBARA TAYLOR BRADFORD

L'héritage d'Emma Harte

Traduit de l'anglais
par Micheline Lamarre

PIERRE BELFOND
216, boulevard Saint-Germain
75007 Paris

Ce livre a été publié sous le titre original
TO BE THE BEST
par Doubleday & Company, Inc., New York

Si vous souhaitez recevoir notre catalogue
et être tenu au courant de nos publications,
envoyez vos nom et adresse, en citant ce livre,
aux Éditions Pierre Belfond,
216, Bd Saint-Germain, 75007 Paris.
Et pour le Canada à
Edipresse Inc. 945, avenue Beaumont,
Montréal, Québec H3N 1W3.

ISBN 2.7144.2317.5

Copyright © Barbara Taylor Bradford 1988

Copyright © Belfond 1989 pour la traduction française

Pour Bob,
parce qu'il est lui...
Avec toute mon affection.

PROLOGUE

Pour entrer dans mon équipe,
il faut être le meilleur.
Et pour être le meilleur,
il faut avoir du caractère.

Emma Harte

Paula quitta Pennistone juste avant l'aube.

Il faisait nuit quand sa voiture franchit les grilles et prit la direction de la lande. Mais, lorsqu'elle atteignit la route qui traverse les montagnes Pennines, le ciel changeait déjà. Sa voûte grise se teintait peu à peu d'améthyste, de rose, de vert pâle. A l'horizon, le soleil levant lançait ses premiers éclairs d'argent. En cette heure indécise où le jour lutte contre la nuit, la lande semblait encore plus déserte dans son immensité silencieuse. Alors, d'un coup, une lumière cristalline qu'on voit seulement au nord de l'Angleterre se déploya glorieusement dans le ciel. Le jour était levé.

Paula poussa l'Aston-Martin à vive allure, en aspirant à pleins poumons l'air frais qui entrait par la vitre baissée. Il fait toujours froid sur le plateau, quelle que soit la saison. Paula savait que la journée s'annonçait étouffante et elle se félicita d'être partie de bonne heure pour Fairley.

En cette fin d'août, les bruyères en fleur recouvraient la lande, déroulant à perte de vue mille nuances de violet et de magenta. Paula s'arrêta au bord de la route et descendit de voiture pour jouir de cet admirable spectacle. La lande de grand-mère, pensa-t-elle avec émotion. Cette lande que j'aime autant qu'elle la chérissait. Que Tessa et Linnet, mes filles, ont appris à aimer, elles aussi...

On entendait au loin le trille aigu des alouettes, le murmure d'un ruisseau sur la pierre. La fraîcheur du matin s'emplissait de senteurs où se mêlaient bruyère et myrtilles, fougères et fleurs sauvages. Dans le ciel bleu tendre, les rayons du soleil semblaient jouer avec de petits nuages, ronds et blancs comme des touffes de coton. Rien au monde, se dit-elle, ne surpasse la beauté de ces landes que je n'avais pas revues depuis longtemps — trop longtemps. C'est ici que sont mes racines, comme grand-mère...

Elle s'arracha à regret à sa contemplation, remonta en voiture, suivit une heure durant la route qui serpentait à travers la lande, et aborda enfin la descente vers la vallée et le village de Fairley. Tout dormait à cette heure matinale, les rues étaient désertes. Paula s'arrêta devant la vieille église normande au clocher carré, aux vitraux enchâssés dans la pierre grise. Elle prit le bouquet de fleurs des champs posé sur le siège, poussa une barrière et entra dans le cimetière. Par un sentier dallé, elle atteignit un groupe de tombes situées à l'écart contre le mur moussu, abritées par un vieil orme.

Paula contempla longuement une pierre tombale de marbre vert sombre. Un nom, deux dates y étaient gravés :

Emma Harte. 1889-1970.

Onze ans, déjà, depuis sa mort... Où ce temps s'est-il enfui ? songea-t-elle. Je la vois comme si c'était hier, si pleine de vie, si débordante d'énergie, qui dirigeait son empire, nous donnait des ordres de sa manière inimitable... Paula déposa les fleurs, se redressa. Une main sur la pierre, immobile, elle s'absorba dans ses pensées, le regard levé vers les collines.

Je vais prendre une décision qui ne vous plairait sans doute pas, grand-mère. Mais je le dois et je sais que vous me comprendrez. J'ai besoin de créer quelque chose par moi-même. Je vous connais, vous agiriez exactement de même à ma place. Et je réussirai, j'en suis sûre. Il le faut. Je ne puis pas, je ne dois pas douter...

Le bruit des cloches tira Paula de sa rêverie. Elle laissa son regard errer sur les tombes voisines. David Amory. Jim Fairley. Son père et son mari reposaient ici depuis dix ans, morts trop jeunes l'un et l'autre. La gorge serrée, Paula s'éloigna en s'efforçant de dominer son soudain accès de tristesse, de chasser tant de douloureux souvenirs, en se répétant que la vie est faite pour les vivants.

Elle ralentit en passant devant un enclos, près de l'église, où étaient rassemblées les sépultures des ancêtres de Jim :

Adèle, Adam, Olivia, Gerald... Tant de Fairley inhumés là. Tant de Harte, aussi. Trois générations de ces deux familles, rapprochées dans la vie par l'amour et la haine, la vengeance, le mariage, se trouvaient de nouveau réunies par la mort. Dans cette terre, à l'ombre de la lande qui les avait vus vivre, ils avaient enfin trouvé la paix.

Lorsqu'elle eut refermé la barrière derrière elle, Paula se redressa et regagna sa voiture d'un pas plus ferme. Elle avait tant à faire, tant de défis à relever, tant de projets à réaliser...

En prévision de la longue route à parcourir, Paula s'installa confortablement au volant et alluma le lecteur de cassettes. Les sublimes harmonies de la symphonie *Jupiter* de Mozart, l'une de ses œuvres préférées, ravivèrent ses espoirs et sa résolution. Tessa lui avait offert quelques semaines auparavant ce récent enregistrement, réalisé par Herbert von Karajan à la tête du Philharmonique de Berlin. Les yeux clos, Paula se laissa emporter par le rythme exaltant de l'*allegro vivace* qui effaçait ses derniers doutes...

Au bout d'un instant, elle rouvrit les yeux, mit le contact et aborda la descente vers la route Leeds-Bradford. Une demi-heure plus tard, elle s'engagea sur l'autoroute M1 en direction de Londres. La circulation était fluide. Avec un peu de chance, elle prendrait place à son bureau de *Harte's*, à Knightsbridge, dans moins de quatre heures.

Paula accéléra. Grisée par la musique qui l'enveloppait, elle retrouvait toute sa lucidité. Les mois à venir se dessinaient avec clarté dans son esprit. Assurée d'avoir raison, elle ne doutait plus de sa réussite.

Elle força encore l'allure et l'Aston-Martin parut s'envoler. Paula savourait la perfection, la docilité de cette superbe machine, le sentiment de puissance qu'elle éprouvait en la maîtrisant — comme elle maîtrisait sa vie et son avenir. Son plan était au point. Elle le mettrait à exécution sans tarder. Rien ne pourrait le faire échouer. Rien...

PREMIÈRE PARTIE

1

Paula venait de s'asseoir à son bureau et de sortir des dossiers de son porte-documents quand elle remarqua l'enveloppe, marquée PERSONNELLE, appuyée contre la lampe. Elle en reconnut aussitôt l'écriture et la décacheta avec un frisson de plaisir. Le message était bref:

Rejoins-moi ce soir à Paris. Ta place est retenue sur le vol British Airways 902 de 18 heures. Je t'attendrai avec impatience à l'endroit habituel. Ne me fais pas faux bond.

Paula fronça les sourcils, son plaisir évanoui. Le ton comminatoire et la certitude implicite d'être obéi l'agaçaient. Elle n'irait évidemment pas! Elle avait prévu de passer le week-end avec ses enfants, elle y tenait, elle le ferait.

Autoritaire, orgueilleux. Certes, il méritait ces qualificatifs. Pourtant, Paula était tentée d'accepter l'invitation. « Avoue, se dit-elle avec un sourire, que tu serais ravie de passer le week-end à Paris — avec *lui*. Il y a tant de choses que tu aimerais faire et auxquelles tu renonces », ajouta avec regret sa voix intérieure. Jamais elle ne cédait à ses caprices. Le devoir. Le devoir avant tout! Depuis son enfance, Emma Harte lui avait si bien inculqué cette règle de conduite que Paula se surprenait parfois à déplorer que sa grand-mère se fût montrée si bonne éducatrice. Elle lui devait d'avoir appris que fortune et privilèges se méritent, qu'ils sont assortis de responsabilités qu'il faut accepter sans renâcler, quel qu'en soit le prix. A trente-six ans, bientôt trente-sept, il était trop tard pour changer son caractère.

Elle remit le message dans l'enveloppe en soupirant. Un interlude romanesque, dans sa ville préférée avec l'homme de sa vie, était peut-être infiniment tentant mais hors de question, hélas! Plutôt que de consacrer ce week-end à l'amour, elle ferait son devoir de mère. Les enfants avaient besoin d'elle. Elle ne les avait pas vus depuis quinze jours. *Lui* non plus, d'ailleurs...

Paula fit un geste d'impatience. Pourquoi lui avoir envoyé ce message qui la désarçonnait, au moment où elle avait plus que jamais besoin de toute sa présence d'esprit? Les mois à venir s'annonçaient extrêmement délicats, complexes. Elle ne pouvait se permettre de se laisser distraire. Il allait falloir lui téléphoner pour dire qu'elle ne viendrait pas, appeler British Airways pour annuler sa réservation... Elle tendait la main vers le téléphone quand il se mit à sonner.

— Paula? dit la voix de son cousin Alexander. J'espérais te voir au magasin de Leeds, pour une fois que j'y étais. On m'a dit que tu étais déjà repartie pour Londres.

— Je suis navrée de t'avoir manqué, Sandy! Tu étais donc dans le Yorkshire, hier soir?

— Oui, je suis arrivé vers six heures et demie.

— J'étais encore au magasin. Si tu m'avais appelée à ce moment-là, nous aurions pu dîner ensemble.

— Malheureusement non, mon régisseur m'attendait au Prieuré de Nutton. Il part en vacances aujourd'hui et nous avions des tas de questions à régler. Dis-moi, es-tu allée sur la tombe de grand-mère, ce matin? Il m'a semblé reconnaître ton style de bouquet.

— J'y étais de très bonne heure, en effet, avant de prendre la route.

— Nous nous sommes manqués d'un cheveu, alors! Il était dit que nous ne devions pas nous rencontrer. Dommage...

Paula avait trop d'affection envers son cousin pour ne pas déceler, dans sa voix, une intonation qui l'inquiéta:

— Qu'est-ce qui ne va pas, Sandy? Voulais-tu me parler de quelque chose?

Pour légère qu'elle fût, son hésitation n'échappa pas à l'oreille exercée de Paula:

— Moi? Pas du tout! Depuis le temps que nous ne nous

étions pas vus, je me disais simplement que ce serait agréable de déjeuner ensemble aujourd'hui. Tu es débordée, je sais. Malgré tout, je regrette nos tête-à-tête.

Paula avait écouté avec attention, sans retrouver dans le ton de Sandy l'étrange inflexion qui l'avait alertée.

— Moi aussi, je les regrette, Sandy, répondit-elle. Entre les affaires et mes allées et venues sur la Côte d'Azur, je n'ai pas eu une minute à moi cet été. Mais puisque tu abordes le sujet, je tiens à te dire que je suis furieuse contre toi! Cette année, tu n'as pratiquement pas mis les pieds au Cap-Martin. Tu y es pourtant chez toi, et je trouve que...

— Ecoute, Paula, il n'y a pas que toi qui doives travailler! Moi aussi, j'en ai plus que mon compte. Alors, je t'en prie, pas de reproches immérités! Emily s'en charge déjà très bien de son côté — elle commence même à me taper sur les nerfs!

— Ta chère sœur estime que tu ne te reposes pas assez. Elle aimerait que tu profites un peu plus de la vie et je suis entièrement d'accord avec elle, figure-toi.

Alexander préféra ne pas relever.

— Tu vas passer le week-end à la villa?

— Oui. Je compte prendre l'avion de Nice demain matin et revenir de bonne heure lundi — ce qui me donne une excellente idée: viens donc avec moi! Cela te détendra, les enfants seront ravis de te voir. Emily ne sera pas fâchée non plus.

— Impossible, Paula, je dois absolument rester quelques jours au Prieuré. Je serais enchanté de t'accompagner, sincèrement, mais il y a trop à faire dans la propriété. Au fait, puisque tu rentres lundi, déjeunons ensemble mardi.

— Je suis désolée, Sandy, je prends le Concorde de New York mardi matin et je repars à la fin de la semaine pour Sydney. Je serai absente tout le mois de septembre.

— Ah ! bon... Tant pis.

Il paraissait si déçu que Paula se hâta d'ajouter:

— Et si nous prenions tout de suite rendez-vous pour octobre? Attends, je regarde mon agenda... Le premier mercredi, cela te convient?

— Un instant, je vérifie... D'accord pour le premier mercredi. Je serai content de te revoir, tu sais. En attendant, dis mille choses de ma part à tout le monde à la villa.

Sa conversation avec Alexander laissa Paula songeuse. Elle s'en voulait de n'avoir pas davantage insisté pour que son cousin l'accompagne à la villa Faviola. Serait-elle parvenue à le décider? Sans doute pas. Depuis Pâques, Emily avait usé de toutes les ressources de son imagination. Sans succès: Sandy n'était venu au Cap-Martin que deux fois et pour de très brefs séjours, uniquement afin de faire plaisir à sa sœur.

Paula n'en avait pas moins des remords d'avoir négligé Alexander ces derniers temps. Depuis un an, elle sacrifiait sa vie privée, elle négligeait parents et amis. Sandy était, lui aussi, une victime de ce surmenage dont elle se faisait une règle de vie. Paula s'en rendait compte et le déplorait. Etait-ce pour cela qu'il lui avait paru troublé? Non, elle n'avait pas rêvé: les étranges inflexions de sa voix trahissaient la tension, l'anxiété. Sandy se trouve confronté à des problèmes réels, sérieux peut-être, se dit-elle. Mais lesquels?

Inquiète, Paula chercha ce qui pourrait perturber son cousin. Il ne s'agissait sûrement pas de Harte Enterprises, Emily l'en aurait déjà avertie. Sandy n'avait pas d'ennuis de santé, encore moins de soucis financiers. S'il ne courtisait personne — toujours selon Emily, la mieux informée des secrets de la famille —, il ne manquait pas de compagnie féminine, loin de là. Il menait, mais sans affectation, une vie assez retirée, conforme à ses goûts. Pourtant, songea Paula, il doit lui arriver de souffrir de la solitude. Pour la centième fois, elle regretta que son cousin ne se fût pas remarié.

Sandy était longtemps resté inconsolable de la mort de Maggie dans l'avalanche, à Chamonix. Peu à peu, au prix de durs efforts, il avait réussi à surmonter sa douleur mais sans jamais redevenir tout à fait le même. Cette avalanche nous a tous marqués, se dit Paula. Elle pensait à son frère Philip, seul survivant du drame, à sa mère devenue veuve. Elle avait elle-même perdu son père, et ses enfants le leur. Oui, la famille entière avait payé un lourd tribut. Depuis, aucun d'entre eux n'était plus tout à fait le même...

Et c'est moi la plus bizarre de toutes! murmura Paula en se forçant à sourire. Ne se laissait-elle pas emporter par son imagination? Depuis leur enfance, Sandy et elle étaient plus proches l'un de l'autre qu'un frère et une sœur; ils l'étaient restés dans leur âge adulte. Si son cousin avait réellement des ennuis, il n'aurait pas hésité à se confier à elle au téléphone. Elle déraisonnait!

Décidée à faire taire ses absurdes inquiétudes, Paula se tourna vers les dossiers empilés sur son bureau. Un coup d'œil lui suffit pour se rendre compte qu'ils n'offraient rien de très urgent. Elle en fut soulagée: les problèmes se présentaient de préférence à elle le vendredi et lui gâchaient ses week-ends. En hiver, ce n'était qu'un demi-mal; mais en été, pendant les vacances des enfants, c'est eux qui en subissaient les conséquences. Les week-ends avec leur mère leur étaient trop précieux pour qu'ils ne s'insurgent pas contre tout ce qui les privait de sa présence.

La lecture du courrier expédiée, elle parcourut un rapport de Jill, son assistante, sur les travaux d'aménagement du rayon haute couture, vérifia les bons de commande, feuilleta les télex de la veille. Provenant presque tous du magasin de New York, ils portaient la signature de son adjointe américaine, Madalena O'Shea. Un seul exigeait une réponse. Paula en rédigea rapidement le texte sur un bloc-notes.

Une fois débarrassée des affaires courantes, elle ouvrit un des dossiers rapportés du Yorkshire et y prit un document. Rien d'autre ne l'intéressait en ce moment, car sur cet unique feuillet se trouvaient résumés les points essentiels de son grand projet — la clef de son avenir. Il ne lui fallut que quelques secondes pour s'absorber totalement dans son travail et oublier ses inquiétudes sur son cousin Sandy.

Vingt minutes plus tard, satisfaite de ses calculs et le sourire aux lèvres, Paula agrafa ses notes, les plaça dans le dossier avec son précieux feuillet et enferma le tout dans un tiroir. Engourdie d'être restée si longtemps assise, au volant d'abord puis dans son fauteuil, elle se leva et arpenta le bureau en s'étirant.

Elle avait toujours aimé cette pièce, décorée avec un goût infaillible par Emma Harte quelque soixante ans auparavant. Enfant déjà, Paula se sentait à l'aise dans ce cadre chaleureux, où meubles anciens, boiseries et tableaux de maître recréaient l'ambiance d'un manoir plutôt que d'un lieu consacré aux affaires. Aussi, à l'exception de quelques touches personnelles, n'y avait-elle rien changé quand elle en avait pris possession.

Un grand portrait d'Emma encore jeune était pendu audessus de la cheminée. Paula ne s'était jamais tout à fait remise de la disparition de sa grand-mère, qu'elle vénérait et dont elle ne cessait d'admirer le courage. Songeuse, Paula contempla ce visage si familier. Partie de rien, elle avait déjà fondé son empire à mon âge, se dit-elle. Je *dois* me montrer digne d'elle, je *dois* faire preuve du même courage, de la même audace. Je dois aller au bout de mes projets, comme elle a accompli les siens à force de volonté...

Le regard d'Emma semblait la rappeler à son devoir. Paula regagna son bureau et pressa le bouton de l'interphone:

— Jill, avez-vous fait prendre mes bagages dans la voiture?

— Juste après votre arrivée, Paula, mais je n'ai pas voulu vous déranger. Les voulez-vous maintenant?

— Volontiers.

Jill apparut un instant plus tard, chargée d'un sac de voyage et d'une valise qu'elle alla déposer dans la pièce contiguë, aménagée en garde-robe. Lorsqu'elle revint, Paula lui fit signe de s'asseoir.

Jill Marton travaillait pour Paula depuis plus de cinq ans et lui vouait une admiration sans bornes. Ceux qui avaient connu Emma Harte lui avaient dit, dès le premier jour, que

Paula était bien la digne petite-fille de ce personnage légendaire. Jill n'avait pas tardé à en être convaincue.

— Voyons d'abord votre rapport, dit Paula. Je n'ai rien à y ajouter, vos suggestions sont excellentes. Vous pouvez lancer les travaux et commander les autres aménagements.

Ce compliment fit rougir la jeune femme de plaisir.

— Envoyez ce télex à Madalena, poursuivit Paula. Il n'y a rien de très important dans le courrier, je vous laisse le soin de vous en occuper. J'ai paraphé les bons de commande. Où en sont les maquettes publicitaires?

— Alison Warren m'a dit qu'elles sont presque prêtes, je les mettrai sur votre bureau après le déjeuner.

— Bon. A propos de déjeuner, Michael Kallinsky a-t-il confirmé notre rendez-vous? Où dois-je le retrouver?

— Il a appelé tout à l'heure mais, comme il ne voulait pas vous déranger, il m'a chargée de vous dire qu'il passera vous chercher à midi un quart.

Paula jeta un coup d'œil à sa montre.

— Dans ce cas, je ferais bien de me préparer si je veux faire un tour dans le magasin avant de sortir. Eh bien, ce sera tout pour l'instant. Merci, Jill.

Paula avait transformé en garde-robe le local qui, du temps d'Emma, était réservé au classement. Elle y avait installé des penderies, des miroirs, une coiffeuse. Elle rafraîchit son maquillage, se recoiffa et échangea la tenue décontractée qu'elle portait pour conduire contre un tailleur de shantung noir, créé spécialement pour elle par Christina Crowther.

Paula s'examina d'un regard critique. Avec un chemisier blanc, des bas sombres, des escarpins vernis et un simple rang de perles assorti à ses boucles d'oreilles, l'ensemble était parfait — strict sans sévérité, assez chic pour aller dans un restaurant à la mode. Car Michael Kallinsky l'emmenait toujours dans les endroits les plus élégants.

2

Pour la deuxième fois ce matin-là, le portrait d'Emma Harte était l'objet d'un examen attentif.

Agé de trente-cinq à quarante ans, mince et de taille moyenne, blond, les yeux bleus, le teint hâlé, Michael Kallinski portait avec aisance un complet de Savile Row dont la coupe irréprochable paraissait le grandir. Il contemplait Emma en s'étonnant de ce que, onze ans après sa mort, ceux qui l'avaient connue parlent de cette femme d'exception comme si elle vivait toujours. Mais était-ce si surprenant, après tout, quand on savait à quel point elle avait imprimé sa marque sur son entourage, ses entreprises et jusqu'à ses œuvres philanthropiques? Il en faut souvent moins pour accéder à l'immortalité...

Quel âge avait-elle sur ce portrait? Une trentaine d'années, sans doute. L'artiste avait su capter sa radieuse beauté et l'éclat de ses extraordinaires yeux verts. Michael comprenait aisément que son grand-père ait été follement amoureux d'elle — jusqu'à vouloir, prétendait-on dans sa famille, abandonner pour elle femme et enfants. David Kallinski n'avait pas été le seul à succomber au magnétisme d'Emma Harte. Du temps de leur jeunesse, Blackie O'Neill avait lui aussi été ensorcelé, disait-on.

Les Trois Mousquetaires... C'est ainsi qu'Emma avait surnommé le trio qu'elle formait avec David et Blackie — trio bien improbable, réunissant un Juif, un Irlandais catholique et une Anglaise protestante. Mais ils ne se souciaient guère de ce que les autres pensaient d'eux et de leur amitié. Inséparables, ils s'étaient également révélés imbattables. Chacun avait fondé un empire qui s'étendait sur le monde entier, une dynastie dont la puissance ne cessait de se renforcer avec le temps.

C'était Emma, pourtant, l'élément le plus imaginatif, le plus actif, la véritable instigatrice de leur succès. C'était elle qui traçait la voie, les deux hommes qui suivaient. Telle était, du moins, la manière dont son père évoquait le passé et Michael n'avait aucune raison d'en douter: ses propres souvenirs confirmaient largement cette version des faits. Emma avait marqué les plus jeunes aussi profondément que leurs aînés.

Un sourire attendri lui vint aux lèvres en la revoyant telle qu'elle lui apparaissait quelque trente ans auparavant, quand elle emmenait les enfants passer les vacances d'été dans sa maison de Scarborough. Entre eux, ils la surnommaient « le général » et la maison « la caserne ». Mais elle les avait éduqués, elle leur avait inculqué sa philosophie de la vie ; elle leur avait appris la valeur de mots tels que probité, honneur, esprit d'équipe, règle du jeu. Pendant toute leur enfance et leur adolescence, elle leur avait prodigué sans compter son amour, sa compréhension, son amitié. Grâce à son influence, décisive en ces années cruciales de leur formation, ils étaient devenus meilleurs et mieux armés pour la vie.

Michael salua le portrait avec tendresse. Oui, Emma avait été un personnage hors du commun, comme l'étaient aujourd'hui ses petites-filles. Chez les Harte, les femmes semblaient former une race à part — Paula en particulier...

Il se retourna au bruit de la porte et sourit en voyant entrer Paula.

— Michael ! Je suis navrée de t'avoir fait attendre !

— Pas du tout, Paula, j'étais en avance.

Ils se donnèrent une affectueuse accolade.

— Sais-tu que tu *lui* ressembles de plus en plus ? dit-il en désignant le portrait.

Paula feignit de prendre une mine horrifiée:

— Ah non, Michael ! Tout le monde me traite déjà de « copie conforme », tu ne vas pas t'y mettre toi aussi ! J'attends mieux d'un vieil ami comme toi.

— Mais vous êtes toutes des « copies conformes »! dit-il en riant. Emily et Amanda ne sont pas mal non plus, dans leur genre... Au fait, de quand date ce portrait?

— De 1929. Pourquoi?

— Je me demandais tout à l'heure l'âge qu'elle avait quand elle a posé.

— Trente-neuf ans.

— Te rends-tu compte que nous serions cousins si David, mon grand-père, avait abandonné sa femme pour la suivre, comme il en a eu l'intention? dit-il avec un sourire amusé.

— De grâce, pas de leçon d'histoire ancienne! répondit Paula, amusée. De toute façon, j'ai toujours considéré que nous faisions tous partie de la même famille.

Tout en parlant, elle avait pris place à son bureau. Michael traversa la pièce à son tour et s'assit en face d'elle.

— L'esprit de famille n'est pas donné à tout le monde, dit-il avec plus de sérieux, mais nos trois clans semblent en avoir été abondamment pourvus. Nos grands-parents auraient été jusqu'au crime pour se rendre service et cette fidélité mutuelle s'est transmise, je crois, jusqu'à notre génération.

— C'est tout à fait vrai...

La sonnerie du téléphone l'interrompit. Un instant plus tard, elle couvrit le combiné d'une main.

— Le directeur du magasin de Harrogate, dit-elle à mi-voix. Je n'en aurai pas pour longtemps.

En attendant la fin de la conversation, Michael examina Paula avec autant d'attention qu'il avait contemplé le portrait d'Emma quelques instants plus tôt.

La ressemblance entre les deux femmes l'avait d'autant plus frappé que, en voyage à l'étranger, il n'avait pas revu Paula depuis près de deux mois. Certes, elle avait les cheveux très noirs et les yeux bleus, quand Emma était une rousse aux yeux verts. Mais Paula avait hérité des traits finement ciselés de sa grand-mère et s'identifiait de plus en plus à elle au fil des ans. L'expression du regard, le maintien, une certaine raideur dans l'attitude, l'habitude de rire de ses contrariétés, tous ces traits de caractère étaient communs aux deux femmes, comme leur comportement en affaires.

Michael connaissait Paula depuis toujours ; pourtant, il ne l'avait réellement découverte qu'après avoir l'un et l'autre dépassé trente ans. Enfant, il ne pouvait pas la souffrir. Il la jugeait froide, distante, indifférente aux autres, à l'exception de sa cousine Emily qu'elle ne cessait de dorloter — et de Shane O'Neill, bien entendu, à qui elle s'efforçait toujours de faire plaisir.

Derrière son dos, Michael la traitait de sainte nitouche : elle n'avait aucun défaut, les grandes personnes la couvraient de compliments et la donnaient en exemple aux autres. Son frère Mark l'affublait de sobriquets aussi peu flatteurs. Michael et Mark se moquaient d'elle — comme ils se moquaient à vrai dire de toutes les filles. Plutôt que de perdre leur temps avec elles, ils préféraient la compagnie des autres garçons et, avec Philip, Winston, Alexander, Shane et Jonathan, formaient une bande de joyeux lurons.

Six ans auparavant, Michael avait pris conscience que la brillante femme d'affaires dissimulait une extrême sensibilité sous sa froideur apparente ; que ses manières parfois distantes, sur lesquelles il se méprenait dans son enfance, recouvraient en fait réserve et timidité. Cette découverte l'avait stupéfié. La trop parfaite Paula se révélait profondément humaine, vulnérable, aimante, capable d'un dévouement total pour sa famille et ses amis. Depuis dix ans, elle avait subi de terribles épreuves qui auraient abattu bien des gens. Pas elle. Paula avait su puiser de nouvelles forces dans l'adversité et devenir encore plus sensible aux douleurs des autres.

Le travail les avait finalement rapprochés. Paula avait toujours soutenu et aidé Michael quand il en avait eu besoin, tant dans ses affaires que dans sa vie privée. Sans l'amitié de Paula, il n'aurait pas pu surmonter les pénibles problèmes personnels découlant de son divorce. Elle lui avait toujours offert une oreille compréhensive, sa compagnie, ses conseils et son réconfort. Michael lui vouait une profonde reconnaissance. En dépit de sa réussite et de sa sûreté de soi, Paula gardait un côté fragile, attendrissant, qui émouvait Michael, lui donnait envie de la protéger et de se mettre à son service, comme il venait d'ailleurs de le faire à New York. Il avait hâte, maintenant, de lui communiquer ses nouvelles.

Paula raccrocha enfin, fit une moue d'excuse:

— Désolée, je ne croyais pas que ce serait aussi long. Et maintenant, Michael, raconte-moi. Comment s'est passé ton séjour à New York?

— Très bien, mais épuisant. Nos affaires marchent à fond et j'étais débordé de travail. J'ai quand même pris le temps de me distraire un peu et de passer un ou deux week-ends dans les Hamptons. Mais ce n'est pas tout, Paula, ajouta-t-il. Je crois avoir trouvé ce que tu cherches.

Elle se redressa, un éclair dans le regard:

— C'est vrai? Les actions sont-elles cotées en Bourse?

Il ne put résister au désir de la taquiner:

— Non.

— Sont-elles à vendre, au moins?

— Tout est à vendre, à condition d'y mettre le prix.

— Ne me fais pas languir! Les actionnaires veulent-ils vendre, oui ou non?

— A vrai dire, ils n'en ont pas l'intention. Mais à notre époque de fusions et d'OPA, cela ne veut rien dire. Leur soumettre une proposition ne coûte rien.

— Vas-tu te décider à parler? Quel est le nom de la société? Est-elle importante? Où est-elle située?

— Pas si vite! répondit Michael en riant. Je ne peux répondre qu'à une seule question à la fois. La société s'appelle Peale & Doone, elle a son siège dans le Middlewest et elle est de taille moyenne — sept magasins dans des petites villes de l'Illinois et de l'Ohio. Elle a été fondée en 1920 par des immigrants écossais qui se sont d'abord spécialisés dans des produits importés d'Ecosse — plaids, cachemires, tricots, etc. Ils ont élargi leur gamme dans les années 40 et 50, mais leur marchandise serait plutôt vieillotte, comme leur gestion. On m'a affirmé, en revanche, que leurs finances sont très saines.

— Comment en as-tu entendu parler?

— Par un de mes amis avocat dans une firme de Wall Street. Je lui avais demandé de chercher une chaîne de magasins et c'est un collègue de Chicago qui lui a indiqué celle-ci. Selon lui, elle serait mûre pour une prise de contrôle.

— Qui sont les actionnaires?

— Les héritiers de MM. Peale et Doone.

— Rien ne dit qu'ils voudront vendre, Michael!

— C'est exact. Mais beaucoup d'actionnaires ne le savent souvent pas eux-mêmes jusqu'à ce qu'on le leur propose.

— L'affaire vaut-elle la peine d'être poursuivie?

— A mon avis, oui. Ce n'est qu'une petite chaîne, mais je crois qu'elle conviendrait parfaitement à tes projets.

— Dommage que les magasins soient situés dans de petites villes, dit Paula avec une moue dubitative. J'aurais préféré de grands centres comme Chicago ou Cleveland.

— Tu as assez d'expérience et d'imagination pour transformer n'importe quelle boutique et en faire un chef-d'œuvre! protesta Michael. Et ne méprise pas les petites villes, c'est souvent là qu'il y a le plus d'argent à gagner.

Paula craignit de se montrer ingrate.

— Tu as raison. Peux-tu obtenir de plus amples renseignements sur cette chaîne?

— Je téléphonerai tout à l'heure à mon ami de New York, il réunira un dossier complet.

— Sait-il que tu agis pour mon compte?

— Non, mais je peux le lui dire si tu le juges utile.

— Non! Pas pour le moment du moins, cela risquerait de faire grimper le prix — à condition que les actionnaires acceptent de vendre, bien entendu.

— Exact. Je ne dirai donc rien encore à Harvey.

— Merci, Michael. Je te suis sincèrement reconnaissante du mal que tu te donnes.

— Je ne me donne aucun mal, Paula! Pour toi, je ferais n'importe quoi, tu le sais bien... Mais il est tard, nous devrions partir, dit-il en se levant. Mon père s'est invité à déjeuner avec nous, j'espère que tu n'y vois pas d'inconvénient.

— Pas du tout, au contraire ! J'adore oncle Ronnie.

— Et il te le rend bien, dit Michael en riant. Il est littéralement en extase devant toi.

— Eh bien, raison de plus pour ne pas le faire attendre.

Dans l'ascenseur, Michael pensa aux rapports de plus en plus étroits entre son père et Paula. Ronald Kallinski la traitait comme sa propre fille, Paula lui vouait une profonde vénération. Au fond, songea Michael en souriant, elle fait de mon père son guide spirituel à la place de sa grand-mère. Beaucoup s'étonnaient de cette amitié, si mal assortie en apparence, dont ils concevaient de la jalousie. Pour sa part, Michael s'en réjouissait. Paula comblait un vide dans la vie de son père comme dans la sienne.

3

Sir Ronald Kallinski, président du conseil d'administration de Kallinski Industries, traversa le luxueux hall de marbre de Kallinski House.

Grand, mince, imposant sous son opulente chevelure noire striée de gris et beaucoup plus jeune d'allure que ses soixante-dix ans, il tenait de son père David et de sa grand-mère Janessa le bleu intense de ses yeux. Renommé pour sa mise impeccable en toute occasion, il portait ce jour-là un strict complet gris anthracite digne de sa réputation d'élégance.

Saluant au passage les nombreuses personnes qui le reconnaissaient, il fit halte devant une œuvre monumentale de Henry Moore dressée au centre du hall. Il l'avait commandée à l'illustre sculpteur, comme lui natif du Yorkshire, car Sir Ronald était aussi fier de ses origines du nord de l'Angleterre que de son héritage judaïque.

Un instant plus tard, il poussa la porte et, surpris par la température étouffante du dehors, eut un mouvement de recul. Sir Ronald, en effet, ne pouvait supporter la chaleur. Il faisait régner dans ses bureaux, au dernier étage, une atmosphère si glaciale en toute saison que ses collaborateurs surnommaient cette partie de l'immeuble « le cercle polaire ». Doris, sa secrétaire depuis douze ans, avait fini par s'y accoutumer. Résignés, les cadres et employés se munissaient de chandails et d'écharpes quand ils devaient se rendre chez le patron. Au cœur de l'hiver, Sir Ronald maintenait dans ses résidences une température aussi froide qu'il osait sans provoquer la révolte de ses proches et de ses amis.

Il avait envisagé, ce matin-là, de se rendre à pied au

Connaught. En affrontant la fournaise, il se félicita d'y avoir renoncé et commandé sa voiture. D'ailleurs, le chauffeur se tenait déjà près de la portière, la casquette à la main. Sir Ronald s'engouffra avec soulagement dans la fraîcheur de sa Rolls-Royce climatisée. Il se réjouissait de ce déjeuner avec Paula et Michael. Il n'avait pas vu Paula depuis plusieurs semaines et Michael venait de rentrer d'un séjour de plus de deux mois à New York. Chacun à sa façon, ils lui avaient tous deux manqué.

Son fils aîné était son bras droit et son préféré. Il avait pour Mark, le cadet, beaucoup d'affection, mais Michael occupait dans son cœur une place à part. Par bien des côtés, il lui rappelait David, son propre père. Jusqu'à la mort de ce dernier, Ronald avait entretenu avec lui des rapports d'amicale complicité, exceptionnels entre un père et un fils ; il en était de même entre Michael et lui. Depuis quelques années, les absences de Michael lui donnaient un sentiment de solitude de plus en plus pesant.

Quant à Paula, elle était la fille qu'il n'avait jamais eue ou, plutôt, la remplaçante de Miriam, morte en bas âge. Née entre Michael et Mark, elle aurait eu trente-quatre ans cette année si une méningite ne l'avait emportée à l'âge de cinq ans. Longtemps inconsolables, Helen et lui se révoltaient devant l'injustice de cette mort. « Les voies de Dieu sont impénétrables », leur répétait sa mère en guise de réconfort. Il n'avait pu admettre cette cruelle vérité qu'au seuil de la vieillesse.

Après Emma, Paula était la femme la plus intelligente qu'il eût jamais connue. Il appréciait son esprit clair, pénétrant, son sens inné des affaires, autant que sa douceur et sa féminité. Le rôle de confident et de conseiller qu'il remplissait auprès d'elle le comblait. Il admirait ses qualités de mère autant que de femme d'affaires, qui avançait sans jamais trébucher ni faire de faux pas sur une route semée d'embûches.

Quel malheur que sa belle-fille n'ait pas possédé les mêmes vertus ! Valentine était superficielle, toujours insatisfaite. Rien n'était jamais assez beau pour elle, et Ronald comprenait trop bien l'amertume de Michael. Au fil des ans, il avait vu les rapports du couple s'envenimer de telle sorte que l'explosion finale ne l'avait pas surpris. Il n'avait jamais approuvé le choix de son fils, non parce que Valentine n'était pas juive — les différences de religion n'avaient aucune importance à ses yeux — mais à cause des évidents défauts de son caractère. Mais comment ouvrir les yeux d'un jeune homme amoureux ? Au bout de bien des querelles, au prix de sommes considérables, l'inévitable divorce était finalement intervenu. Michael avait au moins obtenu l'essentiel, la garde conjointe des trois enfants : Julian leur fils, Arielle et Jessica leurs filles.

Un sourire lui vint aux lèvres à la pensée de ses petites-filles. Helen aurait été si heureuse de les connaître ! Sa femme était morte huit ans auparavant et il ne s'en consolait pas. L'absence d'Helen avait assombri la joie de son anoblissement en 1976.

Cet honneur l'avait sincèrement étonné, car il n'avait jamais sollicité de titre, ni tenté d'en acquérir un à force de libéralités aux œuvres charitables. Ses généreuses contributions à la recherche médicale et autres causes dignes d'intérêt avaient toujours été effectuées dans la discrétion. Il avait été d'autant plus flatté de figurer sur la liste de promotions du Premier Ministre Harold Wilson, que nul n'ignorait combien cette distinction était méritée. Devenue l'une des premières entreprises exportatrices de Grande-Bretagne, Kallinski Industries procurait des milliers d'emplois. Ronald lui avait consacré sa vie et pouvait légitimement s'enorgueillir de l'avoir hissée à la position de premier plan qu'elle occupait désormais. Le pays appréciait ses efforts et lui manifestait sa reconnaissance en lui conférant la noblesse.

Sir Ronald était fier de son titre. Si d'autres Juifs du Yorkshire, tels que Montague Burton ou Rudolph Lyons, avaient été anoblis avant lui, il attachait autant de prix à cet honneur que s'il était le premier à en bénéficier, car il rejaillissait sur la famille entière et en couronnait l'ascension.

Il pensait aux humbles débuts de son grand-père Abraham qui, fuyant la Russie et les pogroms en 1880, avait cherché refuge dans le ghetto de Leeds et ouvert sa boutique de tailleur de North Street. C'est dans ce modeste atelier qu'avait pris naissance l'immense empire devenu aujourd'hui Kallinski Industries.

Il avait amèrement regretté que Helen, Abraham, David, Emma et Blackie n'aient pas été présents pour partager sa joie et sa fierté. Plus que quiconque, ils auraient apprécié à sa juste valeur la signification de la cérémonie.

La voiture s'arrêta en souplesse devant le Connaught, un portier galonné ouvrit la portière. Tiré de sa rêverie, Sir Ronald dit au chauffeur de revenir le chercher à 14 heures 30 et pénétra dans l'hôtel, sous une avalanche de courbettes et de « Sir Ronald » qui l'accompagnèrent jusqu'à la table réservée par son fils. Il ne put retenir un léger sourire : cinq ans auparavant, il se demandait s'il s'accoutumerait jamais à ce qu'on lui parle à la troisième personne. Il s'y était fort bien habitué — et beaucoup plus vite qu'il ne s'y attendait...

Sir Ronald n'en crut pas ses yeux.

Paula et Michael entraient dans la salle de restaurant et se dirigeaient vers lui. De loin, Paula ressemblait à Emma au même âge de façon stupéfiante. Il comprit, quand elle se rapprocha, que sa nouvelle coiffure accentuait la ressemblance. Ses cheveux étaient coupés court, dans un style qui évoquait à ses yeux le chic des années 30, les stars de sa jeunesse — et Emma, dont il avait tant admiré l'élégance.

Ils s'embrassèrent affectueusement. Tout en consultant la carte, Michael commanda les apéritifs, qui furent promptement servis. Sir Ronald leva son verre et se tourna vers Paula :

— A la mémoire de ta grand-mère, ma chère enfant.

— A Emma, dit Michael à son tour.

— A grand-mère, répliqua Paula.

Ils burent une gorgée en silence.

— Je savais que vous vous souviendriez de ce jour, oncle Ronnie, dit-elle un instant plus tard.

— Qui pourrait oublier de commémorer la disparition d'une femme comme Emma? Elle serait fière de toi, ma chère petite. Tu as admirablement su poursuivre son œuvre.

— Je l'espère... Je fais de mon mieux pour maintenir ce qu'elle a construit et renforcer ce qui peut l'être.

— N'aie crainte, tu y es parvenue. Tu fais preuve du même génie des affaires que ta grand-mère et je ne puis que te féliciter de la manière dont tu gères le patrimoine.

— Non seulement j'approuve ce que dit mon père, mais j'estime qu'il ne va pas assez loin, déclara Michael en lançant à Paula un clin d'œil complice.

— Vous êtes l'un et l'autre d'une scandaleuse partialité! répondit Paula en souriant.

Sir Ronald se pencha vers elle:

— Je vous impose ma présence aujourd'hui, mes enfants, parce que je voudrais demander conseil à Paula.

— Vous, oncle Ronnie? s'écria-t-elle, étonnée. Je suis bien incapable de conseiller la personne la plus sensée que je connaisse!

— Tu en es tout à fait capable, au contraire. En fait, j'ai plutôt besoin de ton avis. Crois-tu qu'Alexander accepterait de céder la marque Lady Hamilton à Kallinski Industries?

C'était tellement inattendu que Paula en resta un instant muette d'étonnement.

— Certainement pas! répondit-elle enfin. La division Lady Hamilton a une importance trop considérable, autant pour Harte Enterprises que pour la chaîne des magasins *Harte's*.

— Sandy pourrait quand même vouloir s'en défaire, intervint Michael. Pas à n'importe quel prix ni au profit de n'importe qui, certes. Mais regardons les choses en face: Sandy est surchargé de responsabilités depuis la crise familiale qui l'a forcé à congédier Jonathan et Sarah. Emily et lui doivent mettre les bouchées doubles pour diriger Harte Enterprises et ils ont du mal à s'en sortir...

— Je n'en suis pas si sûre, Michael, l'interrompit Paula. Ils me donnent au contraire l'impression de très bien se débrouiller.

— En tout cas, nous serions disposés à payer le prix fort, insista Michael.

— J'en suis convaincue, tout comme je suis persuadée que Sandy refuserait, quel que soit le montant que vous lui offririez. Mais, dites-moi, oncle Ronnie, pourquoi vous intéressez-vous à Lady Hamilton?

— Afin d'avoir notre propre secteur de prêt à porter féminin, comme nous avons déjà un secteur de confection pour hommes. Nous fournirions tes magasins et tes boutiques, bien entendu, mais nous souhaiterions également nous placer sur les marchés d'exportation avec une gamme de produits compétitifs.

— Naturellement, enchaîna Michael, nous n'exporterions pas dans les pays où tu possèdes déjà des points de vente. Pour le moment, nous ne pensons qu'au Marché Commun, sauf la France, puisque tu as un magasin à Paris.

— Je sais que vous ne me feriez ni l'un ni l'autre le moindre tort, répondit Paula. Je comprends aussi pourquoi cette acquisition vous intéresse, elle est logique. Mais tu connais Sandy, Michael. Tu sais à quel point il est respectueux des traditions, c'est d'ailleurs une des raisons pour lesquelles grand-mère lui a confié Harte Enterprises. Elle savait qu'il ne ferait jamais rien pour en affaiblir la structure — comme de vendre une division qui réalise de très, très gros bénéfices! conclut-elle avec un sourire.

— Je connais très bien Sandy, répliqua Michael. C'est justement pourquoi j'ai suggéré à mon père de te demander ton avis avant de décider quoi que ce soit.

L'arrivée du serveur les interrompit. Ils bavardèrent de choses et d'autres en savourant leur déjeuner. Puis, au bout de quelques minutes, Paula ne put contenir sa curiosité:

— Vous m'étonnez, l'un et l'autre. Pourquoi ne pas fonder votre propre secteur de prêt à porter féminin? Ce ne sont certes pas les moyens qui vous manquent!

— Bien entendu, approuva Sir Ronald, mais, franchement, nous préférerions acquérir une marque déjà réputée. Le lancement d'un produit nouveau nous coûterait beaucoup plus de temps — et d'argent. Et si je m'intéresse à Lady Hamilton, vois-tu, c'est avant tout parce que la marque a été fondée par Emma et mon père. Il y est resté attaché longtemps après avoir vendu ses parts à ta grand-mère, et pour moi aussi, je l'avoue, elle a une valeur sentimentale.

Paula serra avec affection la main de Sir Ronald.

— Je vous comprends, oncle Ronnie, mais Alexander n'a aucune raison — à ma connaissance, du moins — de se séparer de cette division. Sa sœur Amanda en assure le succès depuis plusieurs années. Que deviendrait-elle en cas de vente de Lady Hamilton? Sandy ne manquera pas de le prendre en considération.

— Amanda n'a pas à craindre de se retrouver sans emploi! intervint Michael. Elle fait un tellement bon travail que nous aimerions, au contraire, la garder.

Paula ne répondit pas. Elle devait admettre, en effet, que si jamais Sandy décidait de se séparer de Lady Hamilton, il serait bien avisé de traiter avec les Kallinski. Ils avaient, après tout, des droits moraux sur la société.

— J'aimerais te poser une question, Paula, dit Sir Ronald. Il ne s'agit que d'une hypothèse, bien entendu. Supposons qu'Alexander décide de vendre Lady Hamilton. Le pourrait-il sans formalités? Serait-il obligé d'obtenir l'accord des autres actionnaires?

— Non. Emily est la seule à pouvoir s'y opposer et elle a toujours fait ce que voulait son frère, comme vous le savez.

— Emily, la seule? demanda Sir Ronald, surpris. Il me semblait, pourtant, que Jonathan et Sarah avaient gardé leurs parts de Harte Enterprises, après en avoir été évincés à cause de leurs malversations.

— Ils continuent à toucher leurs dividendes et à se faire communiquer les bilans annuels, mais ils n'ont aucun droit de vote. Emily non plus, d'ailleurs, maintenant que j'y pense... Je vois qu'il vous faut quelques explications, ajouta-t-elle devant la mine perplexe de ses interlocuteurs. Grand-mère a légué cinquante-deux pour cent de Harte Enterprises à Sandy et partagé les quarante-huit pour cent restants entre Emily, Jonathan et Sarah. Président de la société et actionnaire majoritaire, Sandy a donc toute liberté d'agir comme il l'entend. Grand-mère en avait décidé ainsi car, tout en attribuant des revenus aux autres, elle entendait accorder à Sandy un pouvoir absolu afin d'éviter les risques de mésentente entre les cousins. Elle savait également que Sandy saurait, mieux que quiconque, respecter ses intentions.

— Je reconnais bien là la sagesse de ta grand-mère, dit Sir Ronald. Elle voyait juste: Sandy a su éviter les écueils et sa gestion de la société est digne d'éloges.

— Ecoute, Paula, dit alors Michael, tu répètes que Sandy ne veut vendre à aucun prix! Mais il peut être amené, pour une raison ou pour une autre, à changer d'avis.

Son insistance fit sourire Paula.

— Tu voudrais donc pouvoir lui en parler et le convaincre que Kallinski Industries n'attend qu'un mot de lui pour le soulager du fardeau de Lady Hamilton le jour où il le jugerait trop pesant, c'est bien cela?

— Exactement. Tu ne verrais pas d'inconvénient à ce que mon père lui en touche un mot, n'est-ce pas?

— Bien sûr que non! Passerez-vous prochainement un week-end dans le Yorkshire, oncle Ronnie?

— Oui, ma chère Paula.

— Dans ce cas, allez donc voir Sandy au Prieuré. Il est beaucoup plus détendu à la campagne.

— Je n'y manquerai pas. Et mille mercis de tes avis, ils m'ont été précieux.

— Au fait, intervint Michael, Sarah Lowther est-elle toujours mariée avec son peintre français? Es-tu au courant de ce qu'elle fait?

Paula se rembrunit.

— Non, je ne sais plus rien d'elle, directement du moins. Mais j'ai lu il y a près de six mois dans un magazine — *Paris Match*, je crois — un article sur Yves Pascal, son mari. Parmi les photos, il y en avait une de Sarah et d'Yves avec leur fille Chloé, qui doit avoir cinq ans. Ils habitent Mougins où il a installé son atelier. Il devient célèbre, paraît-il.

— En effet, les critiques ne tarissent pas d'éloges sur son compte, dit Michael. J'avoue pourtant que sa peinture me laisse froid, je la trouve trop abstraite. Pour ma part, j'en suis resté aux Impressionnistes... Mais puisque nous parlons de Sarah, sais-tu ce que devient Jonathan Ainsley, son âme damnée? Se terre-t-il toujours quelque part en Extrême-Orient?

— Peut-être, Sandy lui-même n'en sait rien au juste. Des amis d'Emily lui ont dit l'avoir vu à Hong Kong et à Singapour. Ses dividendes sont versés à un cabinet d'experts-comptables de Londres, qui s'occupe de ses affaires. La seule chose qui m'intéresse, c'est qu'il ne remette plus les pieds en Angleterre. Bon débarras, comme aurait dit Emma.

— Je n'ai jamais compris ce qui l'a poussé à agir comme il l'a fait, dit Michael. Quel imbécile! Il avait tout pour réussir et il a tout compromis...

— Peut-être s'imaginait-il pouvoir continuer impunément, suggéra Sir Ronald. En tout cas, il a sous-estimé Paula — fatale erreur de jugement de sa part, ajouta-t-il avec un sourire.

Paula s'efforça vainement de se mettre au diapason de sa bonne humeur. Elle ne pouvait supporter d'évoquer son cousin Jonathan Ainsley, son pire ennemi. Michael n'avait pas remarqué son trouble et poursuivit ses questions:

— Personne de la famille n'est donc au courant de ce qu'il fait pour gagner sa vie?

— Jonathan n'a pas *besoin* de gagner sa vie, répondit Paula. Ses dividendes de Harte Enterprises lui suffisent largement. Et personne ne se soucie d'avoir de ses nouvelles, parce qu'aucun d'entre nous ne s'intéresse à son sort. Mais d'où te vient ce soudain intérêt pour Jonathan, Michael?

— Je ne sais pas... Je n'y pensais plus depuis des années. Parler de lui a éveillé ma curiosité, voilà tout.

— Pas la mienne, en tout cas!...

Malgré la chaleur, Paula frissonna. Elle se remémorait les dernières paroles proférées par Jonathan : « Tu me le paieras, Paula! Sebastien et moi te le ferons payer cher!... » Si Sebastien Cross ne pouvait plus rien contre elle, puisqu'il était mort, Jonathan n'avait certainement pas oublié son désir de vengeance. Dans ses cauchemars, Paula rêvait que son cousin la torturait — Jonathan était capable de tout, elle le savait depuis leur enfance. Quelques années auparavant, elle avait confié ses angoisses à Sandy, qui en avait ri en lui conseillant de ne plus y penser : Jonathan était un vantard et, comme tous les vantards, un lâche. Sandy avait sans doute raison, mais Paula ne pouvait pas effacer de sa mémoire le souvenir de l'horrible scène au cours de laquelle Sandy avait chassé Jonathan, de ses traits déformés par la haine, de son regard étincelant de rage. Depuis, Paula savait qu'elle devrait toujours redouter sa vengeance. Dix ans s'étaient écoulés et Jonathan semblait avoir disparu. Mais Paula, malgré ses efforts, continuait d'avoir peur au plus profond d'elle-même.

Consciente de l'étonnement des deux hommes devant son long silence, Paula se ressaisit.

— Moins nous parlerons de cet individu, mieux cela vaudra, se borna-t-elle à dire.

— En effet, répondit Sir Ronald, il est temps de changer de sujet de conversation. J'ai reçu ton invitation pour le bal et je m'en réjouis déjà. Parle-nous donc de ce que tu prépares pour célébrer le soixantième anniversaire du magasin.

— Bien volontiers, oncle Ronnie!...

Et elle se lança dans une description des diverses festivités qui devaient se dérouler au magasin de Knightsbridge d'ici à la fin de l'année.

Michael n'écoutait pas. Les propos de Paula et de son père se fondaient dans le brouhaha des conversations. Il jouait distraitement avec son verre en réfléchissant aux développements considérables que Lady Hamilton leur ouvrirait s'ils avaient la chance de racheter la marque à Harte Enterprises. Amanda Linde, la demi-sœur de Sandy, créait les collections depuis plusieurs années avec beaucoup plus de talent que Sarah Lowther, estimait Michael. A la fois confortables et élégantes, marquées de la classe inimitable attachée au nom de Harte, ses créations jouiraient sûrement dans le reste de l'Europe d'un succès comparable à celui qu'elles connaissaient déjà en France.

L'arrivée du serveur, avec le dessert et le café, ne détourna pas Michael de ses réflexions. Ce fut un éclat de rire inattendu de Paula — un rire de gorge chaleureux, sensuel — qui lui fit soudain lever la tête.

Le soleil entrait à flots par une fenêtre derrière elle en l'auréolant d'une lumière vibrante, qui faisait paraître plus profond le bleu de ses yeux et ombrait sa peau claire de reflets mordorés. A sa propre stupeur, alors que Paula ne lui avait jamais inspiré davantage qu'une affection fraternelle, Michael éprouva soudain pour elle un désir passionné et brûla de l'envie de la prendre dans ses bras. Suis-je devenu fou? se dit-il, effaré, en baissant précipitamment les yeux. Quel démon me pousse? Craignant de se trahir, il parvint à reprendre contenance au prix d'un violent effort et se força à regarder fixement le vase de fleurs au centre de la table.

— Je vais à Biarritz le week-end prochain, disait Sir Ronald. Si tu es à Paris, nous pourrions dîner ensemble.

— Je ne serai pas à Paris. Oh!...

Elle eut un geste d'impatience en se rappelant n'avoir pas annulé sa réservation auprès de British Airways.

— Qu'y a-t-il? s'inquiéta Sir Ronald.

— Rien de grave, oncle Ronnie. J'ai simplement oublié quelque chose que je devais faire avant le déjeuner. Je m'en occuperai tout à l'heure.

Entre-temps, Michael s'était ressaisi:

— Qu'est-ce qui vous attire à Biarritz à cette époque de l'année? demanda-t-il à son père.

— Un œuf de Fabergé. Mon marchand de Paris m'a signalé qu'une de ses clientes, une vieille émigrée russe qui habite Biarritz, se décide enfin à se séparer de son œuf et je tiens à arriver avant les Américains et les autres collectionneurs. Tu sais combien ces pièces sont rares, je ne voudrais pas manquer celle-ci.

Commencée comme une simple distraction, sa collection des œuvres du célèbre joaillier du Tsar s'était enrichie au point de rivaliser avec celle de la Reine.

— Il se fait tard, reprit-il en consultant sa montre, et j'ai un rendez-vous dans un quart d'heure. Veux-tu que je te dépose au passage, Paula ?

— Très volontiers, oncle Ronnie.

— Et toi, Michael ?

Ce dernier faisait signe au serveur de lui apporter l'addition. Encore mal remis de son incroyable élan amoureux pour Paula, il n'avait aucune envie de rester près d'elle plus longtemps qu'il n'était strictement nécessaire.

— Merci, père, je préfère marcher un peu, se borna-t-il à répondre.

4

Paula partit quand même pour Paris.

Elle s'était décidée sur un coup de tête, alors même qu'elle composait le numéro de British Airways pour annuler sa réservation. Ce fut ensuite une course contre la montre pour liquider le travail en cours, préparer ses bagages et arriver à temps à Heathrow. Elle avait attrapé son avion de justesse et atterri une heure plus tard à Roissy-Charles-de-Gaulle, où l'attendait une limousine.

Pour la première fois depuis son déjeuner avec les Kallinski, Paula se sentit détendue — et s'avoua que sa décision n'avait été soudaine qu'en apparence. Ne savait-elle pas qu'elle irait, dès l'instant où elle avait lu la lettre? Si, bien sûr! Alors, pourquoi s'être donné mauvaise conscience sous prétexte de devoir maternel et de responsabilités?

Un sourire amusé lui vint aux lèvres en se remémorant une réflexion de sa grand-mère, bien des années auparavant: « Quand l'homme de sa vie lui fait signe, une femme accourt, quels que soient son caractère et son sens du devoir. Tu tomberas dans ce piège un jour ou l'autre, Paula, comme j'y suis moi-même tombée quand j'ai connu ton grand-père. » A son habitude, Emma avait raison...

La nuit tombait. Paula contempla avec ravissement le scintillement des lumières, l'animation des rues. Chacun de ses retours à Paris ravivait le souvenir de ses premières visites. Son amour pour la Ville Lumière, sa ville préférée entre toutes, restait indissolublement lié à ces souvenirs, parfois teintés de nostalgie. Elle revoyait tous ceux qui y avaient rendu ses séjours inoubliables dans le passé: sa grand-mère, ses parents, son frère Philip, Tessa, sa cousine Emily surtout, compagne favorite des voyages de sa jeunesse. Mais n'en faisait-il pas, *lui* aussi, partie intégrante? Bientôt, elle serait près de lui, avec lui... Paula décida de ne pas laisser d'inutiles remords gâcher leur week-end d'amoureux. Ce serait injuste envers lui. D'ailleurs, lui souffla son esprit pratique, les remords n'ont jamais servi à rien...

La voiture traversa la place de la Concorde et s'immobilisa quelques instants plus tard place Vendôme, devant le Ritz. Laissant au chauffeur le soin de décharger ses bagages, Paula traversa rapidement le grand hall et les galeries vers le petit hall de la rue Cambon. L'ascenseur l'emporta jusqu'au septième étage, où elle trouva la porte de la suite entrebâillée. Paula la referma doucement derrière elle et s'y adossa. Elle avait couru, elle devait reprendre haleine.

Il était au téléphone, en chemise, manches relevées, cravate à demi dénouée. Son visage s'éclaira d'un sourire. Il prit rapidement congé de son interlocuteur, alla à sa rencontre pendant que Paula s'avançait vers lui. Au passage, elle montra sur un guéridon une bouteille de champagne dans un seau à glace, deux flûtes de cristal:

— Tu étais vraiment si sûr de toi?

— Naturellement, je suis irrésistible! dit-il en riant.

— J'ai pourtant failli ne pas venir. J'avais peur que les enfants n'aient besoin de moi...

— Madame, votre mari *aussi* a besoin de vous!

Ils étaient déjà dans les bras l'un de l'autre, échangeaient un long baiser plein de passion et de tendresse.

— Oh, Shane! Je suis toute à toi, tu le sais bien.

— Je sais. Pourtant, je suis constamment obligé de te partager avec les uns et les autres — relations, employés, enfants, cousins, que sais-je? — au point que je n'arrive plus, ces temps-ci, à t'avoir pour moi seul plus de dix minutes de suite. J'ai donc décidé de nous réserver un peu de solitude, toi et moi, sans nous embarrasser de ton entourage habituel. Nous y avons droit, tu ne crois pas?

— Oui, mon chéri... Mais j'ai honte de moi, poursuivit-elle avec un sourire contrit. En venant de l'aéroport, je m'étais juré de ne pas parler des enfants et déjà...

— Chut! Je sais que tu brûles d'envie de les voir avant de partir en voyage. Et tu les verras.

— Comment cela?

— C'est très simple: ce soir et demain sont à nous. Dimanche matin, nous prendrons l'avion pour Nice et nous resterons avec la famille jusqu'à lundi soir. Tu n'auras qu'à retarder ton départ pour New York de vingt-quatre heures, voilà tout.

— Tu penses toujours à faire plaisir à tout le monde!

— Ce sont aussi *mes* enfants, ne l'oublie pas.

— Mais c'est toi seul qui t'en occupes depuis quinze jours. Tu dois commencer à en avoir par-dessus la tête!

— Oui, je l'avoue! Mais ils attendaient ta visite avec tant de joie que je m'en serais voulu de les décevoir — et de passer à tes yeux pour un affreux égoïste! Ainsi, vois-tu, je consens à te partager avec notre progéniture, puisque nous ne te reverrons plus pendant six semaines.

— C'est vrai, mon chéri... Mais dis-moi, Shane, comment va Patrick? ajouta-t-elle d'un air soucieux.

— A merveille, Paula. Il se porte comme un charme et s'amuse comme un fou. Cesse donc de t'inquiéter autant!

— Il est encore si... fragile, les autres sont parfois si turbulents... Quand il est en dehors de son cadre habituel, j'ai toujours peur qu'il ne lui arrive quelque chose.

Paula se rongeait toujours d'inquiétude pour leur fils âgé de sept ans, handicapé mental. Shane n'éprouvait pas moins de sollicitude pour l'enfant; il estimait cependant que les constantes anxiétés de Paula à son sujet étaient injustifiées. Paula savait qu'il avait raison et faisait de son mieux pour traiter Patrick comme s'il était aussi normal que Linnet, sa sœur de cinq ans, et Lorne et Tessa, les jumeaux de douze ans qu'elle avait eus avec Jim Fairley.

Shane devina sans mal la nature de ses réflexions:

— Linnet le prend sous son aile comme une vraie mère poule et ne le lâche pas d'une semelle — elle aurait même tendance en ton absence à se conduire en tyran domestique! Quant à Lorne, tu sais qu'il adore Patrick. N'aie crainte, ma chérie, tout va bien. Les enfants ne peuvent pas être en de meilleures mains que celles d'Emily et de Winston.

— Ce que tu dis de Linnet m'amuse, répondit-elle en souriant. Ainsi, elle dévoile sa véritable nature! Je me suis toujours doutée que notre fille avait hérité du caractère autoritaire d'Emma et ferait un excellent général!

— Ah, non! Un général de plus dans la famille, c'est trop pour moi!... Enfin, j'ai la consolation de me dire que si mes femmes sont difficiles à vivre, elles sont au moins agréables à regarder... Au fait, je suis chargé de te dire mille choses de la part d'Emily. Quand je lui ai annoncé que je te kidnappais au passage et que nous n'arriverions à la villa que dimanche, elle était enchantée. Elle tient à ce que tu t'amuses et ne te soucies de rien. Et maintenant, si nous goûtions ce champagne avant de nous préparer pour le dîner?

— Avec plaisir, mon chéri.

Assise sur le canapé, les jambes repliées sous elle, Paula le contempla pendant qu'il débouchait la bouteille.

Qu'ils aient été séparés quinze jours ou quarante-huit heures, elle était aussi émue chaque fois qu'elle le revoyait. Il émanait de toute sa personne une présence exceptionnelle. Déjà, lors de son vingt-quatrième anniversaire, Emma avait déclaré que Shane O'Neill possédait une séduction peu commune. C'était encore plus vrai aujourd'hui. Shane avait eu quarante ans en juin. Les touches de gris qui apparaissaient à ses tempes ne vieillissaient en rien son visage toujours jeune, barré d'une moustache noire. Avec sa carrure puissante, sa silhouette athlétique, son teint bronzé, il donnait l'image même d'un homme dans la force de l'âge.

Je l'ai connu toute ma vie, se dit Paula, et les sentiments qu'il m'inspire n'ont jamais varié. Il est le seul homme que j'aie vraiment aimé, le seul avec qui je désire rester jusqu'à la fin de mes jours. Il est tout pour moi — mon mari, mon amant et mon meilleur ami...

— Hé! tu es dans la Lune. A quoi penses-tu?

Il s'assit à côté d'elle et lui tendit son verre.

— A rien. Ou plutôt, si... A toi.

— Emma aurait approuvé notre petite escapade. Elle était romanesque et sentimentale jusqu'au bout des ongles, comme moi, d'ailleurs. Je songeais à elle, ce matin — tu te doutes pourquoi. Depuis sa mort, le temps passe à une vitesse effrayante. J'ai l'impression de l'avoir vue hier encore...

— C'est exactement ce que je pensais ce matin, quand je suis allée au cimetière.

Ils échangèrent un regard de connivence. Souvent, qu'ils soient ensemble ou séparés, il leur arrivait d'avoir la même idée au même moment. Dans leur enfance, Paula croyait que Shane était doué du pouvoir de lire dans ses pensées. Elle ne s'en étonnait plus : ils étaient si étroitement unis que cette communion des esprits lui paraissait naturelle.

— Te rends-tu compte qu'en novembre prochain nous serons mariés depuis dix ans ? lui dit-elle.

— J'ai du mal à y croire... Mais chaque jour de ces dix ans a été pour moi inestimable. Je n'en regrette aucun, même les plus mauvais. Quelles que soient les circonstances, je préfère vivre avec toi que sans toi.

— Moi aussi, mon amour.

Le silence retomba entre eux, mais un silence d'harmonieuse intimité, comme ils aimaient en partager lorsque les mots étaient inutiles pour se communiquer leurs sentiments.

Paula réfléchissait aux dernières paroles de Shane. Que serait sa vie sans lui ? L'idée la fit frémir. C'était Shane qui donnait un sens à son existence. Il en était la substance même, le roc qui la soutenait, le seul être sur qui elle puisse compter en toute circonstance, pour qui elle était prête à tous les sacrifices. Elle se félicitait maintenant de ce week-end en tête à tête, où elle puisait de nouvelles forces avant son long voyage d'affaires en Amérique et en Australie.

Shane l'observait en se réjouissant de la voir se détendre peu à peu. Inquiet du surmenage qu'elle s'imposait, il se gardait cependant d'intervenir. Elle ressemblait trop à Emma : il aurait perdu son temps en lui infligeant des reproches qui ne feraient que la buter davantage.

Depuis son départ de la villa ce matin-là, à bord du jet privé de la O'Neill Corporation, il n'avait pas eu, lui non plus, une minute à lui. A peine arrivé à Paris, il avait travaillé sans discontinuer avec le directeur européen des hôtels O'Neill jusqu'à l'arrivée de Paula. Il n'était plus question, maintenant, de permettre aux affaires d'empiéter sur leur vie privée — c'était d'ailleurs pourquoi il était descendu au Ritz plutôt que dans un des hôtels de sa chaîne. Les prochaines trente-six heures appartenaient à Paula et à lui. A eux seuls.

Depuis toujours, ils avaient entretenu des rapports exceptionnels. L'intimité de leur enfance s'était prolongée et épanouie dans l'union charnelle de leur âge adulte.

Shane avait souffert du désastreux mariage de Paula avec Jim Fairley, sans toutefois que leurs liens se fussent brisés. Puis, lorsque leur amitié retrouvée avait fait d'eux des amants, la puissance de leur passion mutuelle les avait tous deux bouleversés. Ils avaient compris à quel point ils étaient destinés l'un à l'autre.

Shane avait alors mesuré l'inanité de ses innombrables liaisons ; sans Paula, il menait une vie inutile. Paula avait pris conscience que Shane était le seul homme qu'elle eût jamais réellement aimé, que son mariage avec Jim n'était qu'une coquille vide et qu'elle se condamnait à une mort lente en maintenant un tel simulacre. Elle devait y mettre un terme si elle voulait préserver sa dignité — et sa raison.

Si elle s'attendait à ce que Jim lui résistât en apprenant sa décision de demander le divorce, elle avait été choquée par la virulence de sa réaction et la façon méprisable dont il se comportait envers elle. Le différend s'était envenimé sans résultat au fil des mois. La situation était dans une impasse quand, à l'issue d'une de leurs plus pénibles querelles, Jim était parti skier à Chamonix où la famille avait loué un chalet. Une telle dérobade, en une période aussi cruciale de leur vie, avait exaspéré Paula. Mais l'avalanche qui tuait Jim et décimait la famille réglait le problème du divorce de la plus tragique manière : à vingt-six ans, Paula était veuve.

Bouleversée par la mort de Jim, dont elle se sentait indirectement responsable, Paula s'était séparée de Shane. Puis, redevenue lucide, elle lui avait avoué qu'elle ne pouvait vivre sans lui et ils s'étaient immédiatement réconciliés car Shane, de son côté, n'avait jamais cessé de l'aimer. Deux mois plus tard, ils se mariaient à Londres, à la mairie de Caxton Hall, en présence d'Emily et de Winston Harte, leurs témoins.

Ils savaient avoir enfin accompli leur destinée.

Le tintement de la pendule sur la cheminée les tira de leur méditation.

— Mon dieu, déjà neuf heures et demie! s'écria Shane. J'avais retenu une table à l'Espadon pour dix heures moins le quart. Peux-tu te préparer en un quart d'heure, ma chérie?

— Bien sûr, répondit-elle en étouffant un bâillement.

— Tu as l'air morte de fatigue... Je suis une brute de vouloir te faire descendre au restaurant. Tu as besoin d'un bon bain chaud et je vais nous faire servir un en-cas.

— J'ai eu une longue journée, c'est vrai. Tu as raison, contentons-nous de manger quelque chose ici.

Il la prit par les épaules et la poussa affectueusement vers la chambre:

— Va te plonger dans l'eau pendant que je commande notre pique-nique. Qu'est-ce qui te ferait plaisir?

— N'importe quoi, je te laisse décider.

— Une autre bouteille de champagne?

— Un verre de plus et je serai ivre morte!

— Aucune importance, ton mari veille sur toi.

— Le meilleur des maris...

Elle se dressa sur la pointe des pieds, posa doucement ses lèvres sur les siennes. Il l'attira contre lui, la serra dans ses bras. Leur baiser se fit plus profond, plus exigeant. Ils durent reprendre haleine:

— Je suis privé de toi depuis quinze jours, murmura-t-il. Tu ne peux pas savoir à quel point tu m'as manqué.

— Oh ! si, je sais, mon amour...

Leur étreinte se resserra. Alors, frémissants de désir, toujours enlacés, ils se dirigèrent vers le lit.

Longtemps plus tard, Shane s'éveilla. Il faisait encore nuit. Paula dormait. Redressé sur un coude, il la contempla avec amour, lui effleura le visage, écarta de ses yeux une mèche de cheveux. Mais, lorsqu'il se recoucha, le sommeil se déroba. Il avait dormi profondément, comme toujours quand Paula était près de lui. Cette fois, curieusement, il ne parvenait pas à s'assoupir de nouveau.

Ils avaient fait l'amour avec l'abandon passionné, avec l'émerveillement de la première fois. Ce soir, plus que tout autre soir, Shane espérait que Paula portait la promesse d'un autre enfant — d'un enfant de l'amour conçu dans l'extase.

Il réprima un soupir en pensant à Patrick, leur fils aîné ; il l'aimait plus tendrement peut-être que les autres, sans pouvoir s'empêcher de déplorer qu'il fût anormal. De peur d'aggraver le chagrin de Paula, il devait réprimer ses propres sentiments en sa présence et cet effort constant sur lui-même lui était douloureux.

Oui, se dit-il en se blottissant contre Paula, le moment est venu d'avoir un autre enfant en gage de notre amour. Alors, tandis que le sommeil tant espéré venait enfin l'apaiser, il se demanda si ce n'était pas dans ce seul dessein qu'il avait, consciemment ou non, détourné Paula vers Paris.

5

La villa Faviola, belle demeure des années 20 au crépi ocre pâle et aux volets blancs, se dressait face à la mer à l'extrémité du Cap-Martin. Le long de la façade, une terrasse surplombait un vaste jardin où, à l'ombre des pins, alternaient pelouses, fontaines et massifs de fleurs s'étendant jusqu'au bord du promontoire rocheux.

Emma Harte l'avait acquise peu après la Seconde Guerre mondiale et en avait redessiné les jardins. Par la suite, Paula y avait ajouté de nouvelles plantations de fleurs, d'arbustes et de plantes tropicales qui leur donnaient leur luxuriance actuelle, renommée sur toute la Côte d'Azur.

L'intérieur n'était pas moins accueillant. Dans les pièces spacieuses, abritées des ardeurs du soleil par des stores, des meubles simples mais élégants, des sièges confortables invitaient au repos et à la conversation. Sur les murs blancs, des tableaux contemporains ajoutaient çà et là des touches vivement colorées. Aucun luxe excessif qui pût intimider enfants et invités: Emma avait voulu créer un décor de vacances clair et gai, où vivre sans contraintes; comme toujours, elle avait parfaitement atteint son but.

Emma avait légué Faviola à Alexander Barkstone, mais son petit-fils préférait sa propriété du Yorkshire et venait rarement dans le Midi de la France. La villa servait surtout à sa sœur Emily, à ses cousins Paula O'Neill et Anthony Dunvale, et à leurs familles respectives. Sa mère Elizabeth et son mari, qui habitaient Paris, y venaient parfois passer un long week-end à l'arrière-saison. De toute la famille, c'était cependant Emily la plus attachée à la villa.

Pour y avoir vécu les plus beaux moments de son enfance auprès de sa grand-mère, elle chérissait les moindres recoins de la maison et du parc. Elle y avait passé sa lune de miel, après son mariage avec son cousin Winston en juin 1970. Ces quinze jours de bonheur parfait avaient si bien embelli ses souvenirs que, depuis, Emily considérait la villa comme un paradis terrestre vers lequel, seule ou avec Winston, elle s'évadait à chaque occasion au printemps ou en hiver, et où elle séjournait régulièrement l'été avec leurs enfants, Toby, Gideon et Natalie. Elle ne s'en lassait pas et affirmait ne connaître nulle part au monde d'endroit plus enchanteur.

Depuis la mort de sa femme, les visites de Sandy à la villa s'étaient de plus en plus espacées. En 1973, constatant à quel point sa sœur aimait la maison, il la lui avait entièrement confiée. Emily avait accepté d'enthousiasme et, au fil des ans, lui avait imprimé sa marque, sans cependant aller jusqu'à la transformer: elle n'oubliait pas que Faviola ne lui appartenait pas et que son frère en restait le légitime propriétaire.

Du vivant d'Emma Harte, la lourde tâche de diriger le train de maison incombait à une intendante, Paulette Renard, native de Roquebrune, engagée par Emma en 1950 et qui avait servi la famille avec un dévouement sans faille. En 1970, après vingt ans de loyaux services, Paulette avait pris sa retraite dans le pavillon du gardien et transmis ses pouvoirs à sa fille, Solange Brivet. Formée à l'Hôtel de Paris à Monte-Carlo, celle-ci menait depuis lors la villa Faviola en grand style et en avait fait une entreprise familiale: son mari régnait sur les fourneaux, deux de ses filles étaient femmes de chambre, son fils majordome, ses neveux jardiniers et, à l'occasion, une de ses nièces venait en extra. Emily ne cessait de se louer de l'efficacité et de la conscience professionnelle de la famille Brivet, et remerciait le Ciel de lui avoir donné pour bras droit une perle telle que Solange.

En ce matin du mois d'août, Emily fit une nouvelle action de grâces en voyant la cuisine étincelante d'ordre et de propreté. Son grand dîner annuel de fin de vacances avait eu lieu la veille et, devant l'alignement des casseroles éblouissantes et l'éclat du carrelage, nul ne se serait douté du chaos qui régnait encore au départ des derniers invités. Avec un sourire, elle se versa un verre d'eau de Vichy et sortit sur la terrasse. Seul, le claquement de ses sandales sur les dalles résonnait dans l'air déjà chaud.

Emily était toujours la première levée. Elle aimait ces instants de silence et de paix dans la maison encore endormie, quand la Méditerranée frissonne sous la brise matinale, quand s'éveillent sous le soleil les premières senteurs du jardin. Elle profitait de cette précieuse solitude pour étudier des dossiers apportés de Londres, noter les instructions à donner par téléphone à sa secrétaire, prévoir les menus du jour, les occupations des enfants. Parfois aussi, elle se contentait de rêver en contemplant le paysage, avant que le tourbillon des activités quotidiennes et la bruyante irruption des enfants ne l'arrachent à ses réflexions.

Quand elle ne devait affronter que ses trois enfants, c'était un moindre mal ; mais quand il fallait compter en plus sur les quatre de Paula et les trois d'Anthony, souvent escortés d'invités de leur âge, la situation devenait facilement intenable. Pour faire respecter à sa troupe une certaine discipline, Emily usait de méthodes dont l'efficacité lui valait le sobriquet de « sergent-major ».

Elle traversa la terrasse et alla s'accouder à la balustrade. Le soleil encore pâle dissipait les derniers lambeaux d'une brume d'été et donnait à la mer des reflets argentés. Il était six heures vingt. Dans moins de deux heures, le ciel aurait retrouvé sa pureté. La journée s'annonçait torride.

Emily s'assit à une table sous un parasol, ouvrit les dossiers qu'elle y avait posés quelques minutes auparavant. L'organisation de son voyage à Hong Kong, où elle se rendait pour le compte de Genret, filiale d'import-export de Harte Enterprises, devait être modifiée. Elle étudiait l'échelonnement de ses rendez-vous et notait les modifications qu'elle voulait transmettre à sa secrétaire, quand le contact d'une main sur son épaule la fit sursauter:

— Winston! Pourquoi t'approches-tu à pas de loup? Tu m'as fait une de ces peurs!

— Désolé, ma chérie, dit-il en l'embrassant. Bonjour quand même.

— Que fais-tu debout à une heure pareille? D'habitude, on ne te voit jamais avant dix heures du matin.

— Je ne pouvais plus dormir. A la fin des vacances, je suis comme les enfants, je ne veux pas manquer une minute de la journée. Tu sais ce que c'est...

— Oui, je suis exactement pareille.

— Normal, tu adores cette maison. Elle te le rend bien, tu es éblouissante en ce moment.

— Merci, tu es trop aimable.

Emily piqua un fard et affecta de se replonger dans ses papiers. Winston sourit, amusé: au bout de onze ans de mariage, il réussissait toujours à faire rougir son adorable Emily, si douce, si féminine, capable de timidités de jeune fille comme d'une fermeté en affaires refusée à bien des hommes — à l'image d'Emma, d'ailleurs, ou de Paula. Les femmes de la famille Harte semblaient toutes posséder cette extraordinaire dualité, Winston en était conscient depuis longtemps.

— A quoi penses-tu? dit-elle en relevant les yeux.

— A toi... Pourquoi t'échiner au travail un jour comme aujourd'hui? Tu seras de retour à Londres à la fin de la semaine!

— Je ne travaille pas vraiment, je réorganise les dates de mon voyage à Hong Kong. En partant le 10 septembre au lieu du 6, je serai encore là-bas quand Paula reviendra d'Australie. Nous voudrions nous y retrouver, passer un ou deux jours à fouiner dans les magasins et faire nos achats de Noël avant de rentrer à Londres. Ce serait amusant. Qu'en penses-tu?

— Si cela te fait plaisir, je n'y vois aucun inconvénient. Je ne dois pas être au Canada avant la première semaine d'octobre. Seras-tu de retour avant mon départ?

— Oui, justement, j'en ai tenu compte.

— Eh bien, c'est parfait. Et maintenant, je vais piquer une tête dans la piscine avant que la horde des sauvages ne vienne ravager le jardin et nous casser les oreilles.

— Allons, ils ne sont pas si méchants que ça!

— Si — et même pires! Mais je les aime bien quand même, surtout les nôtres. A tout de suite, ma chérie!

Winston s'éloigna sous le regard admiratif d'Emily. Le soleil, le repos lui faisaient du bien. Toujours survolté à la tête de son groupe de presse, la Yorkshire Consolidated Newspaper Company, et de ses filiales canadiennes, Emily l'adjurait de ralentir le rythme. Mais Winston répliquait qu'ils travaillaient tous comme des fous, qu'Emma les avait élevés ainsi et qu'il n'entendait pas faire exception.

Pour la énième fois, Emily se dit qu'elle avait de la chance d'être la femme de Winston. Au moment de leur mariage, il était en effet sur le point d'en épouser une autre...

Depuis l'âge de seize ans, Emily était secrètement amoureuse de son cousin, petit-fils du frère aîné d'Emma, de cinq ans son aîné. Compagnons de jeux dans leur enfance, ils s'étaient perdus de vue par la suite, une fillette comme Emily étant évidemment indigne d'un jeune homme tel que Winston.

A Oxford, où il poursuivait ses études avec Shane, son meilleur ami, les deux complices acquirent très vite une réputation de redoutables coureurs de jupons. Emily était partagée entre la jalousie et le regret de ne pas faire partie des élues. Quant à sa grand-mère, elle en riait en déclarant qu'il fallait bien que jeunesse se passe. Emma, à vrai dire, accordait tout à Shane et à Winston. Emily se contentait donc de l'adorer dans l'ombre, en espérant qu'un jour l'idole daignerait abaisser son regard sur elle. Il n'en fut rien et, au désespoir d'Emily, Winston se prit tout à coup de passion pour une certaine Alison Ridley. Au début de 1969, on parlait même de fiançailles imminentes.

Emily se voyait déjà mourir de chagrin quand, au moment du baptême des jumeaux de Paula et de Jim Fairley, le miracle se produisit. Emma avait convoqué Emily et Winston dans la bibliothèque de Pennistone pour les questionner sur les sentiments de Shane et de Paula, voire leurs relations coupables. Après avoir enfin échappé à l'interrogatoire, ils étaient sortis se promener dans le parc afin de se remettre de leur épreuve. Et là, sans que rien l'eût laissé prévoir, Winston avait pris Emily dans ses bras et l'avait embrassée. Le soudain déchaînement de passion qu'ils éprouvèrent alors les stupéfia autant l'un que l'autre. Bouleversés par cette découverte, ils restèrent longtemps assis sur un banc, enlacés. Leur monde venait de basculer de la manière la plus inattendue — et la plus merveilleuse.

En digne membre de la famille Harte, Winston ne perdit pas de temps. Il rompit aussitôt avec Alison et demanda à Emma la permission d'épouser Emily, autorisation qu'elle accorda de grand cœur. Fiancés le jour même, ils s'étaient mariés un an plus tard, au retour d'un voyage d'Emma en Australie, dans la petite église du village de Pennistone. La cérémonie avait été suivie d'une somptueuse réception au château. Commencée sous de si bons auspices, la vie conjugale d'Emily était restée pour elle, depuis lors, un véritable conte de fées...

Emily s'arracha à ses souvenirs afin de composer le menu du déjeuner. Elle n'avait pas à se soucier de celui du dîner car, ce soir, Winston et elle allaient à La Réserve de Beaulieu avec Shane et Paula — enfin seuls tous les quatre, sans la tribu. Winston sera content, se dit-elle en souriant.

— J'ai toujours adoré les palaces de la Belle Epoque, dit Emily en débouchant, cet après-midi-là, sur la place du Casino à Monte-Carlo. L'Hôtel de Paris ici, le Négresco à Nice, l'Impérial à Vienne...

— Sans oublier le Grand Hôtel de Scarborough! enchaîna Paula en riant. Souviens-toi, quand nous étions petites, comme tu me harcelais pour que je t'y emmène te bourrer de gâteaux à l'heure du thé!

— Pas étonnant, après de pareils excès, que je me sois donné tant de mal pour ne pas grossir! Tu aurais dû m'en empêcher.

— Impossible ! J'ai tout essayé, je faisais semblant de ne pas avoir d'argent sur moi. Mais tu avais toujours réponse à tout : « Imite la signature de grand-mère sur l'addition »... Tu avais déjà de l'imagination, tu sais !

Les deux jeunes femmes traversaient la place en se tenant par le bras. Elles échangèrent un sourire ému à l'évocation de ces souvenirs.

— Nous avons de la chance, Paula, d'avoir eu une enfance aussi heureuse — et une grand-mère comme la nôtre.

— C'est vrai, Emily. Elle était la meilleure de toutes.

La brise de mer jouait dans leurs robes légères. Après le déjeuner familial sur la terrasse de la villa, elles étaient parties pour Monte-Carlo dans la Jaguar d'Emily, qui venait chercher chez un antiquaire un plat ancien qu'elle lui avait demandé de restaurer. Elles s'étaient ensuite attardées à admirer des pièces rares dans la boutique, à faire du lèche-vitrines dans les rues de la Principauté et elles allaient maintenant prendre le thé à l'Hôtel de Paris.

Emily s'arrêta pour contempler la façade.

— Décidément, cette pâtisserie architecturale m'enchantera toujours ! dit-elle en riant.

Elle posait le pied sur la première marche du perron quand son rire s'éteignit. Elle empoigna Paula par le bras et lui montra l'entrée de l'hôtel d'un signe de tête.

Une femme à l'abondante chevelure rousse, à la taille élancée, vêtue d'un élégant ensemble blanc, descendait les marches en tenant par la main une petite fille, également vêtue de blanc, vers qui elle se penchait.

— Sarah, murmura Emily.

Les deux compagnes n'eurent pas le temps de réagir ou de s'éloigner. Leur cousine venait de lever les yeux et de les reconnaître. Pétrifiées, les trois femmes se dévisagèrent. Paula rompit finalement le silence :

— Bonjour, Sarah... Cette petite est sans doute Chloé, ta fille, n'est-ce pas ?

Elle sourit à l'enfant, qui la regardait d'un air sérieux. Sa ressemblance avec Emma Harte, son arrière-grand-mère, était frappante. Sarah reprit contenance et lança à Paula un regard furieux:

— Comment oses-tu m'adresser la parole? Comment astu l'audace de faire ces simagrées après t'être conduite de cette manière indigne avec moi, misérable garce?

Son expression était tellement haineuse et menaçante que Paula recula malgré elle.

— Je t'interdis de t'approcher de moi et des miens! poursuivit Sarah. Et toi, Emily, tu ne vaux pas mieux qu'elle! Vous avez toutes les deux monté grand-mère contre moi, vous m'avez spoliée, vous n'êtes que des voleuses! Oui, des voleuses! Je ne veux plus vous voir!

Là-dessus, elle bouscula Paula, manqua la faire tomber et s'éloigna en tirant derrière elle la fillette apeurée, qui devait courir pour soutenir l'allure de sa mère.

En dépit de la chaleur, Paula frissonna. Emily la prit par le bras:

— Quelle chipie! Elle n'a pas changé...

— Non, hélas! Entrons, tout le monde nous regarde.

Des badauds, attirés par l'esclandre, dévisageaient en effet les deux femmes avec curiosité. Mortifiée, bouleversée, Paula monta les marches en courant. Emily se hâta à sa suite et la rejoignit à l'intérieur.

— Allons, calme-toi, nous ne connaissons personne. N'y pense plus. Viens, le thé nous fera du bien.

Une fois installées à une table et leur commande passée au serveur, elles se détendirent enfin.

— Je n'en crois pas mes oreilles, dit Paula. Nous injurier de la sorte, en criant comme une harengère...

— Aussi, pourquoi lui as-tu parlé?

— Je ne pouvais pas faire autrement, nous nous trouvions nez à nez! Et puis... j'ai toujours eu un peu pitié de Sarah. En un sens, elle est la victime de Jonathan qui s'est servi d'elle et de son argent. Je ne la crois pas aussi mauvaise que lui. Elle a agi par bêtise plus que par méchanceté.

— C'est peut-être vrai, mais je ne la plains pas — et tu n'as pas de raisons de la plaindre, toi non plus! Tu es trop bonne, Paula, tu cherches toujours à te mettre à la place des autres. C'est bien avec ceux qui le méritent, mais ce n'est pas le cas de Sarah! Quel que soit son mobile, elle a eu tort de soutenir Jonathan et de lui prêter de l'argent pour monter sa société. Elle nuisait aux intérêts de Harte Enterprises comme de toute la famille!

— Je ne dis pas le contraire, mais cela ne m'empêche pas de penser que Jonathan lui a fait croire n'importe quoi et qu'elle est plus bête que nuisible.

— Admettons... C'est quand même curieux que nous ne soyons pas tombées sur elle plus tôt. Elle habite Mougins depuis cinq ans, ce n'est pas loin de Roquebrune.

— Il est encore plus étrange que, pour la première fois depuis des années, Michael Kallinski m'ait parlé de Sarah et de Jonathan vendredi dernier, répondit Paula.

— Pourquoi?

— Par curiosité, rien de plus. Nous discutions de Lady Hamilton, comme je te le disais hier, et il était normal qu'il se soucie de ce que devenait Sarah. Je me demande, vois-tu, si notre conversation n'était pas... prémonitoire.

— Mon dieu, j'espère bien que non! s'écria Emily. Il ne manquerait plus que de voir surgir Jonathan. Je ne me crois pas capable de supporter le choc!

— Pour ma part, je suis certaine que non, dit Paula en se mordant les lèvres.

Elle constatait, avec inquiétude, que le seul nom de son cousin lui donnait la chair de poule. L'arrivée du serveur mit heureusement un terme à ses sombres réflexions. Paula refusa à regret les appétissantes pâtisseries qu'il leur proposait. Emily hésita avant de résister, elle aussi, à la tentation.

— Ne crois surtout pas que c'est par vertu, dit-elle en riant, j'aurais volontiers goûté à tout. Mais je dois penser à ma ligne. Winston m'aime mince et je me suis dotée d'une volonté de fer — même devant les choux à la crème! Maintenant, tu peux être fière de moi!

Elles oublièrent bientôt la pénible scène qu'elles venaient de subir et évoquèrent leur projet de se rencontrer à Hong Kong.

— Au fait, dit Paula, Shane et toi avez raison. Je vais emmener Madalena avec moi en Australie. Si les boutiques sont réellement dans un état catastrophique, elle me rendra de grands services et le voyage lui fera plaisir.

— De toute façon, elle est en adoration devant toi.

— C'est vrai. Je me félicite de l'avoir nommée mon adjointe l'année dernière, elle est irremplaçable... Voyons, il est cinq heures, onze heures du matin à New York. Je vais lui téléphoner. Elle aura à peine le temps de liquider les affaires en cours. Plus tôt elle sera prévenue, mieux cela vaudra.

— Je te parie que sa robe sortait de chez Givenchy, déclara soudain Emily.

Paula comprit à qui elle faisait allusion :

— Sarah a toujours eu bon goût pour ses toilettes.

— A-t-elle gardé le contact avec Jonathan, à ton avis ? Je me demande parfois ce qu'il devient, où il habite...

— Moi, pas — et je n'ai aucune envie de parler de lui, Emily ! Il y a des sujets de conversation qui m'intéressent davantage, tu devrais le savoir.

— Pardonne-moi, ma chérie, répondit Emily avec un sourire contrit. Mais l'heure tourne, je vais demander l'addition. Il ne faut pas que tu sois rentrée trop tard si tu veux appeler Madalena à New York.

— Tu as raison, rentrons.

6

Madalena O'Shea était de celles qui font se retourner les hommes dans la rue. Sans être jolie à proprement parler, elle était belle, de cette beauté indéfinissable qui allie la distinction au magnétisme et attire les regards.

Sur le trottoir de la Cinquième Avenue, devant le magasin *Harte's*, elle attendait le taxi demandé par téléphone quelques minutes plus tôt. Ce jeudi soir à 20 heures, le magasin était encore ouvert. Tous ceux qui entraient et sortaient la considéraient avec curiosité en se demandant qui elle était, tant elle avait l'allure d'une star.

Tout, en elle, sortait de l'ordinaire : taille au-dessus de la moyenne, silhouette élancée, longues jambes au galbe irréprochable, abondante chevelure châtain. Dans son visage un peu osseux, le front dégagé, les pommettes saillantes, le nez finement modelé parsemé de légères taches de son, les lèvres tour à tour sensuelles ou impérieuses, dessinaient une physionomie aristocratique. Les yeux, surtout, fascinaient : grands, d'un gris lumineux, largement écartés, ils reflétaient une intelligence aiguë, une détermination pouvant aller jusqu'à l'inflexibilité, mais aussi la gaieté et, parfois, la témérité.

Madalena savait donner du chic aux vêtements les plus simples et les marquer de son empreinte. Son élégance innée et son physique peu commun formaient un personnage qui ne passait nulle part inaperçu. Autour d'elle, les passants se traînaient, s'épongeaient, suffoquaient dans la moiteur d'étuve si fréquente à New York en été. Mais Madalena paraissait aussi fraîche qu'en sortant de chez elle le matin.

Le taxi arriva enfin. Chargée d'un grand sac *Harte's*, Madalena s'avança d'une démarche souple et légère, souvenir des leçons de danse de son enfance, et se glissa sur la banquette.

— Vous allez bien 24e rue Ouest? demanda le chauffeur.

— Oui, entre la Septième et la Huitième Avenue.

Tandis que le taxi s'insérait dans le flot de la circulation, Madalena réfléchit aux événements des jours passés et à venir. Où qu'elle se trouve, quoi qu'elle fasse, elle ne pouvait jamais garder son esprit au repos.

Depuis l'appel de Paula, le lundi, lui annonçant qu'elle l'emmenait en Australie, Madalena courait un marathon. En vingt-quatre heures, elle avait dû terminer son travail en cours, annuler ses rendez-vous professionnels et personnels de plusieurs semaines, prendre des dispositions pour assurer son intérim et choisir une garde-robe appropriée au voyage.

Paula avait débarqué du Concorde le mercredi matin. En deux jours, au prix d'un travail monstre, les deux jeunes femmes avaient accompli des miracles. L'emploi du temps du vendredi leur permettrait donc de souffler avant leur départ du samedi matin. Ce soir, Madalena finirait de revoir chez elle les derniers dossiers. Le lendemain soir, il ne lui resterait qu'à faire ses valises. De Sydney, elles devaient aller à Melbourne et à Adelaïde avant de regagner Sydney, leur base d'opérations. Paula l'avait prévenue qu'il y aurait fort à faire et que les deux ou trois semaines de leur séjour ne seraient pas une partie de plaisir, mais cela ne lui faisait pas peur. Depuis le début de leur collaboration, Paula et Madalena formaient une équipe imbattable.

Car il existait d'étonnantes ressemblances entre la descendante d'obscurs immigrants irlandais et la milliardaire anglaise. « Droguées du travail », énergiques, infatigables, rigoureuses, disciplinées, elles se comprenaient à demi-mot, ne se heurtaient en rien ni ne se créaient l'une l'autre de difficultés. Depuis qu'elle était l'adjointe de Paula, Madalena n'avait pas fait le moindre faux pas. Elle entendait continuer sur une si bonne lancée et, grâce à Paula, atteindre un jour son but: la direction générale de *Harte's* à New York.

Madalena avait de l'ambition et n'en rougissait pas, au contraire: c'était pour elle un aiguillon, un élément positif qui la poussait à s'élever. Si son père le lui avait parfois reproché, sa mère l'avait toujours soutenue et encouragée. Elle ne se consolait pas que ses parents, sa sœur Kerry Anne, morte en bas âge, Joe et Lonnie ses frères, tous deux tombés au Viêt-nam, ne fussent plus là pour être témoins de sa réussite. Seule au monde, elle se sentait déracinée, privée de raisons de vivre. Elle avait grandi au sein d'une famille unie, aimante, dont il ne restait que sa tante Agnès, la sœur de son père, qui vivait en Californie et qu'elle connaissait à peine. La perte de tant d'êtres si chers l'avait durement atteinte et elle surmontait toujours mal sa douleur.

Le taxi la déposa devant la Résidence Jeanne d'Arc. Dès qu'elle fut entrée, le cadre familier l'apaisa. Elle y avait habité trois ans, à son arrivée à New York. Lorsqu'elle y retournait, elle avait la sensation de rentrer chez elle.

La religieuse de garde à la réception l'accueillit avec un sourire épanoui. Sœur Mairead avait toujours eu un faible pour Madalena quand elle était pensionnaire de la Résidence, et se réjouissait de chacune de ses visites.

— Sœur Bronagh m'attend, lui dit Madalena après les premières effusions. Puis-je vous confier ce grand sac?

Elle lui tendit le sac *Harte's* bourré de dossiers, après y avoir pris un paquet cadeau.

— Bien sûr, ma chère enfant. Montez au jardin, Sœur Bronagh vous y rejoindra dans quelques minutes. Je la préviens de votre arrivée, dit Sœur Mairead en décrochant le téléphone.

Arrivée sur le toit terrasse, Madalena s'étonna de le trouver inoccupé. D'habitude, un soir d'été comme celui-ci, les pensionnaires s'y réunissaient par petits groupes pour bavarder entre elles ou avec les religieuses, boire un verre de vin ou de jus de fruits, lire un livre ou, simplement, rêver.

Les treillages couverts de lierre et de vigne vierge, les bacs de géraniums et de bégonias en faisaient un endroit plein de charme, où les religieuses cultivaient même quelques légumes. Tables et chaises disposées çà et là invitaient à la détente et à la conversation. Madalena aimait cette oasis de verdure et de calme au cœur de la jungle de béton de Manhattan. Elle venait s'y rafraîchir l'âme autant que le corps et, même en hiver, elle s'enveloppait de chauds lainages pour admirer en silence le somptueux spectacle des gratte-ciel illuminés, dont la silhouette se détachait dans le crépuscule.

Après s'être recueillie devant la statue de la Vierge, elle alla s'asseoir à une table. Sœur Bronagh arriva un instant plus tard et l'embrassa affectueusement. Madalena tendit à la religieuse le paquet cadeau posé devant elle :

— Je suis venue ce soir vous faire mes adieux, ma sœur, car je ne pourrai pas vous souhaiter bon voyage la semaine prochaine, je serai en Australie. Alors, je vous ai apporté ce petit souvenir.

— En Australie ? Si loin ? Nous regretterons beaucoup votre absence à notre petite réunion, mais votre geste me touche énormément. Puis-je ouvrir le paquet ?

— Bien sûr, ma sœur.

Sœur Bronagh défit le ruban avec une impatience d'enfant et découvrit dans la boîte trois trousses de toilette de tailles différentes, dont elle examina aussitôt l'intérieur.

— Oh ! qu'elles sont jolies ! Et si pratiques ! Exactement ce dont j'avais besoin. Merci mille fois, ma chère enfant.

— J'étais sûre que vous en auriez besoin pour le voyage. Quand partez-vous pour Rome, ma sœur ?

— Le 10 septembre. Je ne tiens plus en place ! Imaginez : diriger notre résidence de Rome, à deux pas du Vatican !... Je me demande parfois si je suis digne d'un tel honneur.

— Vous nous manquerez, ma sœur.

— Oh ! je ne quitterai pas non plus mes chères filles sans regrets, croyez-moi !... Mais parlez-moi de votre voyage en Australie. C'est une décision soudaine, il me semble ?

— Oui. Paula O'Neill, ma patronne, m'a prévenue lundi dernier seulement qu'elle m'emmenait avec elle.

— Combien de temps resterez-vous là-bas?

— Deux ou trois semaines, un mois peut-être. S'il le faut, Paula me laissera seule pour régler les derniers problèmes.

— Vous réussissez à merveille dans votre situation chez Harte's, Madalena. Je suis fière de vous.

— Merci, ma sœur. Vous savez combien ma carrière me tient au cœur — et le travail m'aide à oublier mon chagrin, ajouta-t-elle d'une voix altérée.

— Votre travail, mais aussi votre foi, répondit Sœur Bronagh en lui prenant la main. N'oubliez jamais que Dieu a Ses raisons de nous éprouver et qu'Il ne nous accablerait pas d'un fardeau trop lourd, que nous serions incapables de porter.

Madalena serra avec émotion la main de la religieuse, qui lui avait prodigué sans compter l'affection maternelle dont elle était privée et dont elle avait tant besoin.

— Je ne voulais pas vous laisser partir pour Rome, ma sœur, sans vous exprimer ma profonde gratitude. Vous m'avez consolée, vous m'avez donné du courage...

— Mais non, Madalena! Le courage, vous l'aviez déjà en vous, comme vous l'aurez toujours. Je n'ai fait que vous montrer comment puiser dans vos propres ressources. Et puis... je vais vous faire un aveu. Si je n'avais pas choisi de me consacrer au service de Dieu, si je m'étais mariée, j'aurais prié le Seigneur de me donner une fille comme vous.

— Vous êtes si bonne, ma sœur! Je ne vous remercierai jamais assez d'avoir cru en moi. Je ferai de mon mieux pour ne jamais vous décevoir, je vous le promets.

— L'essentiel, ma chère enfant, c'est de ne jamais vous décevoir vous-même.

Pendant la longue course en taxi de la résidence Jeanne d'Arc à la 84e rue Est, Madalena eut hâte d'échapper à la chaleur et à l'humidité, qui devenaient insupportables.

Elle salua familièrement le portier qui la suivit, comme toujours, d'un regard admiratif, et prit l'ascenseur jusqu'au dix-septième étage, où était situé son appartement. Le téléphone sonnait au moment où elle mit la clef dans la serrure ; mais elle eut beau se hâter, elle n'entendit que la tonalité quand elle décrocha. A dix heures du soir, ce n'était sans doute pas Paula. Et s'il s'agit d'un appel important, se dit-elle avec fatalisme, on me rappellera...

Quelques minutes plus tard, rafraîchie et vêtue d'une confortable robe d'intérieur, elle se préparait un léger repas dans la cuisine quand le téléphone sonna de nouveau. Elle décrocha aussitôt.

— Enfin rentrée! dit sans préambule une voix masculine.

— Ah! c'est toi, Jack? Justement, j'étais...

— Tu as annulé notre rendez-vous soi-disant pour travailler chez toi, l'interrompit-il. Où étais-tu? Je t'ai appelée toute la soirée.

Blessée d'avoir été espionnée, Madalena se cabra:

— Je suis allée à la Résidence faire mes adieux à Sœur Bronagh, répondit-elle en s'efforçant de garder son calme.

— Bonne excuse...

— C'est la stricte vérité! Ne me parle pas sur ce ton, Jack. Il me déplaît, tu le sais.

— Tu n'espères quand même pas me faire croire que tu étais avec une bonne sœur! A d'autres...

— Je ne mens jamais et je n'aime pas me faire traiter de menteuse.

— Alors, sois franche: avec qui étais-tu ce soir?

— Avec Sœur Bronagh!

— Allons, Maddy, ne me raconte pas d'histoires! Pas à moi, Jack, ton amant! L'homme de ta vie, paraît-il, car je me demande combien il y en a d'autres...

Jack avait bu, Madalena connaissait trop bien les signes révélateurs: il ne bafouillait pas, il devenait sarcastique, jaloux, blessant. La fermeté était, en pareil cas, le seul moyen de le ramener à la raison:

— Bonsoir, Jack. Va te coucher, je t'appellerai demain matin quand tu iras mieux.

— Hé! pas si vite! Dînons ensemble demain soir. Rien que nous deux, chez moi, chez toi ou dans un bistrot tranquille. Hein, qu'en dis-tu ? demanda-t-il d'un ton radouci. D'accord ?

— Impossible. Demain soir, je dois faire mes valises. Au cas où tu l'aurais oublié, je pars pour l'Australie samedi matin de bonne heure.

— Suis-je bête ! répondit-il en ricanant. J'oubliais, en effet, que tu es vouée corps et âme à ta carrière. Le travail, il n'y a que ça qui compte, dans ta vie ! Tu ne rêves que de devenir une grande, une célèbre femme d'affaires ! Mais crois-tu que ta carrière te tiendra chaud dans ton lit ? Crois-tu que c'est avec ton travail que tu feras l'amour ? Hein ? Il te faut un homme, ma fille ! Un vrai. Comme moi ! Tiens, j'ai une idée : si je venais tout de suite...

— Tu es ivre mort, Jack. Couche-toi, cuve ton alcool. Je t'appellerai demain, si tu es en état de me répondre.

Elle raccrocha, furieuse, humiliée, et se vengea sur la salade dont elle déchira brutalement les feuilles. Quelle idiote je suis ! se dit-elle. Depuis des semaines, je sais que rien ne va plus entre nous. A quoi bon m'obstiner ? Je n'en peux plus de sa jalousie, de ses soupçons injustifiés, de son ivresse ! Je n'ai aucune raison de supporter tout cela ! Cette fois, il a été trop loin. C'est fini. Fini !...

Son explosion de colère l'avait assez calmée pour examiner la situation avec lucidité. Il ne restait plus rien entre eux, c'était vrai — pour elle, du moins. L'odieuse conduite de Jack tuait les derniers vestiges de son désir pour lui. Elle refusait de continuer à le materner, à soigner ses complexes et ses blessures d'amour-propre en sacrifiant sa propre vie. Elle allait lui signifier leur rupture définitive à son retour d'Australie. Ou plutôt, dès demain. Ce serait moins cruel que de le laisser dans l'incertitude...

Pauvre Jack ! songea-t-elle, attendrie. Il souffre de se trouver sans engagements depuis plusieurs mois. Il a pourtant tout pour lui — charme, physique, talent. Quel malheur de tout gâcher dans l'alcool... Car c'était l'alcool qui le métamorphosait et détruisait leur couple. Après chacune de ses crises, plein de remords, il implorait son pardon. Mais cela n'effaçait pas les blessures qu'il lui avait infligées. Au fond, il méritait moins sa colère que sa pitié.

Jack Miller était acteur. Connu à Broadway sans jamais parvenir au statut de star, il aurait pu, s'il l'avait voulu, atteindre le sommet de sa profession, faire une brillante carrière à Hollywood, conquérir l'écran comme il avait conquis les planches par son talent, ses yeux bleus, ses cheveux argentés, son physique de jeune premier. Il aurait dû, répétaient ses pairs qui l'admiraient, éclipser Paul Newman, rivaliser avec Al Pacino ou Jack Nicholson. Alors, pourquoi ne l'avoir pas fait? Madalena s'était maintes fois retenue de lui poser la question parce qu'elle connaissait trop bien la réponse: par manque de volonté et, surtout, d'ambition.

Là était le nœud du problème: il en voulait à Madalena de sa réussite et de son ambition parce que, conscient de ne pas en avoir assez, il en souffrait en lui-même. Alors, pour compenser ses échecs, il buvait et se conduisait en macho. Comme si cela justifiait tout! se dit-elle. Décidément, c'en est assez. Il ne peut plus rien sortir de bon de notre liaison. Si je reste avec lui par charité, je le mépriserai, il m'en voudra davantage. Tout est fini.

Sa colère retombée, Madalena mangea de bon appétit sa salade et son poulet froid. Mais quand elle voulut ensuite étudier ses dossiers, elle fut incapable de se concentrer.

Sa décision n'était pas aussi soudaine qu'il y paraissait. Elle cherchait depuis longtemps à se libérer de Jack, sans en avoir encore eu le courage. Pourquoi? Par peur de retomber dans la solitude, s'avoua-t-elle avec lucidité.

Patsy Smith, sa seule amie intime de la Résidence, était retournée vivre à Boston. Ses longues journées de travail et ses horaires irréguliers avaient fait perdre à Madalena le contact avec ses autres camarades et, faute de temps, elle n'avait pas noué de nouvelles relations.

Avec Jack, elle n'avait eu aucun problème au début, car leurs emplois du temps correspondaient à merveille. Quand il jouait, il sortait du théâtre vers 22 heures. De son côté, elle travaillait tard, au magasin ou chez elle. Ils se rejoignaient alors pour souper chez l'un ou chez l'autre et passaient leurs dimanches ensemble. Mais quand Jack n'avait pas d'engagement, comme c'était le cas en ce moment, il exigeait égoïstement de la voir tous les soirs, sans se soucier de ses obligations. Madalena refusait tout compromis quand il s'agissait de son travail et la situation s'était rapidement détériorée. Alors qu'il aimait passionnément le théâtre, Jack semblait incapable d'admettre que Madalena voulût se consacrer à sa propre carrière. Le conflit ne pouvait donc aller qu'en s'aggravant.

Elle l'avait aimé, pourtant. Depuis son arrivée à New York, Jack était la seule personne à laquelle elle se fût aussi profondément attachée. Elle en était arrivée à le considérer comme un membre de sa famille, alors même que son instinct lui disait de chercher son salut dans la fuite.

La famille... Mot clé dans son esprit accablé de solitude. Non, elle n'aurait jamais dû substituer Jack Miller au souvenir de son père, de sa mère, de ses frères... Son regard se tourna vers leurs photos, sur une étagère. Elle les voyait sourire, elle les entendait encore rire, parler, chanter. Ils lui avaient tous légué un peu d'eux-mêmes, ils vivaient toujours en elle...

La gorge serrée par l'émotion, Madalena repoussa ses dossiers et alla chercher sa guitare. Elle plaqua quelques accords, fredonna une mélodie. Les O'Shea étaient tous doués pour la musique. Combien de fois avaient-ils joué ensemble, chacun d'un instrument, chanté en chœur, improvisé?... Une vieille ballade remonta d'elle-même à sa mémoire, avec ses notes et ses paroles. Le rythme se précisa, s'affermit. Portée par le souvenir, Madalena se replongea dans son passé.

7

Elle était arrivée à New York de son Kentucky natal à l'automne 1977. Elle avait vingt-trois ans et se décrivait comme « une petite paysanne qui ne connaît rien à rien », ce qui était faux dans les deux cas.

Née en juillet 1954 à Lexington, au cœur du « pays de l'herbe bleue », Madalena Mary Elizabeth O'Shea était la première fille de Fiona et Joseph O'Shea. Ses parents furent immédiatement en adoration devant elle. Ses deux frères, Joseph Jr. et Lonnie, respectivement âgés de onze et sept ans au moment de sa naissance, tombèrent eux aussi amoureux de leur petite sœur et lui vouèrent la même dévotion durant leur trop courte vie. Madalena eut une enfance choyée, on lui passait ses caprices mais, par miracle, sans qu'elle en devînt irrémédiablement gâtée — miracle dû, en réalité, à sa force de caractère et à ses bonnes dispositions naturelles.

La famille de son père habitait le Kentucky depuis trois générations. Née en Irlande, Fiona Quinn, sa mère, était arrivée aux Etats Unis en 1940 à l'âge de dix-sept ans. Joseph O'Shea, qui avait alors vingt-trois ans, était ingénieur dans la petite entreprise de bâtiment de son père. C'est chez Liam Quinn, cousin de Fiona et son meilleur ami, qu'il rencontra la jeune fille. Il tomba amoureux au premier coup d'œil, Fiona lui avoua bientôt partager ses sentiments. Les deux jeunes gens se marièrent en 1941 et s'installèrent à Lexington. Leur fils aîné, Joe Jr., naquit en 1943, quelques semaines après le départ de son père pour l'Angleterre.

Avec la Première division d'infanterie US stationnée en Grande-Bretagne, Joe O'Shea débarqua à Omaha Beach le 6 juin 1944. Miraculeusement indemne, il participa ensuite à toutes les campagnes alliées en Europe. Revenu chez lui en 1945, la poitrine constellée de décorations, il reprit son emploi dans l'entreprise paternelle et Lonnie, le cadet, vit le jour en 1947. Puis, à la naissance de Maddy sept ans plus tard, Joe et Fiona décidèrent sagement de s'en tenir là et de se consacrer à leurs trois enfants, dont l'éducation grèverait déjà lourdement le budget familial. A la retraite de son père, Joseph avait pris sa suite ; si les O'Shea jouissaient d'une modeste aisance, elle ne leur permettait pas de « faire des folies », comme il le disait volontiers.

Inséparables, Joe Jr., Lonnie et Maddy formaient, selon Fiona, un « trio infernal ». Garçon manqué, Madalena voulait tout faire comme ses frères. Elle allait avec eux à la pêche, à la chasse ; ensemble, ils exploraient les collines, se lançaient dans mille aventures où Maddy ne s'en laissait pas remontrer par les garçons. L'équitation était son sport préféré et elle se révéla très tôt excellente cavalière. Elle aimait les chevaux, savait s'en faire comprendre et obéir. Comme son père et ses frères, elle adorait les courses et n'éprouvait pas plus grand plaisir que d'assister avec eux au Kentucky Derby à Louisville. Quand son favori gagnait, elle manifestait sa joie encore plus bruyamment que les autres.

Très fiers d'avoir une si bonne compagne de jeux, ses frères l'encourageaient dans cette voie tandis que Fiona, au désespoir de voir sa fille ne rêvant que plaies et bosses, toujours vêtue de jeans déchirés et de chemises à carreaux, s'efforçait en vain de lui faire adopter un comportement plus féminin : « Que va-t-on faire de toi, Maddy ? s'exclamait-elle. Regarde-toi ! On te prendrait pour un palefrenier, à côté de tes amies et de leurs jolies robes ! Ce n'est pas comme cela que tu trouveras un mari, ma fille ! Si tu ne changes pas, je t'inscrirai au cours de danse et de maintien de Mlle Sue Ellen ! Tiens-le-toi pour dit ! »

Maddy riait de cette menace jamais suivie d'effet, embrassait sa mère, promettait de s'amender et n'en faisait qu'à sa tête — jusqu'au jour où, pour complaire à sa mère qui était aussi sa meilleure amie, elle accepta d'aller au cours de danse et de maintien de Mlle Sue Ellen, dont les leçons lui plurent aussitôt et où elle ne tarda pas à exceller. Elle y acquit la démarche légère et gracieuse qu'elle ne devait plus perdre et qui ajoutait beaucoup à sa séduction.

Madalena n'évoqua jamais ensuite sans mélancolie l'heureuse enfance que ses frères et elle avaient vécue. Leur mère leur inculquait sans faiblesses les Commandements de l'Eglise, leur père leur imposait une stricte discipline ; ils devaient travailler dur à l'école, exécuter d'ennuyeuses corvées à la maison et au jardin. Mais c'est au cours de ces années-là qu'elle était devenue ce qu'elle était, et elle en gardait les plus beaux souvenirs de sa vie.

Nul ne fut plus étonné que Fiona en apprenant vers la fin de 1964 qu'elle était enceinte. L'année suivante, à l'âge de quarante et un ans, elle donna naissance à Kerry Anne. Cet enfant inattendu fut autant aimé que les autres. La joie de la famille allait cependant être bientôt ternie par le départ de Joe Jr. pour le Viêt-nam. Il était âgé de vingt-deux ans.

C'est alors qu'une série de drames frappa la famille O'Shea.

En 1966, un an après son incorporation, Joe Jr. fut tué à Da Nang. Lonnie, engagé dans les Marines, tomba pendant l'offensive du Têt de 1968. Il avait à peine vingt et un ans. Comme si les O'Shea n'avaient pas subi assez d'épreuves, la petite Kerry Anne mourut en 1970, peu avant son cinquième anniversaire, des suites d'une banale opération des amygdales.

Joe, Fiona et Madalena se demandaient s'il survivraient aux coups terribles qui les frappaient depuis cinq ans. Fiona, elle, ne s'en remit jamais. Mais le devoir maternel fut plus fort que sa douleur et, malgré son désir de ne pas se séparer du seul enfant qui lui restât, elle envoya Madalena, quand elle eut dix-huit ans, poursuivre ses études à l'Université Loyola de La Nouvelle-Orléans.

Madalena le souhaitait elle-même et avait obtenu l'accord de ses parents quelques années auparavant. Elle n'obéit pourtant qu'à regret, tant elle répugnait à abandonner sa mère en de telles circonstances. Fiona insista, cependant. Elle nourrissait de grandes ambitions pour sa fille et, surtout, se savait atteinte d'un cancer — nouvelle tragédie qu'elle tenait à lui dissimuler. Au bout de quatre ans, son état avait toutefois empiré au point qu'il n'était plus possible de le cacher à Madalena. Celle-ci termina ses études dans un cauchemar, soutenue par sa seule résolution de ne pas décevoir les espoirs que sa mère avait placés en elle. Fiona eut la dernière joie de voir sa fille obtenir son diplôme de gestion des entreprises en 1976, et s'éteignit deux mois plus tard.

Joe en fut assommé. « La mort de la petite Kerry Anne a planté le dernier clou dans le cercueil de ta mère », répétait-il à Madalena. Ou bien, hébété, il demandait: « Cela ne suffisait pas que j'aie donné un fils au pays? Pourquoi Lonnie a-t-il été se faire massacrer, lui aussi? Pour rien, Maddy! Tes frères sont morts pour *rien*! » Madalena le réconfortait de son mieux, sans trouver elle-même de réponse à pareilles questions.

Munie de son diplôme, Madalena entra au service du marketing d'un grand magasin de Lexington. Le dédain de son enfance envers les atours féminins s'était mué en une passion pour la mode. Pendant ses études, constatant qu'elle était douée dans ce domaine et que le commerce l'attirait, elle avait décidé d'y faire carrière. Son nouveau travail l'intéressa, elle s'y consacra avec son assiduité coutumière et partagea son temps entre le magasin et la maison paternelle, où elle était revenue habiter.

L'état de son père l'inquiéta fortement dès le début de 1977. Taciturne, apathique, il ne se relevait pas de la mort de Fiona et, contrairement à elle, ne trouvait aucun réconfort dans la religion. Tous les jours, Madalena l'entendait gémir sur ses fils morts pour rien, elle le surprenait qui contemplait fixement leurs photos, posées sur la cheminée du salon. Elle s'efforçait de le consoler, de le distraire. En vain.

Au début du printemps, Joe O'Shea n'était plus que l'ombre de lui-même. Quand il succomba à un arrêt cardiaque au mois de mai, Madalena en souffrit sans en être vraiment surprise. Elle avait compris depuis longtemps qu'il appelait la mort, afin de rejoindre sa femme et ses enfants dans l'au-delà.

Après avoir conduit son père à sa dernière demeure, Madalena mit ses affaires en ordre et constata que Joe lui laissait une situation nette. L'entreprise était prospère ; elle la céda à l'ancien adjoint de son père. La mort dans l'âme, elle vendit également sa maison natale avec une partie du mobilier et s'installa dans un appartement en ville.

Elle se rendit vite compte combien il lui serait douloureux de continuer à habiter Lexington, où les souvenirs l'assaillaient à chaque pas. Mieux valait échapper à tant de spectres — pour le moment du moins. Plus tard, peut-être, elle serait capable de revenir sur son passé sans en souffrir. Alors, décidée à se bâtir une nouvelle vie, Madalena prit le chemin de New York.

Il lui fallait du courage pour arriver sans emploi, sans contacts, sans relations dans cette métropole inconnue. Au moins avait-elle un toit pour s'abriter. Les Sœurs de la Divine Providence, l'un des premiers ordres enseignants fondés en Amérique et dont la maison mère se trouvait dans le Kentucky, possédaient une résidence à New York où elles hébergeaient, pour un loyer modique, de jeunes catholiques de toutes nationalités. C'est à cette Résidence Jeanne d'Arc que Madalena, sur la recommandation des sœurs de Lexington, se logea à son arrivée en octobre 1977. Sa chambre était confortable, les religieuses serviables et affectueuses, les pensionnaires amicales. Au bout d'une semaine, acclimatée à la vie new-yorkaise, Madalena chercha du travail.

Depuis sa décision de faire carrière dans le commerce et la mode, elle s'était donné pour modèle Emma Harte et avait lu tout ce qui existait sur l'illustre femme d'affaires, dont elle admirait sans réserve le courage et la réussite. Le seul endroit où elle rêvait de travailler était donc le magasin *Harte's* de New York. Mais il n'y avait aucun poste disponible lorsqu'elle soumit sa candidature. Favorablement impressionné, le chef du personnel lui promit toutefois de reprendre contact avec elle dès qu'un emploi conforme à ses qualifications se trouverait vacant.

En attendant, Madalena fut engagée sans difficulté par *Saks Fifth Avenue*. Un an plus tard, *Harte's* lui ayant fait savoir que l'emploi promis était à sa disposition, Madalena sauta sans hésiter sur l'occasion. Six mois s'étaient à peine écoulés quand Paula O'Neill remarqua sa personnalité, son efficacité, son intelligence et lui confia des missions de plus en plus délicates. En juillet 1980, elle en fit son adjointe.

Sa promotion entraînant une substantielle augmentation de son salaire, Madalena ne craignit plus d'écorner le petit capital provenant de la succession paternelle. Elle se mit en quête d'un appartement, fit venir ses affaires du garde-meubles, prit congé avec émotion de Sœur Mairead et de Sœur Bronagh et s'installa enfin chez elle. Son amie Patsy Smith et Jack Miller furent ses premiers convives.

Mais ce changement dans sa situation allait avoir des conséquences autrement plus importantes sur la vie de Madalena, devant qui s'ouvraient désormais des perspectives jusqu'alors inconnues. Paula l'emmena à Londres étudier en détail le fonctionnement du célèbre magasin de Knightsbridge, lui fit visiter les succursales du Yorkshire et de Paris. Madalena découvrit le plaisir de voyager, de connaître des lieux, des gens nouveaux. Sa première année aux côtés de Paula s'écoula comme un rêve et, bientôt, Madalena sut qu'elle avait trouvé sa véritable place dans le monde. Et cette place était chez *Harte's*.

Apaisée par sa récréation musicale, rassurée que Jack n'ait pas tenté de la rappeler, Madalena remit sa guitare en place et se rassit à sa table, devant la pile de dossiers. Il était bientôt minuit, elle avait deux ou trois heures de travail devant elle, mais cela ne l'effrayait pas. Elle se sentait en pleine forme. Emma Harte, son idole, était capable de travailler vingt-quatre heures sur vingt-quatre. Je peux bien en faire autant, se dit-elle en souriant, si je veux lui ressembler un jour...

8

— Par quel miracle avez-vous fini à temps tout ce travail? dit Paula en désignant la pile de dossiers qu'elle venait de consulter.

— Tout simplement en me couchant à trois heures du matin, répondit Madalena.

— Oh! Maddy, il ne fallait pas! Nous aurions pu revoir tout cela dans l'avion et télexer nos instructions une fois arrivées en Australie, dit Paula sans cependant pouvoir dissimuler son soulagement.

Celui-ci n'échappa pas à Madalena.

— Il vaut quand même mieux en être débarrassées avant de partir, Paula. Nous aurons l'esprit plus libre pour nous occuper des problèmes des boutiques.

— C'est vrai. En tout cas, je vous félicite — et je suis même jalouse! ajouta-t-elle en riant. Comment faites-vous pour paraître aussi fraîche après une nuit blanche?

— Je n'y ai aucun mérite. C'est sans doute à ma mère que je le dois, elle avait un teint irréprochable...

Les deux jeunes femmes échangèrent un regard complice.

— La manière dont vous proposez d'utiliser et de relier entre elles des gammes de produits si différentes est tout à fait remarquable. J'avoue qu'en prenant la formule « Des années folles à la conquête de l'espace » pour thème de notre soixantième anniversaire j'avais d'abord craint que ce ne soit trop général, trop flou pour être exploité correctement. Or, non seulement vous m'avez démontré que l'idée fonctionnait, mais vous en avez tiré un bien meilleur parti que nos services de Londres. Certaines de vos suggestions sont géniales et j'étais émerveillée en lisant vos rapports. Bravo, Madalena! Vous pouvez être fière de vous.

Madalena rougit de plaisir.

— Merci, Paula. Mais ne sous-estimez pas votre idée. Le thème est très général, c'est vrai, mais c'est ce qui en fait la force. Il suffit de le développer avec un peu d'imagination...

— Dont vous n'êtes pas démunie! l'interrompit Paula en prenant le dossier *Promotion — Parfumerie et cosmétique*. Ainsi, j'ignorais que Chanel avait baptisé son parfum *N° 5* parce que le 5 était son chiffre de chance. Ou encore que Jean Patou avait créé *Joy* en 1931, et Jeanne Lanvin *Arpège* en 1927. Ces marques célèbres sont contemporaines de ma grand-mèı et se vendent dans le monde entier plus de cinquante ans après.

— Je me disais, justement, que nous pourrions utiliser des documents de l'époque dans notre campagne de promotion.

— Tout à fait d'accord. Donnez les ordres nécessaires au service publicité. Qu'ils préparent aussi dans cet esprit des projets de présentoirs pour le rayon.

— A propos de présentoirs, je voudrais vous montrer une maquette que j'ai étudiée. Nous pourrions nous en servir dans tout le magasin, si vous êtes d'accord.

Paula suivit Madalena dans le bureau voisin, où un grand carton était posé sur un chevalet.

— Le dessin serait reproduit sur des bannières ou des panneaux de soie, reprit Madalena. Il faudrait les commander au plus tard lundi prochain si nous voulons les avoir en décembre. Alors, si vous pouviez prendre votre décision tout de suite...

Avec une légère hésitation, elle souleva la feuille de papier calque qui recouvrait la maquette.

Le slogan: *DES ANNEES FOLLES A LA CONQUETE DE L'ESPACE* surmontait, en plus petits caractères: *Harte's 1921-1981 : Soixante ans d'élégance et de qualité*. Jusque-là, rien d'original. La typographie était la même que celle adoptée par le service promotion de Londres pour les projets de décoration. Celui-ci présentait cependant une différence essentielle: les lettres se détachaient sur le portrait d'Emma Harte en traits hachurés.

Pensive, Paula étudia longuement le projet.

— Il ne vous plaît pas? demanda Madalena, inquiète.

Paula hésita:

— Je ne sais pas... L'idée est bonne, mais je me demande si nous n'en abusons pas en placardant partout le portrait de ma grand-mère. Parfois, trop c'est trop... Pourtant, plus je regarde, plus je me dis que...

Elle se déplaça de quelques pas, examina le dessin sous plusieurs angles:

— Oui, décidément, cette maquette me plaît. Mais nous ne nous en servirons pas dans les rayons ni sous les plafonds bas. Uniquement en grand format, pour décorer les halls et les zones de circulation des magasins de Londres et de Paris. Celui de Leeds aussi, bien entendu, c'est là que tout a commencé...

— Etes-vous sûre, Paula? Vous n'aviez pas l'air enthousiaste, il y a une minute.

— Si, si, votre idée me plaît. Passez commande aujourd'hui même, en quantités suffisantes pour tous les magasins de la chaîne. Et s'il n'y a plus rien à l'ordre du jour en ce qui concerne les programmes spéciaux, revenez un instant dans mon bureau, Madalena. J'aimerais vous parler de quelque chose.

Le plaisir de Madalena de voir son projet approuvé fut terni par la mine soudain soucieuse de Paula. Elle la suivit dans son bureau et s'assit en face d'elle, en se demandant ce qui motivait ce changement d'attitude.

— Ce que je vais vous dire, Madalena, est strictement confidentiel. Je n'en ai parlé ni à Shane ni à Emily — je n'en ai d'ailleurs pas encore eu l'occasion. Mais vous êtes une si proche collaboratrice que j'estime devoir vous mettre au courant sans plus tarder.

— Vous pouvez compter sur ma discrétion, Paula.

— Ces derniers jours, comme vous le savez pour me les avoir répercutés, j'ai reçu plusieurs coups de téléphone de

Harvey Rawson. C'est un ami de Michael Kallinski, avocat dans une firme de Wall Street, qui s'occupe pour moi d'une affaire personnelle.

— Auriez-vous des problèmes juridiques?

— Non, non. Il s'agit de tout autre chose...

En quelques mots, elle expliqua son intention d'acquérir une chaîne de magasins aux Etats-Unis et le rôle d'intermédiaire que jouait l'avocat entre les actionnaires et elle. Des contacts décisifs devaient avoir lieu la semaine suivante. Elle avait communiqué à Michael Kallinski et Harvey Rawson son itinéraire et son programme en Australie. Il incomberait donc à Madalena d'intervenir si, par hasard, ses correspondants ne pouvaient la joindre aussitôt. Madalena avait écouté avec attention:

— Je suis très touchée et très fière que vous me mettiez dans la confidence, Paula. Vos perspectives d'expansion m'impressionnent profondément. Vous pouvez compter sur moi.

— Merci, Madalena, j'en étais sûre.

Madalena reprit ses dossiers, Paula la raccompagna jusqu'à la porte.

— Au fait, dit-elle en souriant. Inutile de revenir cet après-midi. Nous avons réglé toutes les questions en suspens, je n'aurai plus besoin de vous et vous avez sûrement fort à faire d'ici à ce soir pour préparer vos bagages.

— Merci, Paula, mais il me reste un ou deux détails à revoir. Je repasserai quand même au bureau après le déjeuner, même si je n'y reste pas longtemps.

— Vous déjeunez sans doute avec Jack?

Son expression s'assombrit, elle hésita:

— Oui...

— Qu'est-ce qui ne va pas? demanda Paula avec sollicitude.

Madalena allait répondre évasivement quand elle se ravisa. Ses rapports avec Paula étaient devenus trop confiants, trop amicaux pour qu'elle lui dissimulât la vérité:

— Eh bien... franchement, rien ne va plus entre nous

depuis longtemps. Je déjeune avec lui aujourd'hui pour lui dire que c'est fini. Mieux vaut rompre avant mon départ que de laisser les choses traîner en longueur.

— Je suis navrée de l'apprendre. Je croyais que vous étiez heureux, tous les deux — c'est du moins l'impression que j'ai eue quand nous en avions parlé à Londres.

— C'était encore vrai à ce moment-là et Jack a beaucoup de bons côtés, je le reconnais volontiers... Mais nous nous heurtons sur trop de points, ces derniers temps. Il n'admet pas que je veuille me consacrer à ma carrière. Dans ces conditions, inutile de s'entêter, cela ne nous mènerait à rien.

Ces paroles éveillèrent en Paula d'amers souvenirs :

— Il y a bien des années, alors que je traversais moi-même une période difficile de mon premier mariage, ma grand-mère m'a donné un conseil que je n'ai pas oublié : « Si on ne s'entend pas avec un homme, il ne faut pas avoir peur de rompre quand on est encore jeune et qu'on peut retrouver le bonheur avec un autre. » Ma grand-mère était pleine de sagesse. Je ne puis mieux faire que de vous répéter ses mots en y ajoutant : Fiez-vous à votre instinct, Madalena. Je vous connais assez pour savoir qu'il ne vous trompera pas. Personnellement, j'estime que vous avez raison de réagir ainsi.

— Je le crois aussi, Paula. Comme me le disait hier une autre femme pleine de sagesse : l'essentiel est de ne pas se décevoir soi-même. Une telle décision fait toujours mal, mais je me serais déçue de ne pas avoir le courage de la prendre. A tort ou à raison, j'estime qu'à ce stade de ma vie ma carrière passe avant tout.

9

Monumentale sculpture de verre noir et d'acier dressée dans le ciel de Sydney, la tour McGill dominait toute la ville. C'est de ce poste de commandement que Philip McGill Amory gouvernait l'empire dont il avait la charge. Il y passait parfois des semaines entières, ne quittant ses bureaux que pour monter à son appartement situé au dernier étage de l'édifice.

A trente-cinq ans, le plus doué et le plus séduisant des petits-fils d'Emma Harte était au sommet de ses capacités. Doté du charme irrésistible de Paul McGill, son grand-père, il en avait également hérité la puissance de travail, le magnétisme et le génie des affaires qui faisaient de lui un personnage légendaire dans les milieux économiques internationaux.

Ce lundi-là, dans l'après-midi, son élégante silhouette se profilait devant l'immense baie vitrée de son bureau, d'où l'on découvrait un panorama unique sur le port de Sydney. Il écoutait avec attention un jeune Américain venu solliciter ses conseils.

— Quand j'ai vu Shane à Londres, concluait le visiteur, il m'a poussé à vous consulter avant de placer deux millions de dollars dans l'affaire dont je viens de vous parler. Selon lui, vous en savez plus que quiconque sur les mines d'opales...

— Mon beau-frère exagère, monsieur Carson. Il est vrai, toutefois, que je m'y connais un peu — ma famille est dans le métier depuis longtemps: la McGill Mining, une de nos filiales, a été fondée par mon arrière-grand-père en 1906. Je me crois donc autorisé à vous mettre en garde contre les avis qu'ont pu vous donner des gens mal informés de la réalité. L'expert dont vous m'avez cité le nom est honnête, sans doute, mais il est anglais et n'a pas souvent mis les pieds sur le terrain. Pour nous autres, Australiens, ce n'est qu'un amateur.

— Je m'en doutais, dit l'autre. Ses connaissances sur la question m'ont paru assez sommaires.

Philip s'abstint de lui faire observer que les siennes n'étaient pas meilleures et qu'il serait bien avisé de ne pas se mêler d'activités dont il ignorait jusqu'aux rudiments.

— Le mieux, je crois, serait de vous recommander quelques experts et géologues sérieux, capables de vous orienter dans vos investissements. Mais soyez très prudent, ajouta-t-il, apitoyé par l'inexpérience du jeune homme. Pour la plupart, nos gisements ne donnent que des opales de qualité ordinaire. Les méthodes d'extraction ont progressé depuis cinquante ans, mais elles nécessitent un équipement coûteux, leur rentabilité est souvent problématique. Entourez-vous d'un maximum de précautions, évitez de mettre tous vos capitaux dans la même affaire. Excusez-moi un instant, dit-il en prenant son stylo.

— Je vous en suis extrêmement reconnaissant.

Pendant qu'il écrivait, Carson l'examina avec une admiration non déguisée. Certes, il avait bénéficié de la meilleure des recommandations, mais il n'en était pas moins étonné d'avoir été si vite et si aimablement accueilli. D'habitude, un homme de l'importance de Philip Amory fait recevoir les quémandeurs de son espèce par un quelconque subordonné. Or, son hôte était simple, direct, nullement prétentieux. Et beau garçon ! Avec son physique, il aurait pu faire une carrière éblouissante à Hollywood. Sa fine moustache lui donnait même des faux airs de Clark Gable dans ses rôles de pirate… Pourtant, si les pirates ne manquaient pas dans les eaux troubles de la finance internationale, Philip Amory n'en faisait pas partie. Il n'était pas de ces *raiders* qui absorbent et dépècent les sociétés pour empocher sans scrupules les bénéfices. Quel besoin, d'ailleurs, aurait-il d'absorber quoi que ce soit ? Quand on est à la tête d'un conglomérat tel que la McGill Corporation et que, par-dessus le marché, on a un physique de star de cinéma, on a largement de quoi s'occuper dans la vie...

Philip pressa un bouton de l'interphone.

— Maggie, dit-il à sa secrétaire, j'ai préparé une liste de noms pour M. Carson. Avant qu'il ne parte, vous la complèterez avec les adresses et les numéros de téléphone.

— Oui, monsieur.

Comprenant que l'entretien était terminé, le visiteur se leva.

— Je ne sais comment vous remercier...

— C'est la moindre des choses. Bonne chance et n'oubliez pas: soyez prudent. Tout ira bien, j'en suis sûr.

Enfin seul, Philip s'arrêta un instant devant la baie vitrée qui formait un mur entier de son bureau. En ce début du printemps, il faisait un temps radieux. Les arches majestueuses du pont, l'Opéra surmonté des voiles blanches de son toit, les spinnakers multicolores d'innombrables voiliers sur les eaux bleues formaient un tableau féerique. Philip sourit de plaisir. Il aimait cette ville depuis son enfance et ne connaissait pas de plus beau spectacle au monde que celui du port de Sydney, qu'il ne se lassait pas de contempler.

Un coup frappé à la porte interrompit sa rêverie. Barry Graves, son adjoint, entra:

— Je ne vous dérange pas?

— Pas du tout, au contraire.

— Un peu fêlé, l'Américain, si je ne me trompe? dit-il en riant.

— Non, répondit Philip sur le même ton. C'est un gamin mordu par le virus de l'aventure. On lui a raconté n'importe quoi, le pauvre garçon s'imagine que l'Australie regorge d'opales et qu'il suffit de se baisser pour les ramasser.

— La race des pigeons ne risque pas de s'éteindre... Qui est-il par rapport à Shane?

— Le beau-frère d'un de ses collaborateurs. Shane voulait lui rendre service et me l'a envoyé pour que je lui ouvre les yeux avant qu'il ne dilapide son héritage.

— Il a bien fait... Je venais simplement vous dire bonsoir,

Philip, si vous n'avez plus besoin de moi. Faut-il envoyer une voiture chercher Paula à l'aéroport demain matin?

— Merci, ce n'est pas la peine. Ma mère s'en charge.

— Dans ce cas, je m'en vais. Ne restez pas trop tard.

— Rassurez-vous. Ce soir, je dois dîner à Rose Bay chez ma mère.

— Chère Daisy! Je ne l'ai pas revue depuis longtemps. Transmettez-lui mon meilleur souvenir.

— Je n'y manquerai pas.

Il était 18 heures. Avant de libérer Maggie, Philip lui demanda de prévenir son chauffeur de sortir la voiture dans une heure et se remit au travail avec la diligence et la concentration que lui avait inculquées sa grand-mère.

Depuis sa naissance en juin 1946, il était entendu par ses parents et toute la famille que Philip Amory était destiné à prendre la tête de la McGill Corporation en Australie.

En 1939, avant son suicide à la suite d'un grave accident de voiture, Paul McGill avait refait son testament, par lequel il instituait Emma Harte, sa compagne depuis seize ans, légataire universelle. Elle héritait en toute propriété de sa fortune personnelle, de ses propriétés immobilières et autres possessions, à l'exception de ses intérêts en Australie et de sa part dans le capital de Sitex Oil of America, la compagnie pétrolière dont il avait été l'un des fondateurs. Elle n'en avait que l'usufruit, ces biens devant revenir ensuite à Daisy, leur fille unique, et aux descendants de cette dernière.

De 1939 à 1969, Emma avait elle-même dirigé la McGill Corporation, sur place ou depuis Londres, avec des collaborateurs de confiance qui, pour la plupart, avaient travaillé pour Paul McGill jusqu'à sa mort. Dirigeants des filiales du conglomérat, ils étaient responsables auprès d'elle de la gestion de leurs entreprises respectives, aux activités très diversifiées allant des mines — opales, minerais, charbon — à la promotion immobilière et à la construction, sans oublier l'important élevage de moutons de Coonamble.

C'est de cette exploitation appelée Dunoon, l'une des plus vastes de Nouvelle-Galles du Sud, qu'était issu l'empire économique de la famille McGill, dont Philip avait désormais la charge. Elle avait été fondée en 1852 par son trisaïeul, Andrew McGill, capitaine au long cours écossais établi dans ces territoires encore vierges. Son fils, Bruce McGill, avait créé la McGill Corporation à laquelle Paul, le grand-père de Philip, allait donner par la suite une expansion considérable.

Très jeune encore, Philip entendait sa grand-mère lui décrire les beautés et les richesses de l'Australie. Emma lui parlait surtout de Paul McGill, en termes si pleins d'amour et d'admiration qu'elle le faisait revivre pour le jeune garçon et que Philip en arrivait à croire qu'il avait réellement connu son grand-père. Elle lui expliquait aussi que l'empire de Paul appartiendrait un jour à Paula et à lui mais qu'il lui incomberait de le gérer, comme elle le faisait maintenant pour le compte de Daisy, sa mère, et des deux enfants.

Philip avait six ans lorsque Emma l'emmena pour la première fois à Sydney avec sa sœur Paula et ses parents, Daisy et David Amory. A peine eut-il posé le pied sur le sol australien que Philip se prit de passion pour cette terre, passion qui ne devait plus le quitter.

A l'âge de dix-sept ans, à la fin de ses études en Angleterre, Philip avait déclaré à Emma et à ses parents qu'il entendait s'en tenir là et refusait de perdre son temps à l'université. Il était en âge, disait-il, de s'instruire dans la pratique des affaires qu'il serait bientôt amené à diriger.

De guerre lasse, son père avait fini par acquiescer. Emma avait eu un sourire narquois en acceptant de se charger de la formation de son petit-fils — le pauvre ne se doutait pas de ce qui l'attendait! Et Philip, en effet, se trouva sans transition soumis à un entraînement intensif, sous la férule d'un maître plus sévère que ceux qu'il avait connus jusqu'alors. Emma exigeait qu'il fût le meilleur en tout et n'admettait rien de moins que la perfection. Sa vie ne lui appartenait plus tant qu'il n'avait pas parfaitement assimilé les préceptes qu'elle lui inculquait. Mais Emma était foncièrement juste, et Philip comprit très vite que le régime draconien auquel il était assujetti, comme sa sœur et ses cousins, avait pour but de les armer pour les luttes qu'ils devraient un jour affronter seuls, sans Emma pour les guider et les protéger.

Pendant ses années de formation, Philip accompagnait sa grand-mère à chacun de ses voyages en Australie et, quand il le pouvait, passait ses vacances à Dunoon où il se familiarisait avec le berceau de sa famille. Il était enchanté quand Emma y allait en même temps que lui, car elle évoquait les souvenirs de ses séjours avec Paul dans la propriété et lui racontait cent histoires captivantes sur le passé.

En 1966, quand il eut vingt ans, Emma envoya Philip s'installer définitivement en Australie, afin de terminer son apprentissage au sein de l'entreprise dont il devait prendre les rênes. Au bout de trois ans, il se montrait déjà digne de la confiance qu'elle avait mise en lui.

Emma ne s'en étonna pas — après tout, Philip n'avait-il pas hérité à la fois de ses dons et de ceux de son grand-père, dont il était physiquement le portrait? Aussi le jeune homme se tailla-t-il rapidement une place de choix dans l'économie et dans la société australiennes. Il fit sienne la patrie de ses ancêtres, qui l'attirait tant depuis l'enfance, et il ne désirait vivre nulle part ailleurs au monde.

Deux des mentors nommés par Emma, Neal Clarke et Tom Patterson, avaient guidé ses premiers pas dans l'affaire et Philip leur vouait une respectueuse affection. C'était pourtant vers Emma qu'il se tournait le plus volontiers lorsqu'il hésitait sur une décision à prendre ou devait résoudre un problème sérieux. Après la mort d'Emma en 1970, son père tint auprès de lui le double rôle de confident et de conseiller. La disparition prématurée de David Amory, tué dans l'avalanche de janvier 1971, allait à la fois priver Philip d'un père tendrement aimé et d'un guide irremplaçable.

Philip regagna Sydney au mois de mars suivant, remis de ses légères blessures mais profondément atteint moralement.

A la douleur d'avoir perdu son père s'ajoutait l'angoisse de l'avenir: à vingt-cinq ans, il se retrouvait seul face à des responsabilités écrasantes. Paula devait affronter ses propres problèmes, que Philip se refusait d'aggraver en lui faisant partager les siens. Daisy, sa mère, était accablée de douleur et si, en théorie, la McGill Corporation lui appartenait, elle ne s'était jamais mêlée de sa gestion et ne pouvait lui être d'aucun secours. Elle se tournait au contraire vers son fils pour lui demander soutien et réconfort.

Ces sujets d'angoisse se doublaient d'un douloureux phénomène psychologique: le remords du survivant. Nul ne sort moralement indemne d'un accident dans lequel ont péri plusieurs membres de sa famille, et Philip ne faisait pas exception. Pourquoi, se demandait-il, suis-je le *seul* à avoir survécu? Pourquoi *moi* et pas les autres? Il se répétait cette question jusqu'à l'obsession — sans trouver de réponse.

Peu à peu, cependant, il comprit qu'il devait surmonter son traumatisme et, si possible, faire une force de ce handicap. Sa mère et sa sœur avaient besoin de lui, la marche de l'entreprise n'avait pas à dépendre de ses états d'âme. Il s'astreignit à ne penser qu'à l'avenir, dans l'espoir d'y découvrir un jour la raison pour laquelle sa vie avait été épargnée.

Le sang d'Emma Harte et de Paul McGill qui coulait dans ses veines ne pouvait mentir. Philip se jeta dans le travail avec une ardeur redoublée et en arriva à se dire que c'était le meilleur moyen de vaincre ses anxiétés tout en meublant ses jours et ses nuits. C'est ainsi qu'en 1981 Philip Amory était devenu l'un des premiers hommes d'affaires d'Australie, une personnalité avec laquelle il fallait compter.

En onze ans, depuis la mort d'Emma, l'entreprise avait connu des hauts et des bas, mais Philip en avait toujours tenu la barre d'une main ferme et su la faire progresser. Il avait cédé ses filiales en déclin, diversifié ses activités par des prises de participations dans des domaines d'avenir, tels que la production d'énergie ou la communication écrite et audiovisuelle. Sous son autorité, la société fondée par ses ancêtres et renforcée par la gestion d'Emma, abordait les années 80 forte d'une puissance industrielle et financière sans précédent dans son histoire.

Le téléphone bourdonna plusieurs fois avant que Philip ne l'entendît, tant il était absorbé. Son chauffeur le prévenait que la voiture l'attendait. Quelques instants plus tard, dans la Rolls-Royce qui l'emmenait à Rose Bay chez sa mère, Philip se détendit enfin et ferma les yeux.

L'arrivée imminente de Paula le comblait de joie. Il souffrait de ne pas la voir plus souvent — leur mère aussi, d'ailleurs. Elle venait de passer une semaine à Perth avec Jason Rickards, son mari. Elle était rentrée la veille au soir, et Philip l'imaginait bouillante d'impatience dans l'attente de Paula. Car la seule ombre au bonheur de Daisy était de se trouver si loin de sa fille et de ses petits-enfants.

Heureusement, elle avait Jason...

Philip lui avait présenté en 1975 cet industriel de Perth, à peine remis d'un pénible divorce quand elle commençait elle-même à reprendre goût à la vie. Souffrant l'un et l'autre de la solitude malgré leurs nombreuses occupations, ils avaient aussitôt sympathisé. Un jour, à la surprise générale — sauf à celle de Philip — ils avaient annoncé qu'ils s'aimaient et décidaient de se marier. Visiblement, le mariage leur réussissait car, depuis, Jason affichait un sourire permanent et Daisy, radieuse, semblait avoir définitivement oublié son chagrin. Mais sa mère, Philip le savait, était pleine de bon sens.

Après la mort de David, Daisy s'était acclimatée de son mieux à sa nouvelle vie en Australie. Elle tenait pour Philip le rôle de maîtresse de maison et se dévouait à des œuvres charitables qui donnaient un but à son existence. Fille unique et héritière de Paul McGill, l'un des hommes les plus riches d'Australie, elle considérait comme un devoir de mettre sa fortune au service du bien commun. Elle avait donc créé la Fondation McGill, dotée de plusieurs millions de dollars destinés à la recherche médicale, aux hôpitaux pour enfants, aux écoles. Ces activités avaient permis à Daisy de ne pas sombrer dans le désespoir — jusqu'à ce que Jason Rickards achevât son rétablissement. Sans enfants, accueilli à bras ouverts par la famille, il se donnait corps et âme à son rôle de « grand-père adoptif », et les enfants de Paula étaient en adoration devant lui.

Oui, se dit Philip, ces deux-là sont bien tombés. Et ils ont eu de la chance. Beaucoup de chance... Pour sa part, il tombait toujours mal et n'avait jamais de chance avec les femmes. Mais après tout, souhaitait-il tant que cela se marier? La vie de célibataire convenait mieux à son caractère — et elle offrait d'autres compensations...

10

Les senteurs de la nuit — roses, chèvrefeuille, eucalyptus — venues du jardin par les portes-fenêtres ouvertes se mêlaient aux discrets effluves de *Joy*, le parfum de Daisy. La stéréo diffusait en sourdine une étude de Chopin. La lumière tamisée par les abat-jour de soie créait, dans le grand salon aux douces teintes pastel, une ambiance reposante. Détendu dans un confortable canapé, Philip se sentait choyé comme au temps de son enfance. Il dégustait une vieille fine, digne couronnement du succulent dîner qu'il venait de savourer, en écoutant la voix mélodieuse de sa mère assise en face de lui :

— Jason revient de Perth jeudi. Je me disais que ce serait gentil d'emmener Paula passer le week-end à Dunoon. Qu'en penses-tu, mon chéri ? Tu viendras avec nous, j'espère ?

— Je ne crois pas que Paula ait envie de bouger si vite après avoir fait la moitié du tour du monde ! Et puis, ajouta-t-il avec ironie, je connais ma sœur et vous devriez connaître votre fille. A peine débarquée, elle va se ruer sur le travail. C'est quand même la raison de son voyage, ne l'oubliez pas.

— Elle vient *aussi* pour nous voir ! protesta Daisy, désolée de constater une fois de plus à quel point ses enfants, comme sa propre mère, étaient obsédés par le travail. Mais tu as raison. Nous ferions mieux de ne pas la bousculer et de n'y aller que la semaine d'après.

— Je le crois aussi, répondit Philip, conciliant.

— Puisque nous parlons voyages, je t'annonce que Jason et moi avons décidé de rester un mois de plus en Angleterre. Nous partirons au début de novembre, au lieu de décembre, et nous ne reviendrons pas avant la fin janvier. Trois mois pleins là-bas... Si tu savais quel plaisir j'ai de revoir Londres et Pennistone, de passer Noël avec Paula, Shane, les enfants, toute la famille ! Ce sera comme par le passé, quand ma mère vivait encore...

— Jason peut-il se permettre d'être absent si longtemps ?

— Bien sûr ! C'est même pour cela qu'il va si souvent à Perth ces derniers temps, afin de mettre ses affaires en ordre. Et puis, il a une entière confiance dans ses collaborateurs. Tu iras toi aussi en Angleterre pour Noël, bien entendu ?

— A vrai dire, je ne sais pas encore... J'espère, du moins, pouvoir me libérer, se hâta-t-il d'ajouter en voyant la mine déçue de Daisy.

En fait, il répugnait à s'engager trop longtemps à l'avance. Si, pour une raison ou pour une autre, il ne tenait pas parole, Daisy le lui reprocherait des années.

— Il *faut* que tu viennes, Philip ! Tu ne peux pas faire faux bond à Paula ! As-tu oublié le soixantième anniversaire du magasin ? Tu ne peux pas manquer le bal qu'elle donne le 31 décembre, voyons ! Tout le monde y sera. Cela ferait très mauvais effet que tu sois le seul de la famille à ne pas y assister !

Philip ne put dissimuler son agacement :

— Je sais, maman ! Je ferai l'impossible,

— Bien, bien, n'en parlons plus...

Avec un soupir résigné, Daisy arrangea les plis de sa robe en observant discrètement Philip afin de jauger son humeur. Oserait-elle lui parler de sa bonne amie du moment ? Il se montrait parfois excessivement susceptible dès qu'il était question de sa vie privée...

— *Si* ton travail te permet de venir en Angleterre, dit-elle prudemment, tu pourrais peut-être inviter Veronica. Elle est tout à fait charmante et...

Philip éclata de rire. Daisy le dévisagea, étonnée :

— Quoi ? Qu'ai-je dit de si drôle ?

— Vous retardez, maman, voilà tout ! Je ne vois plus Veronica Marsden. C'est fini entre nous depuis des semaines.

— Pourquoi ne m'avoir rien dit? répondit-elle d'un ton de reproche. J'en suis navrée, mon chéri. Comme je te le disais, je la trouvais charmante et je croyais sincèrement que les choses étaient sérieuses entre vous. Enfin... Tu es meilleur juge que moi. Mais alors, se hasarda-t-elle à ajouter, tu pourrais peut-être emmener ta favorite actuelle?

— Il n'y a pas de « favorite actuelle », maman! répliqua Philip, agacé. Cessez, je vous en prie, de vouloir à toute force me marier! Je me demande parfois si vous me harcelez uniquement pour avoir sur place des douzaines de petits-enfants à cajoler, continua-t-il d'un ton radouci. Avouez!

— C'est en partie vrai, je l'avoue...

Daisy s'était souvent étonnée que son fils prît toujours l'initiative de rompre, même avec les jeunes filles les plus charmantes, au moment où leurs rapports semblaient prêts à se concrétiser. Elle se souvenait de ce que Selena, qui avait précédé Veronica, lui avait dit de sa rupture avec Philip un an auparavant: selon elle, Philip « prenait la fuite » dès que les choses devenaient sérieuses ou, plutôt, *menaçaient* de le devenir. Aurait-elle vu juste? se demanda Daisy en étouffant un nouveau soupir. Son fils était aussi déroutant pour elle que pour la plupart des gens. On disait de lui qu'il était une énigme — et c'était malheureusement vrai.

— Alors, maman, que mijotez-vous encore? Je crains de trop bien deviner vos pensées, dit Philip en riant.

— Rien du tout, mon chéri! Je me demandais simplement si tu te déciderais à te marier un jour.

— J'ai la réputation d'être le roi des play-boys du monde occidental, j'entends conserver un titre aussi flatteur.

— Play-boy, toi? Pas de la façon dont tu travailles! Les jaloux t'appellent ainsi parce que tu es le plus convoité des célibataires... Mais si tu veux connaître le fond de ma pensée, poursuivit-elle, j'accepte mal l'idée de te savoir vieillir seul. Un tel sort n'a rien d'enviable pour toi ni rien de rassurant pour moi. Je n'ai pas envie que mon fils devienne un vieux garçon encroûté!

— Moi, m'encroûter? Jamais! La variété est le sel de la

vie, comme on dit. Je ferai en sorte d'avoir toujours une jolie fille pour me tenir compagnie — même quand je serai gâteux!

— Je t'en crois volontiers capable...

Daisy rit à l'unisson. Elle ne se souciait pas moins de l'instabilité sentimentale de Philip. Il avait trop de valeur personnelle pour se satisfaire réellement de ses innombrables aventures. Y prenait-il plaisir, au moins? Se rendait-il compte de ce qu'il manquait dans la vie en refusant de se fixer? Elle aurait voulu poursuivre la conversation, lui parler sérieusement de son avenir — et de celui de la McGill Corporation s'il n'avait pas d'héritiers. L'instinct et l'expérience lui firent garder le silence. A trente-cinq ans, Philip était maître de mener sa vie à sa guise. Il verrait d'un mauvais œil que sa mère s'immisce davantage dans ses affaires.

La sonnerie du téléphone tinta dans la bibliothèque voisine. Le maître d'hôtel philippin annonça un instant plus tard que Monsieur demandait Madame. Daisy se leva aussitôt dans un froufrou de soie et une bouffée de *Joy*. Philip la suivit d'un regard admiratif.

Daisy était en beauté, ce soir-là. Elle avait fêté au mois de mai son cinquante-sixième anniversaire, mais portait aisément dix ans de moins. Sa silhouette était celle d'une jeune fille, aucune ride ne lui griffait le visage et, pour s'être soigneusement abritée du soleil, elle avait conservé son teint d'Anglaise clair et frais. Les quelques fils gris qui striaient sa chevelure noire ne la vieillissaient pas. Mais n'était-elle pas la fille d'Emma, qui avait su préserver sa jeunesse et sa beauté jusqu'à un âge avancé?...

Philip finissait son cognac quand Daisy revint:

— Jason t'envoie ses affections. Je lui ai parlé de mon idée d'emmener Paula à Dunoon ce week-end et il est d'accord avec toi. Peut-être pourrions-nous organiser un dîner en son honneur samedi soir? Tu viendras, au moins?

— Evidemment! Je ne manquerais ma chère vieille sœur pour rien au monde... Ecoutez, maman, il se fait tard. J'aimerais que vous jetiez un coup d'œil sur les bilans et les rapports...

— Tu sais très bien que c'est inutile, Philip! Je n'y connais strictement rien et tu t'obstines à me faire avaler ces paperasses incompréhensibles!

— La McGill Corporation vous appartient.

— Soyons sérieux, Philip. Elle est à toi et à Paula, je n'y figure que pour la forme et je sais que ce n'est pas toi qui me voleras! Que diable, ma mère t'a assez longtemps torturé pour t'apprendre le métier! Elle avait entière confiance dans ton jugement et tes capacités. Moi aussi.

— Merci pour le vote de confiance, maman, mais je tiens quand même à ce que vous en preniez connaissance. Attendez-moi, je vais les chercher.

Il s'éclipsa brièvement dans le vestibule et revint avec son porte-documents. Daisy prit à contrecœur la liasse qu'il lui tendait et commença de la parcourir, visiblement à seule fin de ne pas le contrarier.

Philip l'observa en attendant qu'elle eût terminé sa lecture. Jason Rickards a bien de la chance d'avoir épousé une femme pareille, se dit-il avec un sourire attendri.

Daisy releva les yeux, soulagée. Philip lui tendit alors un autre jeu de documents.

— Ah, non! s'écria-t-elle, horrifiée. Assez! Pour moi, ces colonnes de chiffres, c'est de l'hébreu!

Philip eut un sourire ironique. Depuis des années, la même comédie se répétait dans les mêmes termes.

— Je vais vous expliquer, dit-il en s'asseyant à côté d'elle. Vous verrez, c'est très simple...

Et pendant une demi-heure, il guida sa mère dans le labyrinthe des bilans et des comptes d'exploitation, jusqu'à ce qu'elle se piquât au jeu, lui posât des questions et avouât en avoir compris les grandes lignes.

Ce soir-là, au lieu de regagner son appartement citadin du dernier étage de la tour, il se rendit à sa villa de Point Piper, où le chauffeur le déposa à 23 heures. Il avait prévenu les serviteurs de ne pas l'attendre, la maison était calme et silencieuse. Philip jeta son porte-documents sur un fauteuil de son cabinet de travail, se versa un cognac et alla s'accouder à la balustrade de la terrasse qui dominait l'océan.

Il n'avait cessé de penser aux paroles de sa mère : elle voulait qu'il se marie pour « ne pas vieillir seul »... Quelle blague ! Le mariage ne guérit pas nécessairement de la solitude, il peut au contraire la rendre encore plus palpable. Sans avoir été marié, il avait déjà vécu avec une femme et savait d'expérience que la compagnie d'une autre personne ne change rien — ni, surtout, ne suffit à exorciser ses démons intérieurs.

Depuis plusieurs années, sa vie privée ne respectait guère les conventions et Philip comprenait que sa mère s'en inquiétât. Mais qu'y pouvait-il ? Certes, il était conscient d'avoir connu trop de femmes, d'en changer jusqu'à l'écœurement. Sa vie affective était plus aride que le Sahara. Jamais encore il n'avait rencontré de femme avec qui il pût nouer des rapports profonds, enrichissants, et il n'en rencontrerait sans doute jamais. Quelle importance, après tout ? Depuis longtemps, il se contentait fort bien de rapports purement physiques, qui le satisfaisaient sans lui poser de problèmes. Par nature, il était un solitaire. Seul, il vivait à l'aise avec lui-même. Il se sentait bien dans sa peau.

Et il n'avait aucune raison de rien y changer.

11

— Je voudrais vendre nos actions Sitex Oil.

La déclaration de Paula fit l'effet d'une bombe dans le silence feutré du salon et la surprit elle-même autant qu'elle stupéfia sa mère et son frère.

Daisy et Philip la dévisageaient en silence. Le regard de Paula alla de l'un à l'autre. Elle n'avait pas eu l'intention de le leur dire ce soir ni, surtout, de manière si brutale. Mais puisque les mots lui avaient échappé, autant aller au bout.

Elle allait reprendre la parole quand Daisy la devança :

— Je ne comprends pas, Paula. Quelle mouche te pique ? Pourquoi parler tout à coup de vendre ces actions ?

— Pour plusieurs raisons, maman, dont la plus évidente se trouve dans la chute des cours du pétrole. Le marché est sursaturé et les prix ne peuvent que continuer à baisser. Vous savez également quels problèmes m'a toujours causés Sitex. Voilà pourquoi j'estime que nous devrions nous débarrasser une fois pour toutes de nos quarante pour cent et avoir la paix.

Daisy se tourna vers Philip d'un air interrogateur. Déconcerté, il se demandait ce que cachait en réalité la sortie de Paula. Il fit un geste évasif et alla contempler, par la porte-fenêtre, les lumières de Sydney qui scintillaient au-delà de Rose Bay et la silhouette de la tour McGill, profilée dans le ciel étoilé, qui dominait la ville. Un moment plus tard, il regagna lentement sa place en observant sa sœur, dont le hâle ne dissimulait pas les traits tirés par la fatigue. A pareille heure, elle ferait mieux de se coucher plutôt que de parler affaires, pensa-t-il en lisant dans ses yeux qu'elle attendait une réaction de sa part.

— La situation va forcément évoluer, dit-il enfin. Les

cours du pétrole ont toujours subi d'énormes fluctuations. Si nous décidions de vendre, nous ferions mieux, à mon avis, d'attendre que la conjoncture se rétablisse afin d'obtenir de nos actions le prix le plus favorable. Tu ne crois pas?

— Quand cela se produira-t-il, Philip? Je te le répète, les marchés sont saturés de pétrole — tu le sais d'ailleurs aussi bien que moi. Jamais les stocks n'ont été aussi élevés, alors que la demande globale a diminué de plus de quinze pour cent, depuis la hausse excessive imposée par l'OPEP en 1979. Je crois sincèrement que la demande va poursuivre sa décroissance pendant plusieurs années, au moins jusqu'en 1985.

— Quel pessimisme! dit Philip en riant. Je ne te reconnais plus!

Paula ne répondit pas. Elle regrettait d'avoir lancé la discussion.

— J'ai promis à ma mère de ne jamais céder ces actions, intervint Daisy, comme elle l'avait elle-même promis à Paul. Mon père n'a cessé de me répéter qu'il fallait les garder, quoi qu'il arrive...

— Les temps ont changé, maman, l'interrompit Paula.

— Je le sais et je suis la première à le dire. Il n'empêche que je ne me séparerais pas de ces actions de gaieté de cœur, je ne te le cache pas. En fait, j'aurais des remords.

— Si grand-mère était encore là, je parie qu'elle serait de mon avis.

Paula étouffa un bâillement. La fatigue l'accablait soudain au point qu'elle se crut prête à s'évanouir sur le canapé. Philip avait pris la parole et elle dut faire un effort considérable pour l'écouter:

— ... et si les dividendes diminuent un an ou deux, la belle affaire! disait-il. Maman n'en a pas besoin pour vivre.

— Absolument, renchérit Daisy. En tout cas, ma chérie, je ne vois pas pourquoi nous discutons de cette question maintenant. Tu es visiblement morte de fatigue — ce qui ne m'étonne pas, avec tout ce que tu as fait depuis ton arrivée hier.

— C'est vrai, répondit Paula en bâillant de nouveau, d'autant que le décalage horaire m'assomme généralement le deuxième jour. Je vais monter me coucher. Je suis vraiment désolée d'avoir abordé ce problème ce soir, je n'aurais pas dû. Nous terminerons la conversation un autre jour.

Paula se leva avec peine, embrassa sa mère. Philip la prit par le bras et l'accompagna jusqu'au vestibule:

— Veux-tu que je te porte dans l'escalier?

— Je ne suis quand même pas décrépite au point de ne pas pouvoir marcher jusqu'à mon lit!... Du moins, je l'espère, ajouta-t-elle avec de nouveaux bâillements. Je n'aurais pas dû boire tant de vin à table.

— Tu n'en dormiras que mieux.

— Je n'en avais vraiment pas besoin! Bonne nuit, frère chéri, dit-elle en l'embrassant.

— Bonne nuit, sœur bien-aimée. On déjeune ensemble demain, comme convenu?

— Midi et demi, promis, juré.

Une fois dans sa chambre, Paula eut à peine la force de se dévêtir et de se démaquiller. En se glissant dans son lit, il lui restait cependant assez de lucidité pour se rendre compte qu'elle avait commis une grossière erreur de tactique en parlant au mauvais moment des actions Sitex. Elle aurait dû savoir que sa mère ne serait jamais d'accord pour les vendre, quels que soient les arguments avancés. Elle avait bêtement compromis la réussite de ses projets...

Peut-être pas, après tout! « Tous les chemins mènent à Rome, lui disait souvent Emma. Quand on en trouve un bouché, il suffit d'en chercher un autre. » C'est sur cette dernière et réconfortante pensée que Paula, sourire aux lèvres, sombra dans un profond sommeil.

Le lendemain matin, assises face à face dans le bureau directorial de la boutique *Harte's* de l'hôtel O'Neill, Paula et Madalena étaient silencieusement absorbées dans l'examen des registres comptables. Madalena releva la tête:

— C'est insensé ! Je n'arrive pas à comprendre comment Callie Rivers a provoqué une telle pagaille. Il y faut du génie ou de l'inconscience !

— Ou bien elle est idiote, et je me suis lourdement trompée en l'engageant, ou bien sa maladie lui a fait perdre la tête au point de ne plus savoir ce qu'elle faisait ces derniers mois, répondit Paula.

— Je penche plutôt pour la maladie, vous ne commettez jamais d'erreur de jugement sur les gens, dit Madalena en refermant le grand livre. J'ai vérifié trois fois les chiffres, le doute n'est plus permis : la boutique perd de l'argent.

— Allons revoir le magasin, Maddy. Les fiches d'inventaire sont dans un tel état que je n'arrive pas à savoir ce que nous avons en stock.

Après avoir replacé les registres dans un classeur, les deux jeunes femmes traversèrent le rez-de-chaussée de la boutique, dont les portes donnaient sur le grand hall de l'hôtel. Mavis, la sous-directrice, les regarda passer d'un air sombre.

— Mavis n'est pas une mauvaise fille, dit Madalena quand elles furent hors de portée de voix, et je la crois honnête. Mais Callie n'aurait jamais dû la nommer à ce poste, elle nage complètement et elle n'a aucune imagination.

— Je sais, Maddy. Callie a provoqué une épouvantable pagaille dont elle n'a pas su se sortir. Je n'en veux pas à Mavis, elle n'y est pour rien. Je lui reproche simplement de n'avoir pas pris l'initiative de me prévenir par téléphone ou par écrit de la situation. Si le directeur de l'hôtel n'en avait pas parlé par hasard à Shane, nous ne serions toujours au courant de rien et ce serait un désastre.

— Heureusement que nous sommes arrivées à temps !

Le magasin de la boutique *Harte's*, situé au premier sous-sol, comportait un bureau et de vastes surfaces de stockage, où alternaient penderies et rayonnages. Paula et Madalena y étaient venues rapidement la veille ; leur deuxième examen leur tira une grimace découragée.

— J'espère que nous nous y retrouverons, dit Madalena

en regardant les penderies bourrées de housses pleines de vêtements. C'est pire que ce que je croyais.

— Et nous n'avons encore rien vu... C'est ma faute, je n'aurais jamais dû laisser Callie acheter des collections de bas de gamme en plus de Lady Hamilton. Mais elle me disait avec tant de conviction qu'elle connaissait le marché local mieux que moi que j'ai fini par la croire. Et voilà où nous en sommes aujourd'hui! Rien n'a bougé, pas une vente!...

— Il faut solder tous ces rossignols.

— Nous nous débarrasserons facilement du haut de gamme de la saison dernière. Pour la suite, Amanda nous enverra de Londres tout ce qu'elle pourra de la collection printemps-été de Lady Hamilton. Quant à ces horreurs, ajouta-t-elle avec découragement, je me demande si nous réussirons jamais à nous en défaire, même à prix coûtant...

— J'ai une idée: organisons des Soldes avec un grand S, comme au magasin de Londres. Ils sont célèbres dans le monde entier, nous aurions tort de ne pas en tirer parti! Il y a sûrement à Sydney une agence de publicité capable de concevoir une campagne sur un thème comme celui-ci, par exemple: *Inutile de traverser la Terre pour profiter des soldes de Harte's quand Harte's est à votre porte.* Qu'en pensez-vous, Paula?

— Bravo, Maddy! Je connais une très bonne publicitaire, Janet Shiff. J'appellerai son agence aujourd'hui même et je lui demanderai de se creuser la tête. En attendant, examinons ce fatras et essayons d'en sortir la marchandise vendable.

Madalena n'avait pas besoin d'autre encouragement pour se lancer dans un tri impitoyable.

Le restaurant de l'hôtel O'Neill, *L'Orchidée*, était considéré comme l'endroit le plus élégant de Sydney, celui où il *fallait* aller pour voir et être vu. Au dernier étage du bâtiment, suspendue entre ciel et mer, la salle vitrée offrait un panorama exceptionnel sur la ville et les environs. Les murs étaient peints à fresque d'orchidées géantes, qui faisaient pendant aux fleurs réelles, réparties en grandes gerbes dans la salle ou en petits bouquets disposés sur les tables.

Fière de savoir que Shane avait lui-même conçu cette pièce, Paula admirait la manière dont le décorateur mariait les couleurs si variées de ces fleurs tropicales, qu'elle aurait aimé cultiver si le climat de l'Angleterre le lui avait permis.

— Tu es dans la lune! lui dit Philip. A quoi penses-tu?

— Excuse-moi... Je regardais les orchidées en me disant que j'aurais voulu en faire pousser à Pennistone. Malheureusement, c'est impossible.

— Pas du tout! On les cultive en serre, comme des tomates. Et puis, tu as tellement de temps libre...

— Ne te moque pas de moi! J'adore le jardinage, cela me détend. L'idée de construire une serre est excellente.

— Mon dieu, qu'est-ce que j'ai dit? Shane va me tuer!

— Au contraire, il est ravi de me voir jardiner, il m'inonde de catalogues, de bulbes, de paquets de graines... Je lui demanderai de m'offrir une serre pour Noël.

— Et s'il refuse, c'est moi qui t'en ferai cadeau! Au fait, j'ai reçu un coup de téléphone de maman juste avant de quitter le bureau. Elle est enchantée que tu ailles à Dunoon pour le week-end, mais tu m'as fait passer pour un imbécile!

— Comment cela?

— L'autre soir, elle voulait te proposer d'y aller. Je lui avais répondu que tu aurais sûrement autre chose en tête que de repartir à peine descendue d'avion et que tu serais sans doute débordée de travail à la boutique. Imagine ma surprise devant ton empressement à accepter! Aurais-tu déjà réglé tous tes problèmes?

— Pas tout à fait mais c'est en bonne voie. Nous liquiderons l'ancien stock avec des soldes monstres, nous ferons venir de la marchandise neuve, une nouvelle collection de printemps. La boutique ne tardera pas à refaire des bénéfices.

— Il n'y a vraiment que toi pour réussir de tels tours de force! Tu ne vas pas garder ta directrice, au moins?

— Non. Elle n'est pas entièrement responsable de ses erreurs, mais je n'ai plus confiance en elle.

— Les boutiques de Melbourne et d'Adelaïde n'en ont pas subi le contrecoup, j'espère?

— Heureusement, non. Callie ne s'en occupait plus, les directrices dépendaient directement de moi. Je vais quand même y aller la semaine prochaine, m'assurer que tout va bien.

— Bonne idée. Tu n'auras pas de difficultés, je pense, à recruter quelqu'un de qualifié pour la boutique de Sydney?

— Je compte interviewer des candidates dès lundi. Si je n'ai trouvé personne d'ici à mon départ, Madalena O'Shea continuera à ma place. Elle restera de toute façon quelques semaines pour réorganiser la boutique. Je lui fais entièrement confiance.

— Je sais, tu me l'as déjà dit! Quand vais-je faire la connaissance de cet oiseau rare?

— Pas plus tard que ce week-end, je l'ai invitée à Dunoon. Viendras-tu avec nous demain soir?

— Non, je ne pourrai pas. Tu partiras avec maman dans l'avion de Jason et je vous rejoindrai samedi matin. Tu sais, je suis ravi que nous passions ce week-end ensemble. Et puis, ces deux jours de repos et de grand air te feront du bien.

Paula ne répondit pas aussitôt.

— Crois-tu que maman changerait un jour d'avis pour la vente des actions Sitex? demanda-t-elle avec circonspection.

— Sûrement pas! Elle y est sentimentalement attachée à cause de son père. Tu sais aussi bien que moi qu'elle était en adoration devant lui et qu'elle n'a jamais pu le contredire ni se dérober à ses moindres désirs. Or, elle aurait l'impression de le faire en cédant ces actions.

— Mais cela date d'il y a plus de quarante ans! Grand-père verrait certainement la situation d'un autre point de vue. Grand-mère aussi, je la connais trop bien!

— C'est possible. En tout cas, je peux t'assurer que maman n'en démordra pas. Mais pourquoi tiens-tu tellement à vendre ces actions, Paula? Aurais-tu une idée de derrière la tête?

Paula allait dire la vérité quand elle se ravisa:

— Aucune en particulier, Philip. Je t'ai déjà exposé mes principales raisons, auxquelles j'ajouterai que j'en ai plus qu'assez de Marriott Watson et de ses semblables au conseil d'administration. Ils s'ingénient à faire de l'obstruction et à contrecarrer toutes mes décisions, comme si cela les amusait de me rendre la vie impossible!

— Voyons, Paula, cela ne date pas d'hier! Souviens-toi, ils ont toujours agi ainsi, même — je dirais surtout — du temps de grand-mère, avec qui ils étaient franchement odieux! Bien entendu, s'ils te rendent malade à ce point, je peux essayer d'expliquer la situation à maman et de la convaincre de...

— Non, inutile de la contrarier davantage! Ne parlons plus de Sitex. Je continuerai à me battre de mon mieux contre cette collection de vieux bonzes rétrogrades.

— Et tu t'en sortiras très bien, j'en suis sûr, comme tu l'as toujours fait. D'ailleurs, tu me ressembles, ma chère sœur, tu es affligée d'un sens du devoir hypertrophié. Et cela n'a pas fini de nous jouer des mauvais tours...

— Merci pour la leçon de morale, dit Paula en riant, mais ce n'est pas une raison pour me laisser mourir de faim! Si tu me démontrais ton propre sens du devoir en commandant le déjeuner?

12

Le soleil qui filtrait à travers les volets réveilla Madalena. Elle cligna les yeux, désorientée de ne pas reconnaître d'abord l'endroit où elle se trouvait. Mais sa vision s'accommoda peu à peu à la pénombre, elle distingua les détails de la chambre et se souvint alors qu'elle était à Dunoon.

La pendulette posée sur la table de chevet indiquait six heures — heure normale pour Madalena, habituée à s'éveiller dès l'aube. La veille au soir, Daisy lui avait dit de faire comme chez elle et de se lever quand il lui plairait. La cuisinière arrivait à son poste vers six heures et préparait pour les lève-tôt jus de fruits, thé, café et toasts dans la petite salle à manger. Un *breakfast* chaud, plus substantiel, était servi à partir de sept heures.

Madalena sauta du lit et courut prendre une douche à la salle de bain. Dix minutes plus tard, enveloppée d'un peignoir, elle ouvrit les volets et contempla les jardins déployés sous ses yeux. Il faisait un temps splendide. Un soleil déjà chaud brillait dans le ciel bleu parsemé de petits nuages blancs et ronds. Sur les pelouses d'un vert éclatant, des fleurs par centaines, disséminées dans les bordures ou regroupées dans des massifs, composaient une symphonie de couleurs.

Pleine d'une joyeuse impatience, elle décida d'explorer sans tarder ce merveilleux jardin, dont elle savait que Paula l'avait redessiné quelques années auparavant. Elle s'assit à la coiffeuse, se brossa les cheveux et se maquilla, tout en se remémorant ce qu'elle avait appris sur ce lieu exceptionnel où elle allait vivre le temps d'un week-end.

Dunoon ne correspondait en rien à ce que Madalena s'était imaginé ou s'attendait à découvrir.

Distante de Sydney de cinq cent soixante-dix kilomètres, la propriété était située dans la région des grandes plaines, au nord-ouest de la Nouvelle-Galles du Sud. Il n'avait pas fallu longtemps pour accomplir le trajet dans le jet privé de Jason Rickards, qui avait décollé la veille de Sydney à 17 heures pour se poser au bout d'une heure sur le terrain de Dunoon. Tim Willen, le régisseur, les y avait cordialement accueillis et, tout en plaisantant, avait aidé le pilote et le steward à charger les bagages des passagers dans le break.

Dix minutes plus tard, en traversant l'aérodrome, Madalena avait été stupéfaite de voir plusieurs avions abrités sous les hangars, ainsi que deux hélicoptères sur une piste. Daisy lui avait alors expliqué qu'il était plus commode de se déplacer par la voie des airs, surtout s'il fallait faire face à quelque urgence. L'exploitation s'étendait sur des dizaines de milliers d'hectares. Madalena en avait eu un aperçu en la survolant, et la présence de tous ces appareils en confirmait l'immensité.

La résidence se trouvait à huit kilomètres du terrain d'aviation. Madalena fit tout le parcours le nez collé à la vitre, tant elle était impressionnée par ce qu'elle découvrait. Daisy répondait volontiers à ses questions et lui indiquait, le long de la large route goudronnée qui traversait la propriété, les points les plus dignes d'intérêt.

A un moment, le break dépassa une agglomération de la taille d'un village. Madalena apprit qu'il s'agissait de bergeries, de hangars pour la tonte des moutons et le stockage de la laine brute. Il y avait également une forge, un petit abattoir, doublé d'une installation de congélation de la viande destinée à la consommation de la propriété, des granges pour la paille et le fourrage, un château d'eau et un générateur fournissant l'électricité à l'ensemble de l'exploitation.

Dans des enclos ombragés d'ormes et de saules, vaches et chevaux paissaient une herbe abondante. Non loin de là, au flanc d'un petit coteau, se dressait un groupe de jolies maisons adossées à un rideau d'ormes et de chênes. Tim avait ralenti afin de permettre à Madalena de mieux voir. Il lui expliqua qu'il vivait là avec sa famille, car ces habitations étaient destinées au personnel de l'exploitation et à quelques serviteurs de la « grande maison », qui disposaient d'une piscine et de courts de tennis à leur usage exclusif. Un peu plus loin, on voyait de vastes écuries à côté de manèges couverts et de carrières pour le dressage des chevaux.

Madalena avait été conquise par le style de ces bâtiments. Bas, allongés, d'aspect rustique, leurs murs de pierres grises et noires étaient égayés de plantes grimpantes. Comme elle demandait s'ils étaient aussi anciens qu'ils le paraissaient, Daisy lui répondit que Paul McGill, son père, avait fait bâtir les premiers, les écuries, dans les années 1920.

Mais c'était le paysage qui l'avait le plus fortement impressionnée. Elle ne s'attendait pas à trouver en Australie une campagne si pittoresque et si verdoyante. Jusqu'à son arrivée, elle s'imaginait un pays aride et désertique en dehors des vallées et des grandes villes côtières. Or, pour sa surprise et son émerveillement, Dunoon offrait le spectacle d'une nature riante et fertile, faite d'aimables collines, de gras pâturages parsemés de bouquets d'arbres, et dont les eaux de la rivière Castlereagh irriguaient la riche terre noire.

A peine le break s'était-il engagé dans la longue avenue conduisant à la « grande maison », que Daisy avait baissé la vitre. La voiture s'était aussitôt emplie d'une entêtante odeur citronnée.

— Ce sont les eucalyptus, *Eucalyptus citriodora* de leur nom scientifique, avait expliqué Daisy en montrant les hauts arbres qui bordaient la chaussée. Ils embaument, n'est-ce pas ?

— Où que je sois, avait ajouté Paula, quand je sens une odeur de citron, je pense à Dunoon.

Dans la pénombre du crépuscule, la maison étincelante de lumières attendait les voyageurs. En descendant de voiture, Madalena s'était si bien crue transportée dans son pays natal qu'elle avait dû réprimer des larmes d'émotion. Car la

« grande maison » de Dunoon était construite dans le style classique des plantations du vieux Sud, qu'elle évoquait à s'y méprendre.

Murs de bois peint en blanc et de briques rouges, large véranda sur les quatre côtés, hautes colonnes en façade, il ne manquait rien au décor, pas même les verts feuillages des glycines courant le long des murs. La maison était entourée de pelouses, piquetées d'azalées roses et blanches, au-delà desquelles s'étendaient les jardins proprement dits. L'intérieur n'était pas moins beau. Dans les vastes salons, Madalena avait admiré les meubles et tapis anciens, les lustres de cristal et, surtout, la collection de tableaux impressionnistes, dont certains dignes d'un musée, réunie par Emma Harte.

Paula lui avait réservé, à côté de la sienne, une vaste chambre au plafond élevé, dont le délicat décor abricot et bleu pastel s'harmonisait avec le lit à colonnes et les meubles anciens. Des fleurs à profusion répandaient leur parfum entêtant, qui se mêlait aux senteurs montant du jardin par les fenêtres ouvertes.

Madalena vérifia une dernière fois sa coiffure dans le miroir, se vêtit simplement d'un pantalon de flanelle grise et d'une blouse de soie blanche, jeta sur ses épaules une veste de mohair gris-bleu. Il était six heures et demie lorsqu'elle quitta sa chambre et pénétra dans la petite salle à manger, où quatre couverts étaient dressés sur une table ronde.

L'appétissante odeur du café frais l'accueillit. Elle s'en versa une tasse, sortit sous la véranda et, assise sur une marche, le but à petites gorgées en humant les senteurs de l'herbe et des eucalyptus. Seuls, les pépiements de petits oiseaux et le bruissement des feuilles caressées par la brise s'élevaient, de temps à autre, dans le silence du matin. Il régnait une paix profonde, comme on n'en trouve qu'au cœur de la campagne, une paix réparatrice dont Madalena avait oublié l'existence depuis son enfance. Les yeux clos, oublieuse du passage du temps, elle se baigna avec ravissement dans ce luxe dont était privée la citadine affairée qu'elle était devenue.

Après qu'elle eut reposé sa tasse sur la table, ses pas la portèrent vers le hall d'entrée et elle se demanda si elle n'allait pas remettre à plus tard sa promenade au jardin. La veille, Paula lui avait montré la porte de la galerie, qu'elle n'avait pas eu le temps de lui faire visiter, en lui disant: « C'est là que sont accrochés les portraits de famille des McGill, mais il y a surtout un extraordinaire portrait d'Emma. Il faut absolument le voir avant de quitter Dunoon. » Poussée par la curiosité, Madalena décida d'y jeter un coup d'œil.

La galerie, beaucoup plus longue qu'elle ne s'y attendait, était éclairée par de larges fenêtres. Madalena la parcourut d'un pas rapide, en n'accordant qu'un regard distrait aux ancêtres McGill. Mais lorsqu'elle parvint au fond de la pièce, elle étouffa un cri d'admiration.

Le portrait d'Emma Harte était infiniment supérieur à tous ceux qu'elle avait vus jusqu'alors, même à celui ornant le bureau de Paula à Londres. Le peintre avait si bien saisi la vie qui émanait de son modèle qu'on l'aurait dite simplement au repos, prête à sourire et à parler. Emma portait une somptueuse robe du soir de satin blanc, datant des années 30, et d'admirables bijoux d'émeraude de la même teinte que ses yeux.

Fascinée, Madalena contempla longuement le tableau. Ses yeux se posèrent ensuite sur le portrait voisin, celui d'un très bel homme en habit, au teint mat, dont les yeux bleus formaient un contraste frappant avec le noir de ses cheveux et de sa moustache. Quelle incroyable ressemblance avec Clark Gable, se dit-elle en souriant. Il s'agissait évidemment de Paul McGill, dont elle étudia la physionomie en se demandant quel genre d'homme il était pour avoir su séduire et retenir une femme telle qu'Emma Harte.

Philip descendit l'escalier alors que sept heures sonnaient à la pendule du hall.

Il allait entrer dans la salle à manger quand il remarqua que la porte de la galerie était entrebâillée. Il s'approcha dans l'intention de la refermer, et c'est alors qu'il distingua une jeune femme au fond de la pièce, penchée vers le portrait de son grand-père qu'elle paraissait examiner avec attention. Sans doute l'adjointe américaine de Paula, songea-t-il.

Madalena sentit une présence et se retourna. A la vue de Philip, elle ne put réprimer un mouvement de surprise, tant la ressemblance était saisissante. Bouche bée, elle le dévisagea.

Philip la dévorait du regard, subjugué.

Elle lui apparaissait baignée de lumière, moins par le soleil qui traversait les fenêtres que par une lumière intérieure irradiant de tout son être. Il éprouva soudain pour cette inconnue un désir passionné, une attraction si puissante qu'il ne songea pas un instant à la refréner, parce que au plus profond de lui-même il la sentait inéluctable.

Il s'avança lentement, conscient du bruit de ses bottes sur le parquet comme d'une sorte de sacrilège. Immobile, elle semblait l'attendre. Leurs regards ne se détournèrent pas un instant l'un de l'autre. Il la voyait pour la première fois et, pourtant, il la reconnaissait — parce qu'il l'avait toujours connue. Il sentait, il *savait* qu'ils étaient voués l'un à l'autre de toute éternité et que le destin les réunissait.

Lorsqu'ils furent face à face, elle lui sourit. Philip ne parvenait pas encore à croire au miracle qui se produisait ici même, dans ce lieu qu'il chérissait plus qu'aucun autre au monde. Il éprouva une soudaine sensation de légèreté, comme si un lourd fardeau lui tombait des épaules, comme s'il ne devait jamais plus connaître la douleur, la fatigue. Un profond sentiment de paix envahit tout son être. Il s'étonna d'entendre sa propre voix, de pouvoir parler normalement:

— Je suis Philip Amory, le frère de Paula.

— Et moi, Madalena O'Shea.

— Je m'en doutais...

Il prit la main qu'elle lui tendait, la serra fermement en sachant qu'il ne la lâcherait plus, parce qu'il avait attendu ce moment toute sa vie.

13

Philip dut finalement se résigner à lâcher la main de Madalena. Elle la glissa aussitôt dans sa poche. Sa peau brûlait, comme si le contact des doigts de Philip devait y rester gravé. Gênée, elle détourna les yeux malgré elle. Philip la dévisageait toujours avec la même intensité.

— Vous aviez l'air surprise en me voyant sur le seuil, lui dit-il. Je suis désolé, je ne voulais pas vous effrayer.

— Ce n'était pas la peur. J'avais cru un instant que Paul McGill était descendu de son cadre...

Il l'interrompit d'un éclat de rire et lança un coup d'œil en direction du portrait.

— Et puis, continua-t-elle, Paula disait que vous n'arriveriez pas de Sydney avant la fin de la matinée.

— J'ai changé d'avis, je suis venu hier soir. Quand je suis arrivé, il était près de minuit, tout le monde était déjà couché.

Madalena ne répondit pas, mais elle releva les yeux vers lui.

— Vous examiniez le portrait de mon grand-père, reprit-il avec un sourire amusé. Qu'y avez-vous découvert? Les secrets de sa personnalité, peut-être?

— Je songeais qu'il devait être un personnage exceptionnel, pour avoir conquis et épousé une femme comme Emma Harte.

— Si j'en crois ce que ma grand-mère me disait de lui, c'était un homme encore plus remarquable que tout ce que nous pourrions imaginer. Mais vous ne saviez sans doute pas, ajouta-t-il après une légère hésitation, qu'ils n'ont jamais été mariés. Sa femme refusait de divorcer. Alors, au mépris des conventions et du qu'en-dira-t-on, ils ont vécu ensemble pendant seize ou dix-sept ans, jusqu'à la mort de Paul en 1939. C'était évidemment scandaleux pour l'époque, mais ils ne s'en souciaient pas le moins du monde. Ils étaient follement amoureux l'un de l'autre, ils étaient heureux et n'ont jamais regretté leur décision. Ils adoraient leur fille unique, ma mère — dont la naissance était illégitime, bien entendu.

— J'ignorais tout de ce que vous venez de m'apprendre! répondit-elle, stupéfaite. Paula ne parle jamais de la vie privée de votre grand-mère et je ne connais d'elle que ce que j'ai lu sur sa réussite professionnelle.

— Sujet déjà passionnant, à vrai dire. Emma était très en avance sur son temps — une femme supérieure, réellement émancipée, qui a montré et ouvert la voie aux autres femmes dans le monde des affaires, exclusivement réservé aux hommes jusqu'alors. Personnellement, j'en suis enchanté. Je ne sais pas ce que deviendraient nos entreprises sans nos collaboratrices de haut niveau... Mais plus personne ne se souvient de la vie privée d'Emma Harte, déclara-t-il en riant. C'est devenu de l'histoire ancienne! Il ne reste que sa légende — soigneusement entretenue par bon nombre de fidèles, tant dans la famille qu'en dehors, qui ne voudraient pour rien au monde voir ternir l'image de leur idole... Pour ma part, en tout cas, rien ne pourra jamais porter atteinte au souvenir d'Emma Harte, et surtout pas le fait qu'elle ait vécu « dans le péché », comme disent les gens, avec l'homme qu'elle aimait du fond du cœur.

— Je suis entièrement d'accord avec vous. Mais pourquoi la femme de votre grand-père lui refusait-elle le divorce?

— Pour des raisons prétendument religieuses, fort commodes au demeurant. Constance était catholique. Elle s'est abritée derrière les commandements de l'Eglise pour empoisonner la vie de son mari. Elle ne voulait pas de lui, mais elle refusait de le céder à une autre. En fait, elle ne voulait surtout pas qu'il soit heureux, avec ou sans elle! Alors, elle a passé son temps à lancer un tas de considérations hypocrites et ridicules en travers de leur bonheur...

Il s'interrompit en voyant une curieuse expression traverser le regard de Madalena :

— Pardonnez-moi, j'ai l'impression d'avoir fait une gaffe et de vous avoir vexée. Seriez-vous catholique ?

— Oui, mais vous ne m'avez pas vexée.

— Je suis désolé...

— Il n'y a vraiment pas de quoi, Philip. Sincèrement.

Leurs regards se croisèrent sans pouvoir se détacher. Le silence se prolongea.

Dans ses yeux gris et lumineux, Philip lisait que la sincérité n'était pas un vain mot chez elle. Madalena disait ce qu'elle pensait, sans détour, sans hypocrisie. Franche, directe, elle ne changerait sans doute jamais. Une fois encore, avec plus de force, il éprouva l'étrange sensation de l'avoir toujours connue et de la retrouver après une longue séparation. Il se sentait plus à l'aise avec elle qu'avec aucune autre femme. Je la désire de toute mon âme, se dit-il pour la deuxième fois ce matin-là. Je la veux et je sais que je l'aurai. Mais il ne faudra surtout rien brusquer, ajouta sa voix intérieure, prendre beaucoup de précautions pour ne pas la blesser...

Hypnotisée par l'intensité de son regard, Madalena éprouvait de son côté des sentiments qui la déroutaient. Physiquement, moralement, Philip éveillait en elle des réactions si vives qu'elles étaient presque douloureuses et qu'aucun homme, même Jack Miller, n'avait provoquées en elle — car elle n'avait encore jamais rencontré d'homme comparable à Philip Amory, doté d'une virilité, d'une séduction aussi puissantes, aussi irrésistibles. En un sens, il lui faisait peur.

Soudain tremblante et prête à fondre en larmes, elle lui tourna le dos en hâte, de crainte qu'il ne remarquât son trouble, et s'éloigna vers l'autre bout de la galerie.

— Qui était-ce ? demanda-t-elle en désignant l'un des portraits.

Philip la suivit, se tint derrière elle, respira le parfum léger qui émanait de ses cheveux. Submergé par une nouvelle vague de désir, il dut faire appel à toute sa volonté pour ne pas la prendre dans ses bras.

— Celui-ci, c'est Andrew, le capitaine au long cours arrivé en Australie en 1852. Le portrait à côté est celui de sa femme, Tessa. C'est Andrew qui a acquis cette terre, fondé l'élevage et bâti la maison, qu'il a appelée Dunoon en souvenir de son village natal en Ecosse.

Madalena avait la gorge serrée au point qu'elle crut ne pas pouvoir parler.

— Il avait bon goût, elle est superbe, parvint-elle à dire d'une voix enrouée.

— Non, il ne reste de l'ancienne maison que les murs et les fondations. Celle où nous sommes a été entièrement reconstruite au début du siècle par mon arrière-grand-père, Bruce, le fils d'Andrew. C'est lui qui, après un voyage aux Etats-Unis, a refait la façade, ajouté les colonnes et donné à la maison le style d'une plantation de Georgie ou de Virginie...

— Ou du Kentucky. Je me croirais dans mon pays.

— Vous êtes originaire du Sud? demanda Philip, étonné. Je n'en distingue pas une trace d'accent dans votre voix.

— Ni moi de jargon australien dans la vôtre, répondit-elle avec un rire qui dissipa leur gêne. Je suis pourtant née à Lexington et j'y ai passé toute ma jeunesse.

— Alors, vous devez être bonne cavalière?

— Bien sûr! J'adore monter à cheval.

— Venez vous promener avec moi! s'écria-t-il joyeusement. Je veux vous faire visiter la propriété — vous n'avez rien vu, hier soir, il faisait noir au moment de votre arrivée. Nous devrions trouver une tenue de cheval à votre taille...

— Inutile, j'ai apporté ce qu'il faut. Avant notre départ de New York, Paula m'a prévenue que nous viendrions probablement passer un week-end ici et que je devrais me munir d'une garde-robe adaptée à toutes les circonstances.

— Décidément, ma chère sœur pense à tout... Eh bien, ne perdons pas de temps! dit-il en l'entraînant par la main. Allez vite vous changer pendant que je prends mon café. Je vous attendrai dans la salle à manger.

— Je n'en aurai pas pour longtemps.

Subjuguée par le magnétisme de Philip, elle n'avait pas un instant hésité, ni même pensé à refuser.

Dix minutes ne s'étaient pas écoulées quand elle reparut sur le seuil de la salle à manger. Philip fut agréablement surpris de sa promptitude. Les femmes qui le faisaient attendre en perdant leur temps à se pomponner l'avaient toujours exaspéré. Celles de la famille, au contraire, étaient capables de se rendre parfaitement élégantes en un clin d'œil et il constatait avec plaisir qu'il en allait de même avec Madalena.

Il lui lança un regard admiratif: c'était une cavalière éprouvée qu'il avait devant lui et non une dilettante en tenue fantaisie. Sa chemise de coupe masculine, sa culotte, ses bottes cirées à la perfection étaient impeccables, mais avaient manifestement connu beaucoup d'usage. Avec un large sourire, il la prit par le bras et l'entraîna vers le garage.

— Par quel chemin êtes-vous venue de l'aérodrome, hier soir? lui demanda-t-il.

— Tim Willen nous a conduits par la route principale. J'ai donc vu beaucoup de choses au passage: les bergeries, les hangars, les bâtiments de l'exploitation, ainsi que le village où réside le personnel.

— Eh bien, aujourd'hui, nous irons voir l'essentiel, c'est-à-dire la campagne, reprit-il en la faisant monter dans sa Maserati.

Pendant qu'elle se changeait, Philip avait téléphoné à l'écurie. Leurs chevaux étaient déjà sellés quand ils arrivèrent aux bâtiments que Madalena avait admirés la veille. Le chef palefrenier les accueillit et les précéda vers les boxes.

— Je vous présente Gilda, dit Philip en ouvrant celui d'une jument alezane dont il lui tendit les rênes. Elle est douce mais elle a assez de tempérament, j'espère, pour ne pas trop vous ennuyer.

— Merci, elle est superbe.

Il s'écarta d'un pas et s'abstint de l'aider à monter.

Madalena caressa les naseaux de Gilda, lui flatta l'encolure, se frotta la joue contre sa tête en lui murmurant à l'oreille des termes d'amitié, comme elle avait appris à le faire dans sa jeunesse avec les chevaux qu'elle approchait pour la première fois. Au bout de quelques minutes, sentant que la jument et elle avaient fait connaissance, elle glissa son pied dans l'étrier, s'enleva avec légèreté et se mit en selle.

Philip avait observé son manège avec un sourire approbateur. Il monta à son tour Black Opal, son étalon noir, et sortit le premier de la cour de l'écurie. Après avoir franchi la route, il s'engagea dans un chemin de terre qui menait à un bouquet d'arbres. L'un derrière l'autre, ils traversèrent le couvert au petit trot pour déboucher dans une prairie et poursuivirent leur chemin botte à botte, à la même allure, jusqu'à ce que Philip lançât son cheval au galop. Madalena l'imita aussitôt et le rejoignit en quelques foulées. Ils galopèrent ainsi dans les hautes herbes à travers plusieurs prés, dont ils sautaient les barrières avec aisance.

Philip s'arrêta enfin.

— Vous montez merveilleusement bien! dit-il d'un ton sincèrement admiratif. Maintenant, il faut ralentir, nous abordons les pâturages occupés par le bétail.

Au pas, au petit trot, dans une campagne toujours verdoyante, ils dépassèrent des troupeaux de vaches et de moutons, contournèrent des bois d'ormes et d'eucalyptus, longèrent un moment le cours sinueux de la Castlereagh au fond d'une large vallée, pour gravir enfin les pentes des collines.

Pendant tout ce temps, ils se parlèrent peu. Madalena posait une question, Philip répondait brièvement ou donnait en quelques mots un renseignement sur ce qu'ils voyaient mais, en général, ils gardaient le silence.

Volontiers taciturne et secret, Philip appréciait la discrétion de sa compagne et goûtait d'autant mieux sa présence que les bavardes impénitentes lui portaient sur les nerfs. Madalena ne cherchait pas à s'imposer à lui ni à forcer son intimité. Leur silence mutuel ne trahissait aucune gêne. Ils chevauchaient ensemble, en compagnons qui n'ont pas besoin de paroles pour se comprendre, et Philip en éprouvait un plaisir qu'il n'avait pas connu depuis de longues années.

Les sentiments de Madalena étaient presque identiques. Son accès de nervosité inquiète de la galerie, à peine atténué pendant qu'elle se changeait, se dissipait depuis le début de la promenade équestre avec Philip. Et si l'Australie était bien éloignée, et bien différente, de son Kentucky natal, elle s'y sentait pourtant comme chez elle. La sérénité de la nature, qui l'avait tant frappée ce matin-là au jardin, était encore plus sensible au cœur de ces vastes horizons. Madalena se sentait enfin en paix avec elle-même — et avec Philip.

Au bout de près de deux heures, ils atteignirent le point culminant de Dunoon, but de leur excursion. Le premier, Philip gravit la forte pente et mit pied à terre en haut de la colline. Madalena le rejoignit un court instant plus tard. Il admira sa maîtrise dans ce passage escarpé et, une fois encore, s'abstint de l'aider à descendre de cheval — de peur de ne plus pouvoir se maîtriser s'il posait une main sur elle.

Il la précéda vers un immense chêne, dont les branches recouvraient le sommet de la colline.

— Mon quadrisaïeul a planté cet arbre il y a cent cinquante ans. Cet endroit est celui que je préfère. Emma m'y emmenait quand j'étais petit — elle l'aimait beaucoup, elle aussi. Regardez, d'ici on croit voir l'infini! dit-il avec un geste large. Je ne connais rien de plus beau au monde.

— Vous avez raison, c'est... sublime!

Elle aspira avidement l'air pur et vivifiant. Tout, à Dunoon, lui paraissait plus beau — le ciel était plus bleu, les nuages plus blancs, l'herbe plus verte, les fleurs plus colorées. Un paradis, avait-elle dit dans la vallée...

Philip s'assit dans l'herbe, lui fit signe de l'imiter:

— Reposons-nous un peu avant de rentrer.

Madalena s'adossa au tronc du vieux chêne. Après leur longue promenade au soleil, l'ombre lui parut bienfaisante. Le silence retomba entre eux.

— Ce doit être merveilleux de s'aimer comme ils se sont aimés, dit soudain Philip.

Madalena comprit qu'il faisait allusion à Emma et Paul. Elle acquiesça d'un signe.

— Avez-vous jamais aimé à ce point? reprit-il.

— Non. Et vous?

— Non plus.

— Etes-vous mariée? interrogea-t-il après un nouveau silence.

— Non. Et je ne l'ai jamais été.

Philip n'osa pas poursuivre, lui demander s'il y avait quelqu'un dans sa vie. La conversation prenait déjà un tour beaucoup plus personnel qu'il n'aurait souhaité.

Elle se rendit compte qu'il l'observait et se tourna vers lui. Leurs regards se croisèrent. Il lui sourit. Elle lui rendit son sourire, se détourna de nouveau, regarda au loin. Une brume de chaleur blanchissait l'horizon et se confondait avec des nuages bas.

A demi étendu dans l'herbe, la tête appuyée contre le tronc rugueux, Philip étouffa un soupir. Madalena n'ignorait sans doute rien de sa réputation de play-boy. Jusqu'à présent, il s'en était amusé. Pour la première fois, il le regrettait.

14

La température avait soudain fraîchi et des rafales de vent s'engouffraient dans la chambre en soulevant les rideaux. Frissonnante, Paula alla fermer la fenêtre et revint s'asseoir à sa coiffeuse. Son maquillage terminé, elle mit ses bijoux, s'attarda devant son miroir. Pas trop mal, se dit-elle, pour une femme d'affaires de trente-sept ans, surmenée et, par-dessus le marché, mère de quatre enfants...

Ce soir, ils lui manquaient cruellement.

A cause de la différence d'heure, il était minuit à Pennistone quand elle avait téléphoné ce matin-là. Shane venait de rentrer après avoir dîné chez Winston. Emily était déjà partie pour Hong Kong et les deux amis avaient profité de leur soirée en célibataires pour évoquer de vieux souvenirs.

Shane l'avait rassurée: Lorne et Tessa, les jumeaux, s'acclimataient parfaitement à leurs pensionnats respectifs; Linnet et Patrick, les deux plus jeunes, dormaient sous la garde vigilante de leur gouvernante. Shane comptait passer le week-end avec eux et rentrer à Londres le dimanche soir.

— Une grande nouvelle! avait-il enchaîné joyeusement. J'ai reçu aujourd'hui un coup de téléphone de mon père. Ma mère et lui viendront certainement à Noël avec Laura. Miranda et Elliott ont également accepté de venir. La maison sera bondée, comme au bon vieux temps d'Emma et de Blackie! Es-tu contente?

Rien ne pouvait faire plus de plaisir à Paula. Ils avaient ensuite bavardé une demi-heure, Shane avait promis de la rappeler dans deux jours. Cette conversation lui avait fait du bien: elle souffrait toujours, en voyage, d'être séparée de Shane et des enfants. Malgré ses efforts, elle ne réussissait jamais complètement à faire taire ses inquiétudes.

Constatant qu'il lui restait une dizaine de minutes avant le dîner, Paula alla à sa table de travail corriger la liste des achats de Noël, qu'elle voulait faire à Hong Kong avec Emily, afin d'y ajouter les parents de Shane. Elle avait été ravie d'apprendre que Bryan et Geraldine viendraient passer les fêtes avec la famille. Ils s'étaient d'abord montrés hésitants car, depuis l'infarctus de Bryan, cinq ans auparavant, ils vivaient à La Barbade et se déplaçaient rarement. Bryan, qui se ménageait à l'insistance de Shane, se contentait désormais de surveiller la gestion des hôtels O'Neill dans les Caraïbes.

Paula déplorait leur éloignement autant que celui de Miranda, sa belle-sœur et son amie d'enfance. Elles se rencontraient à New York de temps à autre, se lamentaient chaque fois de ne pas pouvoir se voir plus longtemps ni plus souvent. La direction des hôtels O'Neill aux Etats-Unis absorbait Miranda, qui passait ses rares moments de liberté avec son mari Elliott James, l'architecte, dans leurs résidences de Manhattan ou du Connecticut, et ne venait à Londres que pour de brefs voyages d'affaires. Ils n'y étaient pas allés ensemble depuis de longs mois. Ainsi, les O'Neill et les Harte seraient réunis sous le même toit. Sir Ronald et Michael Kallinski avaient eux aussi accepté d'être là le jour de Noël. Les trois clans se retrouveraient enfin au complet, ou presque — événement si rare que Paula en sourit de plaisir.

Quand Paula arriva au salon, Jason Rickards y entrait par une des portes-fenêtres donnant sur la véranda.

Mince, tout en muscles, Jason avait la démarche et le teint d'un homme qui a passé le plus clair de sa vie à cheval, au grand air. Sexagénaire depuis peu, les cheveux argentés, il portait aisément dix ans de moins que son âge. Paula avait à la fois du respect pour sa brillante réussite d'homme d'affaires et une profonde affection pour les qualités de cœur, la gaieté et le solide bon sens de son beau-père. Comme Philip, elle se réjouissait que sa mère eût choisi un tel mari car, en dépit de leurs différences d'origine et d'éducation, Daisy et Jason formaient un couple très uni. Ils étaient heureux ensemble au point de se conduire parfois en adolescents amoureux, pour la plus grande joie de Paula.

Jason la salua affectueusement, lui tendit une flûte de champagne et se servit un scotch-soda.

— Je viens du dehors, le vent souffle dur, ce soir. Il doit y avoir une sacrée tempête à Sydney.

— Espérons qu'elle n'arrivera pas jusqu'ici.

— De toute façon, elle se calmerait vite. Nous avons toujours un peu de pluie au printemps, mais je parie qu'il fera un beau soleil demain. A ta santé, ma chérie!

— A la vôtre, Jason!

— Tu as l'air toute contente, ce soir. Bonnes nouvelles?

— Oui, les fêtes de Noël s'annoncent bien et j'en suis ravie, je l'avoue: j'ai appris ce matin que les parents et les sœurs de Shane viendront. Ce sera notre plus grande réunion de famille depuis des années.

— Ta mère s'inquiète pourtant de...

— De quoi suis-je censée m'inquiéter?

Daisy fit son entrée dans un nuage de parfum et un bruissement de soie. Jason s'extasia sur sa beauté, plaisanta, l'embrassa, lui servit du champagne.

— Alors, de quoi suis-je inquiète? répéta Daisy quand ils se furent tous trois installés.

— De Philip.

— Pourquoi mon fils m'inquiéterait-il?

— Paula me parlait justement de la réunion de famille qui se prépare pour Noël et j'étais sur le point de lui dire que Philip n'est toujours pas décidé à se joindre à nous.

— Eh bien, moi, j'ai l'impression qu'il ira, dit Daisy avec un sourire énigmatique.

— Que s'est-il passé pour te faire changer d'avis, ma chérie? dit Jason, étonné. Jeudi soir, quand je suis revenu de Perth, tu t'en plaignais amèrement.

— Il s'est passé qu'au déjeuner Philip a invité Madalena à venir à Londres pour le bal du soixantième anniversaire de

Harte's et à passer les fêtes de fin d'année avec nous à Pennistone. Et Madalena a accepté. N'est-ce pas, Paula?

— Oui, mais je ne vois pas le rapport...

— Je le vois fort bien, au contraire, c'est pourquoi je puis vous assurer que Philip ira en Angleterre en décembre, déclara Daisy d'un air triomphant.

Jason et Paula la dévisagèrent, ébahis.

— N'avez-vous donc pas remarqué les regards que Philip lance à Madalena — quand il ne se croit pas observé, bien entendu? N'avez-vous rien vu de la manière dont il se conduit avec elle — à la piscine, pendant le déjeuner, le thé... Il est aux petits soins pour elle! Ce matin, ils sont allés se promener à cheval pendant plus de quatre heures.

— Vous êtes vraiment trop romanesque, maman! Il remplit ses devoirs de maître de maison, voilà tout. Philip est bien élevé, puisque vous lui avez appris les règles de la courtoisie. Il connaît Madalena depuis à peine vingt-quatre heures!

— Et alors? Je ne vois pas le rapport, dit Daisy en buvant une gorgée de champagne.

Paula fronça les sourcils. Jason pouffa de rire:

— Je connaissais ta mère depuis moins d'une heure quand j'ai décidé que j'allais l'épouser et, déjà, rien n'aurait pu m'en faire démordre, crois-moi, Paula! Il ne faut pas plus d'une minute à un homme et à une femme pour se découvrir des atomes crochus et comprendre leurs sentiments profonds. C'est l'instinct qui compte, le temps n'a rien à voir dans l'affaire.

— C'est ce qu'on appelle un coup de foudre, mon chéri, dit Daisy, et je suis entièrement d'accord avec tout ce que tu viens de dire.

— Madalena et Philip? murmura Paula. C'est impossible! Son amour pour son frère ne l'aveuglait pas. Paula ne pouvait accepter qu'il risquât de blesser Madalena — et de compromettre les projets d'avenir qu'elle formait pour son adjointe.

— Il s'est peut-être entiché d'elle, maman, mais vous

savez comment il est avec les femmes, reprit-elle. Une de perdue, dix de retrouvées, voilà sa devise, il s'en est même vanté devant moi! Vous savez très bien qu'il les laisse tomber dès que leurs rapports se prolongent au-delà d'une simple passade. Je regrette de dire cela de mon propre frère, mais c'est malheureusement la vérité.

— Tu exagères, Paula! Il a fréquenté Veronica Marsden près de trois mois.

— Un record, en effet! J'espère sincèrement qu'il ne s'occupera pas de Maddy, elle a déjà assez souffert dans la vie. Quant à vous, maman, ne l'encouragez pas, je vous en supplie! Me le promettez-vous?

— Tu as sans doute raison, comme toujours, dit Daisy, dépitée. Pourtant, cette petite me plaît. J'étais si heureuse, aujourd'hui, de voir Philip enfin prêt à se fixer...

— Maman, je ne plaisante pas! Jurez-moi de ne pas encourager Philip à continuer.

— Bon, si tu y tiens, je te le promets...

Daisy devait admettre que les paroles de Paula faisaient écho à ses propres préoccupations. Elle se résignait mal à voir son fils mener la vie solitaire et stérile d'un play-boy.

— Je crois que nous ferions mieux de quitter ce sujet scabreux, intervint Jason. Les intéressés vont sans doute nous rejoindre d'une minute à l'autre.

— Absolument, se hâta d'ajouter Daisy. D'ailleurs, ce n'est pas gentil de parler d'eux derrière leur dos.

Paula approuva du bout des lèvres. Elle s'en voulait de n'avoir pas remarqué le comportement de Philip avec Madalena et les attentions qu'il était censé lui prodiguer. Perdrait-elle son « œil de lynx », légendaire dans la famille?

Jason alla remplir les verres.

— Quand comptes-tu partir pour Hong Kong, Paula?

— Pas avant une dizaine de jours, en fonction des surprises qui m'attendent à Melbourne et Adelaïde. Madalena et moi y allons mercredi, dès que les soldes seront organisés à la boutique de Sydney. Pourquoi cette question, Jason?

— Un de mes directeurs doit se rendre à Hong Kong à peu

près à ce moment-là. Je me disais que tu aimerais peut-être profiter de l'avion de la société.

— Avec plaisir, si nos dates concordent.

— Au fait, pourquoi vas-tu là-bas? demanda Daisy.

— Afin d'y retrouver Emily, qui y est en ce moment pour le compte de Genret, notre filiale. J'ai pensé que ce serait amusant de passer quelques jours ensemble et d'y faire nos courses de Noël avant de rentrer à Londres, en passant par New York où j'ai encore à faire.

— Je ne comprends pas. Tu diriges un des grands magasins les plus célèbres, les mieux fournis du monde entier et tu irais faire tes achats à Hong Kong? Cela me paraît absurde!

— Oui, mais tellement plus amusant!...

Elle s'interrompit en voyant entrer Madalena.

— Ah! Vous voilà, Maddy! Je commençais à m'inquiéter, lui dit-elle avec un sourire affectueux.

Leur curiosité éveillée par la conversation précédente, ils braquèrent tous trois les yeux sur son élégante silhouette.

— Pardonnez-moi d'être en retard, répondit-elle. Je voulais me reposer et je me suis endormie. Le grand air, sans doute. Et le cheval: je n'avais pas monté depuis une éternité.

— Alors, intervint Jason, attention aux courbatures! Un bon bain chaud avec des sels d'Epsom, c'est souverain — je vous parle d'expérience. Voulez-vous un remontant? Whisky, champagne, gin-tonic?

— Merci, un simple verre d'eau minérale fera l'affaire, pour le moment du moins.

— Votre robe est ravissante, dit Daisy. Venez donc vous asseoir à côté de moi, je n'ai pas encore eu l'occasion de bavarder avec vous depuis notre arrivée.

Un instant plus tard, elles étaient plongées dans une conversation animée sur les mérites comparés des couturiers de Paris, de Londres et de New York.

Accoudée à la cheminée, Paula les écoutait d'une oreille distraite. Elle était presque sûre que sa mère, en dépit de sa promesse, pousserait Philip à poursuivre Madalena de ses assiduités. Obsédée par le désir de marier son fils, Daisy voyait manifestement en Madalena une belle-fille idéale.

Jason remplit de nouveau les verres. Il s'arrêta un instant devant Paula.

— Philip tarde beaucoup, dit-il avec inquiétude. J'espère que le vent n'a pas causé de dégâts dans la propriété, je ne m'attendais pas à ce qu'il tourne à la tempête. Ah! le voilà enfin!

Philip apparut en effet, et s'excusa de son retard:

— Tim Willen m'a retenu au téléphone plus longtemps quc je ne croyais.

— Rien de gravc, au moins?

— Rien du tout — sauf que je meurs de soif! Puisque vous tenez la bouteille, Jason, versez-moi donc un scotch, en beau-père affectucux que vous êtcs!

15

Sagement, Philip n'avait rien brusqué avec Madalena. Mais ce mercredi soir, dix jours après leur rencontre à Dunoon, il se demandait s'il ne s'était pas montré un peu trop prudent. Dans son appartement au sommet de la tour McGill, debout devant une baie du salon, il était tellement absorbé par ses réflexions que, pour la première fois, il dédaignait de lever les yeux vers le panorama qui lui était si cher.

Il avait senti dès le début que sa réputation de don juan lui nuisait auprès de Madalena: elle le fuirait s'il lui laissait croire un seul instant qu'elle ne serait qu'un numéro de plus à son tableau de chasse. Depuis, il pensait à elle sans arrêt, jusqu'à l'obsession. J'aurais dû faire preuve de plus de décision, se répétait-il. Le temps jouait contre lui. Quand elle aurait regagné les Etats-Unis, il serait trop tard…

Mais comment agir, quand Paula se glissait sans cesse entre eux? Déjà, pendant le week-end à Dunoon, elle s'était instituée le chaperon de Madalena et ne l'avait pas quittée d'une semelle toute la journée de dimanche. Le surlendemain, elle l'avait littéralement kidnappée pour l'emmener à Melbourne et Adelaïde, dont elles n'étaient revenues que le vendredi soir. Philip avait alors pensé, sans intention équivoque, lui faire visiter Sydney. Seul avec elle, il espérait avoir au moins l'occasion de faire plus ample connaissance. Or, une fois encore, Paula les avait accompagnés partout! Impossible, dans ces conditions, d'aborder une conversation sérieuse ou d'amorcer le flirt le plus innocent …

Ces derniers jours avaient d'ailleurs donné lieu à une amusante comédie. Alors même que Paula s'évertuait à ne jamais les laisser seuls ensemble, sa mère s'ingéniait par tous les moyens à pousser Madalena dans ses bras — en croyant, bien entendu, qu'il ne s'apercevait de rien. Philip avait vite percé à jour les ruses de sa mère, malheureusement déjouées par la vigilance de Paula.

Finalement, le matin même, sa sœur était partie pour Hong Kong. En la conduisant à l'aéroport, Philip lui avait dit qu'il comptait inviter Madalena à dîner.

— C'est bien ce que je craignais...,

— Ecoute, Paula, elle a vingt-sept ans! Ce n'est plus une enfant mais une femme intelligente, parfaitement capable de prendre elle-même ses décisions. Tu n'as pas le droit de lui imposer les tiennes, c'est injuste et vexant pour elle comme pour moi. Je ne te reconnais plus!

Paula s'était excusée en expliquant ses raisons:

— J'ai pour elle plus que de l'amitié, Philip. Madalena est une des femmes les plus remarquables que je connaisse et je ne supporterais pas que quiconque, toi encore moins que les autres, lui cause le moindre tort, le plus léger chagrin....

Elle lui avait alors relaté les épreuves subies par la famille de Madalena, ses deuils, ses souffrances. Touché, Philip avait promis à Paula de ne rien faire qui puisse la blesser — promesse qu'il avait la ferme intention de tenir.

Philip consulta sa montre: 19 h 40. Pour la première fois, il allait enfin être seul avec Madalena. Brûlant d'impatience, il sortit de l'appartement en courant presque.

Ce n'est qu'une fois dans l'ascenseur que Philip se rendit compte qu'il ignorait tout de ce que Madalena pensait de lui. Rien jusqu'alors dans son comportement n'avait trahi les sentiments qu'il lui inspirait. Il n'avait rien déchiffré dans son regard. Il n'était sûr que de ses propres sentiments. Peut-être rejetterait-elle ses avances avec indignation...

Mais il n'était plus temps d'hésiter. Bientôt, il allait être fixé — dans un sens ou dans l'autre.

Située au trentième étage, la suite de Madalena à l'hôtel O'Neill dominait un vaste panorama, ponctué par la voilure blanche de l'Opéra et l'imposante courbe du pont, que Madalena contemplait en ce moment. Il était bientôt 20 heures. Les lumières de la ville ne parvenaient pas à éclipser le scintillement des étoiles. Ce spectacle lui était devenu si familier que Madalena se sentait chez elle. Elle avait vite appris à aimer Sydney et ses habitants. Les Australiens avaient les pieds sur terre ; ils étaient amicaux, hospitaliers et, s'il fallait croire ce qu'en disait Philip, leur humour volontiers caustique leur servait d'antidote contre la prétention.

Pour tromper son attente, elle s'assit devant la table basse et entreprit de trier les photos prises pendant leurs excursions du week-end, afin de mettre les meilleures dans son album. Celle de Paula et elle à côté d'un kangourou du zoo de Taronga Park la fit sourire. Elle admira les brillantes couleurs des perroquets et autres oiseaux tropicaux de la volière, près de laquelle se tenaient Philip et Paula. Elle examina ensuite les photos prises à bord d'un des voiliers de Philip. Il en possédait deux: le *Dunoon*, réservé aux régates, et le *Sarabande*, yacht luxueux, pourvu de six cabines et doté d'un équipage permanent, utilisé pour les réceptions et les croisières.

Madalena gardait un merveilleux souvenir de la promenade à bord du *Sarabande*. Ils avaient croisé le long de la côte, au large de la villa de Philip à Point Piper et de la maison de Daisy et Jason à Rose Bay. Les photos étaient belles, elle décida de les conserver toutes et s'attarda un instant sur un instantané de Philip à bord du *Sarabande*. En tenue blanche de yachtman, bronzé, ébouriffé par le vent, les yeux plissés dans le soleil, il était beau, séduisant — irrésistible...

Avant leur départ de New York, Paula ne lui avait pas révélé grand-chose sur son frère. Elle ne savait de lui que des bribes glanées dans les échos des magazines, qui publiaient sa photo de temps à autre. Rien ne l'avait donc préparée à le rencontrer en chair et en os. Désarçonnée par la force de sa personnalité, elle avait d'emblée senti en lui une présence, un magnétisme qui la bouleversaient, l'attiraient plus qu'elle ne l'avait jamais été par aucun être humain. Auprès de lui, elle cédait à une sorte de vertige, qui l'exaltait et la paralysait à la fois. Il possédait un charme, une séduction à laquelle il était difficile de ne pas succomber.

L'attrait qu'il exerçait sur elle troublait Madalena et l'inquiétait, d'abord parce que Philip était le frère de sa patronne et, surtout, parce qu'il était peu vraisemblable qu'un homme tel que lui s'intéressât sérieusement à une fille comme elle. Riche, puissant, séduisant, il pouvait conquérir toutes les femmes sur lesquelles il lui plairait de jeter son dévolu — sa réputation de play-boy le confirmait de façon assez éloquente. Elle n'évoluait pas dans les milieux du jet-set où se recrutaient ses partenaires habituelles, dont elle n'avait au demeurant aucune envie de faire partie: les aventures sans lendemain ne correspondaient nullement à son tempérament. Décidément, un Philip Amory n'était pas le genre d'homme auquel une femme comme elle puisse envisager de céder. Il était trop dangereux et ne lui apporterait à coup sûr que souffrances et regrets...

Ses problèmes avec Jack Miller étaient trop récents pour que Madalena souhaitât en affronter de nouveaux. Elle voulait, elle *devait* accorder une priorité absolue à sa carrière. De toute façon, elle allait quitter Sydney dans une dizaine de jours. La veille, heureusement, Paula avait engagé la nouvelle directrice de la boutique, qui accomplissait sa période d'essai. Si tout allait bien, Madalena reprendrait le chemin de New York sans esprit de retour, avant longtemps du moins, et resterait bien loin de Philip Amory, de son sourire et de ses yeux bleus.

La sonnerie du téléphone la tira de ses réflexions.

— Madalena? Philip. Je vous attends dans le hall.

— Je descends tout de suite.

Elle se demanda, en prenant l'ascenseur, comment allait se dérouler la soirée. Elle avait accepté l'invitation à contrecœur, de peur de le vexer en refusant ou de paraître ingrate, après les attentions qu'il avait eues pour elle le week-end précédent. La perspective de se retrouver seule avec lui, pour la première fois depuis leur promenade équestre à Dunoon, la troublait soudain plus que de raison.

En arrivant dans le hall, elle le vit de loin qui dominait la foule de sa haute taille, de son autorité innée, de son élégance sobre et irréprochable. Il la salua de la main, s'approcha à grands pas. Madalena faillit céder à la panique et manqua trébucher. Elle se ressaisit cependant, parvint à sourire, à lui tendre la main sans trembler.

— J'ai retenu une table chez Doyle's, un restaurant de la plage, dit-il en l'entraînant vers la sortie. Ils servent les meilleurs fruits de mer de Sydney et on a une vue splendide.

La Rolls-Royce était garée devant la porte de l'hôtel, Philip lui ouvrit la portière, démarra.

— Il faut compter une demi-heure de route d'ici à Watson's Bay, reprit-il en allumant le lecteur de cassettes. Alors, écoutez la musique et détendez-vous.

Madalena s'efforça de suivre son conseil, sans chercher à engager la conversation. Angoissée, la gorge sèche, elle se demandait si elle serait capable de se dominer jusqu'à la fin de la soirée. La seule présence de Philip la paralysait et elle regrettait d'avoir accepté son invitation.

— Détendez-vous, voyons, répéta-t-il.

— Mais... je suis parfaitement détendue.

— Je n'en ai pas l'impression.

Au comble de l'énervement, elle se mordit les lèvres. Il eut un éclat de rire forcé. Serait-il aussi nerveux qu'elle?

— Je crois que nous travaillons trop, l'un et l'autre. Vous avez eu sans doute une journée aussi éprouvante que la mienne et il faut un moment pour se ressaisir. Nous aurions d'abord dû aller boire un verre au bar de l'hôtel...

— Non, je me sens très bien, je vous assure.

Elle était étonnée de sentir sa panique s'atténuer, ses nerfs se calmer. Elle n'avait aucune raison de s'affoler. Il ne pouvait pas se douter, Dieu merci, de l'effet qu'il produisait sur elle: ces derniers jours, elle s'était forcée à adopter une physionomie impénétrable afin de lui cacher ses sentiments. Il la sortait ce soir par politesse, sans plus, comme le lui avait sans doute demandé Paula. La moindre des choses, se dit-elle, c'est de faire preuve de courtoisie.

Le restaurant était installé dans une bâtisse de style victorien pleine d'un charme désuet, aux vastes salles bondées où régnait une joyeuse atmosphère de pub. Un maître d'hôtel les guida vers leur table, située près d'une fenêtre donnant sur la plage. Au-delà des eaux de la baie frangées d'écume, on découvrait, comme l'avait annoncé Philip, une vue superbe sur Sydney que dominait la tour McGill.

Philip commanda une bouteille de pouilly-fuissé. Tout en savourant le vin frais et fruité, il l'interrogea sur la nouvelle directrice de la boutique, le succès des soldes. A l'aise sur ce terrain familier, Madalena sentait sa gêne se dissiper et parlait avec animation. De son côté, Philip se détendait et répondait à ses questions sur les mines d'opales ou l'organisation de la McGill Corporation, dont la complexité et la puissance fascinaient Madalena. Sans qu'ils s'en fussent rendu compte, une heure s'écoula ainsi.

— Il serait peut-être temps de commander, dit Philip quand il vit pour la troisième fois une serveuse s'approcher de leur table. Qu'aimeriez-vous?

— Tout paraît bon, je vous laisse décider.

En attendant leur dîner, il la questionna sur ses fonctions auprès de Paula. Madalena lui expliqua en quoi consistait son travail, en citant comme exemple le plan de marketing et de promotion qu'elle venait de réaliser pour la célébration du soixantième anniversaire de *Harte's*.

— Ma parole, je prenais ma sœur pour une droguée du travail, mais vous ne valez pas mieux qu'elle! s'écria-t-il en riant quand elle eut terminé. Comment faites-vous pour avoir une vie privée? Votre bon ami ne proteste-t-il pas?

— Je n'en ai pas.

Décontenancé, Philip marqua un temps:

— Comment? Une fille comme vous, aussi belle, aussi...

Il laissa sa phrase en suspens. Madalena ne releva pas le compliment.

— Nous venons de rompre, se borna-t-elle à dire.
— Je suis désolé...
— Il n'y a vraiment pas de quoi. C'est mieux ainsi. J'avais commis une erreur de jugement, voilà tout.
— Que voulez-vous dire ?
— Je prenais pour du caractère ce qui n'était qu'une personnalité superficielle.
Philip ne résista pas à l'envie d'en savoir davantage ;
— Qui était-ce, si ce n'est pas indiscret ?
— Un acteur — brillant, d'ailleurs, connu à Broadway.
— Est-ce que je le connais ?
— Peut-être. Jack Miller.
— Bien sûr ! Je l'ai vu dans une pièce d'Eugene O'Neill, il y a deux ou trois ans. Et... pourquoi cela n'a-t-il pas marché entre vous ?
Madalena hésita avant de répondre, en affectant un fort accent du Sud :
— Mon papa me disait qu'on trouve dans la bouteille à la fois le plus sûr poison pour tuer l'amour et le meilleur remède pour guérir les filles des idées qu'elles se font sur les garçons... La voix de la sagesse parlait par sa bouche.
Philip ne put s'empêcher de sourire.
— Maintenant que je vous entends parler comme cela, je ne m'étonne plus que vous soyez née dans le Kentucky... Quant à ce que disait votre père, je suis entièrement d'accord.
— Il n'y avait pas que cela, dit Madalena en reprenant sa voix normale. Jack supportait mal de me voir travailler — et réussir. Il était foncièrement macho et ne s'en cachait pas.
L'arrivée de la serveuse les interrompit. Madalena en profita pour changer de sujet et parla de régates, le sport préféré de Philip qui se montra intarissable. Elle lui dit à son tour combien elle aimait la mer, que sa meilleure amie, Patsy Smith, lui avait fait découvrir à Nantucket, à bord du voilier familial.
— Nous nous sommes connues à la résidence, conclut-elle. Elle est retournée vivre à Boston, mais nous sommes restées très proches et nous correspondons régulièrement.

— De quelle résidence parlez-vous? s'étonna Philip.

Elle expliqua ce qu'était la Résidence Jeanne d'Arc, parla de Sœur Bronagh, de Sœur Mairead, de ses difficiles débuts à New York. Philip l'écouta sans l'interrompre, en riant de temps à autre des anecdotes dont elle émaillait son récit. Il était ému de la voir s'ouvrir avec confiance, révéler une part importante d'une vie, d'un passé dont il voulait connaître jusqu'au moindre détail. Tout ce qui touchait à Madalena lui devenait de plus en plus cher. Il savait désormais avec certitude qu'il l'aimait et qu'il ne pouvait plus se passer d'elle.

Ils en étaient au café quand Philip lui dit:

— Vous aimeriez peut-être passer le week-end à Dunoon, Madalena. Cela vous fera du bien après la semaine épuisante que vous venez de vivre et ce sera votre dernière chance d'y aller. Vous repartez à la fin de la semaine prochaine, si je ne me trompe?

— En effet...

— Viendrez-vous? insista-t-il. Dites oui, Madalena. Vous me feriez un grand... un immense plaisir.

Elle vit dans son regard une lueur qu'elle n'y avait pas encore remarquée et dont elle n'eut pas de peine à comprendre la cause. La gorge serrée, elle fut incapable de parler. Accepter d'aller à Dunoon serait jouer avec le feu. Elle devait refuser. Elle devait résister à la tentation. La sagesse la plus élémentaire l'exigeait.

— Eh bien... oui, j'irai très volontiers. Merci de votre invitation, Philip.

Les mots lui avaient échappé et elle s'en voulut aussitôt de sa folie. Idiote! se dit-elle. Tu cherches les problèmes.

— Nous pourrions prendre l'avion demain après-midi, s'empressa de dire Philip avec un large sourire.

— Non, il faut que je passe la journée à la boutique. Il me sera impossible de partir avant samedi...

— Vendredi! l'interrompit-il. Rien ne vous empêche de

partir vendredi matin. La boutique pourra très bien se passer de vous. Cessez donc de vous faire du mauvais sang pour rien!

Madalena tenta de se dérober, sans conviction:

— Il faut au moins que j'y sois une ou deux heures le matin. La nouvelle directrice...

— Soit. Ken, mon pilote, viendra vous y chercher à onze heures et vous emmènera à l'aéroport. En décollant à midi, vous arriverez à temps pour déjeuner. D'accord?

Philip lui prit la main avec autorité. Vaincue, elle ne put qu'acquiescer d'un signe de tête. Elle préférait ne pas se trahir en parlant.

16

Philip se dépouilla à la hâte de ses vêtements trempés et courut à la salle de bain. Il lui fallut de longues minutes sous une douche brûlante pour cesser de trembler.

Une insigne malchance avait interrompu leur promenade dans les collines une heure auparavant, alors même que Madalena commençait à se départir de sa réserve et à se montrer plus à l'aise avec lui. Depuis son arrivée, la veille, elle était restée taciturne, tendue à l'extrême, et ne s'était un peu dégelée que pendant le dîner. Cet après-midi, comme elle était redevenue gaie, presque insouciante au fil de leur promenade, Philip avait senti qu'elle lui redonnait sa confiance. Il était sur le point de lui avouer ses sentiments quand le temps avait subitement changé. Le ciel s'était empli de nuages noirs, un violent orage avait éclaté. Ils étaient partis au grand galop, sans pouvoir échapper à la pluie diluvienne avant de regagner les écuries. Ruisselante, livide, Madalena claquait des dents pendant le trajet de retour à la « grande maison ».

Pourvu qu'elle ne tombe pas malade, se répétait Philip en tendant les mains vers la flambée allumée dans la cheminée. Quelques minutes plus tard, il se vêtit chaudement, versa du cognac dans deux verres ballons, sortit dans le couloir. Devant la porte de Madalena, craignant qu'elle n'ait pas eu le temps de se changer, il hésita brièvement avant de frapper, prêt à battre en retraite si elle ne répondait pas.

Pelotonnée par terre devant la cheminée, engoncée dans un chaud survêtement de laine, elle buvait du thé.

— Tenez, cela vous réchauffera mieux que n'importe quoi, dit-il en lui tendant le cognac.

— Volontiers. Merci, Philip.

Quand elle prit le verre, leurs doigts se frôlèrent. Elle eut un mouvement de recul, un léger sursaut, comme si elle recevait une décharge électrique. Elle leva les yeux vers lui.

Hypnotisé, Philip ne put détourner son regard.

Dehors, il pleuvait, il faisait sombre. Elle n'avait pas allumé les lampes et, sous la lueur dansante des flammes, elle lui parut rayonner d'une lumière surnaturelle. Dans l'éclat de ses yeux, il croyait voir le reflet de son âme.

Ils restèrent ainsi un long moment, en silence. Au prix d'un violent effort, Philip préféra se retirer de peur de ne pouvoir se maîtriser. Sur le pas de la porte, il ne résista cependant pas au désir de la voir encore une fois. Elle le dévisageait. Son expression était calme, apaisée, presque solennelle. Ils se regardèrent longuement, sans mot dire. Cédant à une force impérieuse, plus puissante que sa volonté, Philip fit un pas vers elle.

— Je veux rester près de vous, Madalena, dit-il à voix basse. Ne me renvoyez pas.

— Restez, Philip.

Il crut avoir mal entendu. Elle lui tendit la main.

Il la rejoignit, lui prit la main, l'effleura de ses lèvres, s'agenouilla près d'elle:

— Maddy, si vous saviez...

— Je sais, Philip, murmura-t-elle.

Ils étaient déjà dans les bras l'un de l'autre. Leurs bouches se rencontrèrent, leurs souffles se mêlèrent dans le baiser passionné dont ils rêvaient tous deux depuis le premier instant de leur rencontre, un baiser qui était à la fois un élan de tout leur être et une possession.

Bouleversé, Philip comprit alors qu'elle éprouvait pour lui un désir aussi intense que celui qu'elle lui inspirait. Ils ne pouvaient plus reculer. Ils avaient déjà perdu trop de temps à se chercher. Ils *devaient* faire l'amour là, maintenant, se fondre l'un dans l'autre, céder à l'exigence de leur désir. Le destin les poussait l'un vers l'autre. Et on ne résiste pas au destin...

Miraculeusement accordés, leurs gestes s'appelaient l'un

l'autre, s'harmonisaient. Bientôt, le monde extérieur n'exista plus pour eux et ils ne formèrent qu'un seul être.

Longtemps plus tard, haletants, épuisés d'une bienheureuse lassitude, ils restèrent étendus près du feu, étroitement enlacés. On n'entendait que le crépitement des bûches et le tic-tac étouffé d'une horloge.

Le premier sorti de sa torpeur, Philip enfouit son visage dans la chevelure soyeuse de Madalena, se grisa de son parfum. Les lèvres sur son cou, il lui chuchota:

— Je t'ai aimée, je t'ai désirée dès l'instant où je t'ai vue pour la première fois dans la galerie. L'avais-tu compris, mon amour?

— Non... Pourtant, je t'aimais, moi aussi.

— Tu me l'as bien caché.

— Moins bien que toi!

Ils rirent d'un rire complice. Un instant plus tard, Philip se releva, la prit par la main, l'attira dans ses bras. Enlacés, ils restèrent ainsi immobiles, leurs lèvres unies en un profond baiser, jusqu'à ce qu'il l'entraînât doucement vers le grand lit à colonnes. Elle se blottit contre lui, débordante de joie, comblée de plaisir. Son anxiété des derniers jours s'était évanouie, remplacée par un sentiment de paix, de bonheur, de sécurité, qui lui était d'autant plus précieux qu'elle le devait à Philip.

Redressé sur un coude, il la contempla, songeur, lui caressa les joues, le cou, les épaules. Il l'aimait comme il n'en avait jamais aimé aucune autre. Il l'avait aimée dès le premier jour. Que leur amour soit né ici, qu'ils aient pour la première fois fait l'amour dans cette maison donnait à l'événement une solennité qui augurait bien de l'avenir. Car il l'aimerait toujours, il le savait désormais. Il n'y aurait plus, il ne *pourrait* plus y avoir d'autre femme dans sa vie.

— Tu es bien sérieux, mon amour. A quoi penses-tu?

— A toi, que je désirais depuis si longtemps...

Il posa ses lèvres sur les siennes, descendit vers sa poitrine, s'attarda sur ses seins fermes. Tendrement, il caressa ses épaules, ses bras, son corps dont il admirait la beauté, la grâce naturelle, la chaste volupté dans l'abandon. Elle lui rendit ses caresses, s'enhardit jusqu'à en inventer de nouvelles. Lentement, calmement cette fois, ils s'entraînèrent l'un l'autre vers des extases inconnues...

Tandis qu'il se rhabillait devant la cheminée, elle contempla son corps musclé, athlétique, et retrouva avec plus de force l'étrange sensation de l'avoir toujours connu.

Il revint s'asseoir au bord du lit, se pencha pour l'embrasser, repoussa en souriant une mèche de cheveux qui lui tombait dans les yeux:

— Ce n'est que le commencement, mon amour.

— Le commencement de la fin...

Elle s'interrompit, stupéfaite de s'être entendue proférer de telles paroles. Il fronça les sourcils.

— Que veux-tu dire?

— Je ne sais pas... Ces mots me passaient par la tête. Ils m'ont échappé, je ne comprends pas pourquoi...

— Eh bien, moi, je ne veux pas entendre parler de fin!

Il la serra contre sa poitrine, lui donna de nouveau un long baiser et ne se résigna qu'à regret à la lâcher:

— Je meurs de *faim*, en revanche! dit-il en riant. Descendons vite dîner. Nous serons seuls, tu peux t'habiller n'importe comment.

Quand il eut refermé la porte, elle resta un moment étendue sur le lit. A côté d'elle l'oreiller de Philip, encore tiède, portait en creux la marque de sa tête. Elle le caressa, y enfouit son visage en humant l'odeur fraîche de son eau de Cologne... et elle fondit en larmes.

Submergée tout à coup par un incompréhensible sentiment de solitude et de désespoir, elle avait peur.

17

A peine descendue du jet de Jason Rickards à l'aéroport de Kai Tak cinq jours auparavant, Paula s'était laissé emporter par le tourbillon de Hong Kong. Elle y revenait pour la première fois depuis quatorze ans, elle en avait oublié le kaléidoscope de lumières, de couleurs, de bruits. Elle était ensorcelée.

Le nouvel arrivant peut, de prime abord, se croire à Manhattan: gratte-ciel vertigineux, banques et magasins climatisés, restaurants élégants, hôtels luxueux. On s'aperçoit très vite, cependant, que Hong Kong possède son propre rythme, plus étourdissant que celui d'aucune autre ville au monde.

Ce qui frappe avant tout, c'est l'agitation. Partout, toujours, tout bouge. Dans l'air, où les jets décollent et se posent au ras des toits, en files quasi ininterrompues. Sur l'eau, où cargos, sampans, jonques, yachts, ferries et hydroglisseurs se croisent dans un grouillement hallucinant. Sur terre, où automobiles, camions, autobus, tramways et rickshaws se glissent comme par miracle dans une foule si dense qu'elle paraît former une masse impénétrable. L'exiguïté du territoire et sa surpopulation centuplent la valeur du moindre recoin de terre et d'eau. Cette incroyable concentration d'êtres humains et de machines produit, vingt-quatre heures sur vingt-quatre, un vacarme souvent insoutenable.

Il existe toutefois de surprenantes oasis de silence et de tranquillité dans les collines des Nouveaux Territoires, les enclaves agricoles entre Kowloon et la Chine populaire, les temples. Paula restait pourtant choquée du caractère excessif des contrastes dont on est témoin dans cette ville.

Nulle part ailleurs la richesse la plus insolente ne côtoie de si près la misère la plus noire, la beauté la plus sublime la laideur et la crasse les plus sordides. Ici, le superflu des uns insulte le dénuement des autres. Ici, de vieilles familles profondément enracinées cohabitent avec des réfugiés sans passé ni avenir. Ici, se sont entassés au cours des siècles mendiants et financiers, colons britanniques et aventuriers apatrides, spéculateurs ruinés et industriels d'une puissance mondiale. Ici, on observe l'un des taux de suicide les plus élevés de la planète.

Jusqu'à l'arrivée de Paula, Emily avait séjourné dans un hôtel de Kowloon, qu'elle choisissait habituellement pour sa situation commode à proximité de la Chine populaire où elle traitait de nombreuses affaires. Elle était ensuite descendue au célèbre hôtel Mandarin, au cœur du District Central, où elle avait retenu une suite pour elle et sa cousine : « Je n'ai plus rien à faire à Kowloon, lui expliqua-t-elle, et j'ai pensé que ce serait plus amusant pour toi d'être dans l'île de Hong Kong proprement dite, en plein centre du quartier commerçant. Nous y serons à pied d'œuvre pour faire nos courses ! »

Emily avait prévu un emploi du temps qui ne leur laissa pas un instant de répit : « Fais-moi confiance, je connais la Chine comme ma poche, je t'emmènerai là où il faut pour faire les meilleurs achats au meilleur prix. » Et elle avait tenu parole. En quelques jours, les deux jeunes femmes achetèrent leurs cadeaux pour toute la famille : perles, bijoux de jade, broderies, robes et châles de soie, sacs à main, jouets, gadgets, antiquités, rien ne leur échappa.

Entre leurs expéditions dans les boutiques et les restaurants, Emily fit faire à Paula visites et excursions : dans les temples, au port d'Aberdeen Harbour où toute une population vit dans les jonques et les sampans, à Kowloon, au sommet du mont Victoria d'où l'on découvre un spectaculaire panorama sur tout Hong Kong, et même à Macao.

L'avant-dernier jour, Paula se coucha à l'aube, épuisée mais ravie. Elle avait vu plus de lieux et fait plus de choses qu'elle ne croyait humainement possible. Elle ne s'était pas ennuyée une seconde. Seule avec Emily, elle avait retrouvé les fous rires insouciants de leurs voyages de jeunesse. Pour la première fois depuis des années, elle se sentait en vacances.

Le jour de leur départ, avant de prendre l'avion du soir pour New York, elles allèrent déjeuner à l'hôtel Régent, à Kowloon, d'où l'on a une vue inoubliable sur Hong Kong, et rentrèrent par le ferry. Pendant qu'Emily finissait ses valises, Paula retourna seule dans une bijouterie proche de leur hôtel, où elle avait remarqué de ravissantes boucles d'oreilles dont elle voulait faire cadeau à sa cousine. Les deux jeunes femmes étaient convenues de se retrouver à l'heure du thé au Clipper Lounge, dans la mezzanine qui surplombe le hall du Mandarin.

Captivée par son marchandage avec le bijoutier, Paula arriva en retard au rendez-vous.

— Pardonne-moi, je n'ai pas vu le temps passer.

— Ne t'excuse pas, je ne suis ici que depuis cinq minutes. Ah ! avant que j'oublie : voici des télex qu'on a déposés pour toi en ton absence.

Paula décacheta les enveloppes et parcourut les messages avec une moue de désappointement. Chacun de son côté, Michael Kallinski et Harvey Rawson lui apprenaient que la société Peale & Doone leur avait échappé de justesse et venait d'être vendue. Dommage, se dit-elle, cette chaîne aurait constitué un bonne base de départ, malgré les emplacements des magasins qui n'étaient guère enthousiasmants.

— Mauvaises nouvelles ? demanda Emily.

— Non, rien d'important.

Il en fallait davantage pour désarmer la curiosité d'Emily :

— On n'envoie pas de télex à l'autre bout du monde sans motif urgent ! De qui étaient-ils ?

— L'un est de Michael, l'autre d'un avocat de New York

que j'avais chargé de s'occuper d'une affaire. Ils m'informent tous deux qu'elle nous est passée sous le nez, voilà tout... Si nous commandions? J'ai pris goût au thé à la mûre.

Emily fit signe au serveur et revint à la charge:

— Tu as manqué une affaire? Elle devait te tenir à cœur, tu avais l'air très déçue.

Paula hésita:

— Eh bien... oui, si tu veux le savoir. J'espérais pouvoir acheter une petite chaîne de magasins aux Etats-Unis. Un autre acquéreur me l'a soufflée à la dernière minute.

— Toi, acheter des magasins? Pour quoi faire?

— Je prévois de développer *Harte's* en Amérique. L'acquisition d'une chaîne existante constitue, à mon avis, le moyen le plus pratique et le plus économique.

— Grand-mère se contentait amplement d'un seul magasin là-bas. Pourquoi en chercher d'autres?

— Les temps ont changé, tu le sais aussi bien que moi! Aujourd'hui, dans notre métier, la survie passe par l'expansion.

— J'ai peur que tu ne voies trop grand, Paula.

— Combien de fois grand-mère s'est-elle entendu dire la même chose! répondit Paula en riant. Dieu merci, pour elle et pour nous, elle n'en a jamais tenu compte.

— Je parie que Shane est de mon avis, insista Emily. Que pense-t-il de tes projets?

— A vrai dire, je n'ai pas encore eu l'occasion de le lui demander, j'étais tellement bousculée... De toute façon, il était inutile de lui en parler tant que je n'avais pas trouvé de chaîne de magasins qui me convienne.

— Je n'ai pas l'impression que cela lui plaise, Paula. Tu as largement de quoi t'occuper, entre les magasins *Harte's* d'Angleterre, de Paris, de New York, les boutiques des hôtels dans le monde entier, sans parler de Sitex.

— Souviens-toi de ce que grand-mère nous répétait: la clef du succès, c'est l'organisation. Quelqu'un de bien organisé peut se rendre maître du monde — et je suis *très* bien organisée!

— Elle le disait, c'est vrai. Il n'empêche, à mon avis, que Shane ne t'approuverait pas. Et je ne crois pas non plus que grand-mère aurait été d'accord...

— Mais si ! Elle serait la première, au contraire, à voir que mes projets sont parfaitement sensés. Ecoute...

Paula se pencha vers Emily et lui décrivit avec animation ses projets d'avenir pour les magasins *Harte's* aux Etats-Unis. Emily l'écouta attentivement, approuvant parfois d'un signe de tête ou soulevant une objection.

Elles s'absorbaient si bien dans leur conversation qu'elles ne remarquèrent pas l'homme qui les observait de l'escalier, menant au Clipper Lounge.

Stupéfait à la vue des deux femmes, il resta un instant pétrifié. Puis, s'étant ressaisi, il dévala les marches, traversa le hall de l'hôtel et sortit en courant.

Congestionné, tremblant de rage, l'homme poursuivit sa course vers Pedder Street en se frayant à coups de coude un passage dans la foule, tant il avait hâte de s'éloigner de l'hôtel Mandarin.

Deux minutes plus tard, un ascenseur l'emporta vers le dernier étage d'une tour où se trouvait le siège de sa société, Janus & Janus Holdings Ltd. Evitant l'entrée principale et les bureaux occupés par ses collaborateurs, il gagna directement par un couloir la porte de son bureau personnel et pénétra dans un vestibule décoré de beaux meubles chinois anciens. De là, il passa dans son bureau proprement dit, vaste pièce luxueusement aménagée d'où l'on découvrait une vue spectaculaire sur le port de Victoria Harbour.

Sans s'arrêter, il se dirigea droit sur un petit bar et se versa un grand verre de vodka pure, qu'il porta à ses lèvres d'une main tremblante et avala d'un trait. Alors, un peu calmé, il s'assit à son bureau, pressa le bouton d'un interphone :

— Peggy, dit-il à sa secrétaire, veuillez demander à Lin Wu de conduire la voiture à la porte de l'immeuble, je compte partir tôt. Vous pouvez m'apporter le courrier à signer.

— Tout de suite, monsieur.

Au prix d'un violent effort, il parvint à se composer une expression normale et attendit sa secrétaire, sans cependant réussir à maîtriser la fureur qui bouillonnait encore en lui.

18

Sa fureur ne s'apaisait pas.

Il en tremblait encore dans sa Daimler en rentrant chez lui, sur le mont Victoria. Elle l'étreignait toujours dans la bibliothèque de son luxueux duplex, où il prenait connaissance de son courrier personnel. Pareil accès de rage ne l'avait pas saisi depuis de longues années et il ne comprenait pas pourquoi la rencontre inopinée des deux femmes avait provoqué en lui une si violente réaction. Il devait à tout prix se maîtriser, il ne pouvait pas permettre à ses émotions de troubler sa lucidité et de compromettre son jugement.

Au bout d'un instant, il rejeta sur sa table la douzaine de lettres et d'invitations, qu'il était trop énervé pour lire, et quitta la pièce. Le long d'un corridor aménagé en galerie, la contemplation des œuvres d'art qui ornaient les murs le calma peu à peu. La sérénité du grand salon, la douceur des lumières tamisées, les couleurs reposantes des canapés de soie, les proportions parfaites des meubles chinois anciens achevèrent de le rasséréner, comme ne manquaient jamais de le faire les objets rares et précieux dont il aimait s'entourer. Quand une jeune servante chinoise lui eut apporté le thé qu'il se faisait rituellement servir une demi-heure après son retour, il fut enfin en état de se libérer l'esprit de ses pensées, de fermer les yeux et de s'abandonner à une torpeur bienfaisante.

Le timbre de la pendule qui sonnait six heures le tira de sa somnolence. Il était temps de se préparer pour le dîner que Susan Sorrell donnait dans sa villa de Recluse Bay.

Quand il passa devant une console, le reflet d'une lampe

sur une série de cadres d'argent attira son regard. A côté de la photo de son père, celle d'une femme le fit grimacer de haine — une haine aussi vivace qu'au premier jour. Il se força cependant à la refouler: rien ne devait troubler le calme intérieur qu'il avait eu tant de mal à reconquérir ni gâcher sa soirée, dont il attendait des plaisirs inédits.

Il s'étonnait parfois d'avoir gardé l'effigie de cette femme, alors qu'il n'admettait chez lui que des choses qu'il aimait, choisies avec soin pour leur beauté et leur perfection. Quand il avait retrouvé cette photographie dans une malle, avec de vieilles affaires, son premier mouvement avait été de la jeter; il l'avait cependant conservée par raison, en pensant qu'elle pourrait lui être utile.

A Hong Kong plus qu'ailleurs, il importait de tenir son rang et de sauver la face. Afficher qu'il était le petit-fils d'Emma Harte, la richissime femme d'affaires mondialement célèbre, ne lui avait pas nui, au contraire. Ce soir, pourtant, le visage exécré de cette vieille diablesse lui était insoutenable et il repoussa le cadre derrière la photographie de son père, prise devant le Parlement. Car il n'avait pas non plus à rougir d'être le fils de Robin Ainsley, éminent député travailliste et ancien ministre. Ses liens familiaux avaient ainsi valu à Jonathan Ainsley de s'introduire d'emblée dans le cercle fermé de la meilleure société locale.

Désireux d'apaiser son mouvement d'humeur avant de monter dans sa chambre, il passa par la bibliothèque, s'assit à son bureau et ouvrit un tiroir fermé à clef, où il prit deux dossiers. Du premier, simplement marqué HARTE'S, il sortit une feuille couverte de chiffres écrits de sa propre main, qu'il parcourut avec un sourire de contentement.

La lecture de l'état détaillé des actions *Harte's* en sa possession lui causait toujours une joie très vive. Depuis des années, par l'intermédiaire de ses banquiers suisses et divers autres mandataires, il faisait discrètement l'acquisition de ces valeurs cotées au Stock Exchange de Londres, de sorte qu'il détenait désormais une importante participation dans le capital de la société — participation dont il était seul à connaître le montant exact. Un jour, Paula commettrait une erreur, car nul n'était infaillible, pas même elle. Et, ce jour-là, il serait prêt à savourer sa vengeance...

Dans l'autre dossier, dépourvu de suscription, il consulta plusieurs liasses de feuillets dactylographiés, les rapports que lui envoyait régulièrement de Londres une agence de détectives privés.

Depuis 1971, Jonathan faisait constamment surveiller sa cousine Paula. Les enquêteurs à son service n'avaient rien pu découvrir de compromettant sur son compte, ce dont Jonathan ne s'étonnait d'ailleurs pas. Il souhaitait simplement réunir le maximum d'informations sur sa vie privée, sa famille, ses amis et relations ainsi, bien entendu, que sur l'évolution de ses affaires. De temps à autre, il demandait également un rapport sur Alexander Barkstone et Emily Harte qui, de même que Paula, ne prêtaient le flanc à aucune critique. Jonathan ne s'intéressait en fait guère à eux. Tant qu'ils continuaient à gérer Harte Enterprises d'une manière rentable et lui versaient de confortables dividendes, il n'en demandait pas davantage. Sa véritable cible, c'était Paula — et elle seule.

Le dernier rapport mentionnait que Paula se trouvait sur la Côte d'Azur à la fin du mois d'août, ce qui expliquait pourquoi il avait été stupéfait de sa présence à Hong Kong. Y faisait-elle escale en se rendant en Australie ou en regagnant l'Angleterre? Peu lui importait, après tout. Sentant sa fureur renaître, il referma le dossier, le remit en place et monta dans sa chambre. Il ne devait pas perdre son sang-froid chaque fois qu'il pensait à cette garce!

De même que tout l'appartement, sa chambre était décorée et meublée avec un goût parfait mais froid — à l'image de son propriétaire, comme ne tardaient pas à s'en apercevoir les femmes à qui il en faisait les honneurs. Son valet avait disposé sur le lit sa chemise à jabot et son smoking. Jonathan se déshabilla en sifflotant et alla faire sa toilette dans la salle de bain. Il se demandait qui Susan avait invité à son intention ce soir-là. Elle n'avait rien voulu lui dévoiler au téléphone, mais l'invitée-surprise était sûrement captivante — Susan était trop au fait de ses préférences pour commettre une erreur de jugement dans ce domaine.

Il se consolait mal de la fin de sa liaison avec Susan, qui avait duré près d'un an à leur satisfaction mutuelle. Leurs rapports purement physiques, dénués de sentiments importuns, se doublaient d'une complicité intellectuelle des plus gratifiante, combinaison idéale à ses yeux. Malheureusement, trois mois auparavant, le mari était devenu soupçonneux et ils avaient dû mettre un terme précipité à leur plaisante aventure. Jonathan ne s'était alors pas douté du vide qui en résulterait dans sa vie. Il regrettait moins d'être privé de leurs activités amoureuses — pour être douée, Susan n'était pas irremplaçable — que de leurs délectables conversations, nourries de l'humour et du snobisme qu'ils partageaient et maniaient avec tant de plaisir.

Bien entendu, Jonathan s'était abstenu depuis de poursuivre Susan de ses assiduités : il ne voulait surtout pas se voir impliqué dans un divorce à scandale et provoquer les ragots. Il tenait à préserver son rang, dont il avait lieu d'être fier. Car, depuis onze ans, il avait fait du chemin...

A peine débarqué à Hong Kong en 1970, Jonathan Ainsley comprit qu'il avait découvert sa véritable patrie spirituelle. Dans une atmosphère d'intrigue et d'aventure, rendue plus grisante encore par l'odeur de l'argent, tout paraissait, tout devenait possible.

Chassé de Harte Enterprises, dont il dirigeait la division immobilière, Jonathan était parti panser ses blessures en Extrême-Orient. Si Alexander l'avait congédié, Paula l'avait banni de la famille et, depuis, c'était elle seule qu'il rendait responsable de ses malheurs. Il ne croyait pas Alexander assez courageux pour agir sans y avoir été incité et soutenu par Paula.

Avant de quitter l'Angleterre, il avait résilié son association avec Sebastian Cross, en lui revendant ses parts à un bon prix, et liquidé dans d'excellentes conditions toutes ses propriétés immobilières de Londres et du Yorkshire. Muni de ce trésor de guerre, il avait alors cherché à l'étranger une base d'opérations d'où poursuivre ses deux objectifs essentiels : amasser une grande fortune et se venger de sa cousine Paula.

L'Extrême-Orient, ses coutumes, ses œuvres d'art, ses religions et ses philosophies l'ayant toujours attiré, il décida d'explorer cette partie du monde. Pendant les deux premiers mois de son exil volontaire, il parcourut en touriste le Népal, le Cachemire et la Thaïlande avant de venir s'installer à Hong Kong, l'endroit le plus logique pour qui souhaitait se lancer dans les affaires. Il avait pris, avant son départ, la précaution de se munir de lettres de recommandation de ses amis et relations dans les milieux de la City et de l'immobilier. Aussitôt descendu à l'hôtel Mandarin, il en avait contacté les destinataires ; au bout d'une quinzaine de jours, il avait ainsi rencontré une douzaine de banquiers, d'hommes d'affaires et de promoteurs, sans compter une poignée de trafiquants plus ou moins douteux avec lesquels il préféra couper court.

Deux de ces hommes, un Anglais et un Chinois exerçant l'un et l'autre une influence considérable dans sa propre sphère, avaient spécialement retenu son attention. Ils souhaitaient tous deux épauler Jonathan, chacun pour ses propres raisons, et leur concours à ses projets allait se révéler décisif. L'Anglais, Martin Easton, était promoteur immobilier ; le Chinois, Wan Chin Chiu, un banquier éminent et respecté.

C'est ainsi que, un mois après son arrivée, Jonathan Ainsley avait le pied à l'étrier. Ses nouveaux associés l'ayant aidé à trouver des bureaux dans le District Central et à engager des collaborateurs, il avait créé une société baptisée avec humour Janus & Janus Holdings Ltd., le nom du dieu à double visage, protecteur des portes, des commencements et des fins, lui ayant paru particulièrement adapté aux circonstances...

La chance qui lui avait souri dès son arrivée à Hong Kong n'allait plus le trahir pendant les dix années suivantes et, grâce au soutien de ses deux puissants alliés, la réussite de Jonathan dépassa ses espérances. En 1970, promotion et construction immobilières battaient leur plein dans la colonie de la Couronne britannique. En spécialiste chevronné, Jonathan flaira immédiatement les bonnes affaires et s'y lança avec l'instinct du joueur, non sans courage car il risquait tout ce qu'il possédait ainsi que l'investissement de ses associés, Martin Easton et Wan Chin Chiu. Jamais, cependant, ses coups de dés ne tournèrent mal. Chaque fois, le succès le récompensait.

En six mois, il avait amassé d'assez confortables bénéfices pour être en mesure de participer à la fièvre immobilière de 1971. Dans le même temps, la Bourse de Hong Kong connaissait un redoublement d'activité, dont il sut profiter en introduisant les actions de sa société sur le marché. Ses deux mentors lui conseillèrent bientôt de se montrer prudent, de sorte qu'il s'était pratiquement retiré de la Bourse au début de 1973, en gagnant au passage une fortune personnelle dont beaucoup se seraient contentés. Mais Jonathan avait d'autres projets en tête, plus grandioses encore.

En 1981, il était devenu une puissance financière avec laquelle il fallait compter à Hong Kong et dans tout l'Extrême-Orient. Multimillionnaire, il possédait la tour où se trouvaient ses bureaux, son duplex du mont Victoria, une collection de voitures de luxe. Les pur-sang de son écurie remportaient sous ses couleurs de nombreuses courses sur l'hippodrome de Happy Valley. Quelques années auparavant, il avait racheté le bloc d'actions de Martin Easton, parti prendre sa retraite en Suisse, tout en conservant des liens étroits avec Wan Chin Chiu jusqu'à sa mort, survenue deux mois plus tôt. Son fils éduqué en Amérique, Tony Chiu, remplaça son père et poursuivit sa fructueuse association avec Jonathan.

De l'avis unanime, Janus & Janus avait la solidité du roc de Gibraltar. Jonathan Ainsley occupait une place de choix dans la société. Toujours célibataire, il passait pour le parti idéal dont rêvaient les jeunes filles à marier — et les autres. Aucune, cependant, n'était encore parvenue à se l'attacher.

Jonathan s'en étonnait parfois lui-même. Se montrait-il trop exigeant ? Il refusait cependant d'altérer ses critères. La femme parfaite n'existait peut-être pas...

Parfaite. Susan Sorrell avait employé ce mot pour lui dépeindre celle qu'elle voulait lui présenter ce soir : « Exactement ce qu'il te faut, Johnny, avait-elle dit. Elle est divine. Parfaite, quoi !... Non, non, je ne te dirai rien de plus ! Pas même son nom. Tu jugeras par toi-même. » Le moment de rencontrer cet oiseau rare était enfin arrivé.

Jonathan recula d'un pas afin de vérifier son apparence dans le miroir. Il rajusta son nœud papillon, sa pochette, ses manchettes et sourit d'un air satisfait.

A trente-cinq ans, il ressemblait de façon frappante à son grand-père Arthur Ainsley, le second mari d'Emma Harte. Il tenait de lui ses cheveux blonds, son teint clair, sa minceur élégante, son allure typiquement anglaise. Il était distingué, plus séduisant que jamais — et il le savait...

Son caractère, en revanche, n'avait pas changé depuis dix ans et restait aussi retors et dissimulé. En dépit de son exceptionnelle réussite, Jonathan n'avait pas digéré son éviction de Harte Enterprises et ne cessait de remâcher sa rancœur et sa soif de vengeance. Nul ne s'en doutait, d'ailleurs : il avait appris auprès de ses amis chinois comment dissimuler ses sentiments profonds sous un masque impénétrable. Aux yeux de tous, il incarnait charme, insouciance et bonne humeur.

Sa montre marquait 19 heures. Il lui faudrait une demi-heure de trajet pour aller à Recluse Bay, chez Susan, où il verrait enfin de ses yeux la mystérieuse perfection qu'elle prétendait avoir trouvée pour lui...

Qu'importe si elle n'est pas aussi parfaite que Susan se l'imagine ? se dit-il. Il sortirait quand même avec elle une ou deux fois et en resterait là. Elle venait, paraît-il, d'arriver à Hong Kong. Un nouveau visage… La découverte de l'inconnu l'avait toujours fasciné, en lui réservant parfois d'excellentes surprises.

19

Il la remarqua du premier coup d'œil.

Elle parlait avec Elwin Sorrell, le mari de Susan, près d'une porte-fenêtre. De l'entrée du salon, Jonathan s'efforça de distinguer ses traits. Il la voyait en profil perdu, à demi voilée par l'ombre. Il était donc difficile, dans ces conditions, de se rendre compte si elle était jolie.

Susan venait déjà à sa rencontre. En la regardant marcher, il se dit pour la centième fois combien elle était belle, avec son auréole de cheveux roux, son visage harmonieux, ses yeux bleus pleins de gaieté, et combien il la regrettait.

— Johnny, vous voilà enfin ! s'écria-t-elle. Je commençais à me demander où vous étiez.

Elle lui tendit la joue, il la lui effleura d'un baiser tout en lui serrant la main de façon plus intime.

— Ne peux-tu t'arranger pour me consacrer un après-midi à la maison, ou même à mon bureau ? chuchota-t-il. Tu ne peux pas te douter à quel point je me languis de toi...

— Je n'ose pas, répondit-elle sur le même ton.

Puis, en lui prenant le bras, elle poursuivit de sa voix normale :

— Au fait, mon cher Jonathan, je ne vous avais pas dit que ce dîner est une sorte de soirée d'adieux pour nos meilleurs amis. Elwin et moi partons après-demain pour San Francisco, où nous comptons rester environ deux mois.

— Nous serons tous navrés de vous perdre si longtemps, dit-il avec un sourire mondain, conscient qu'on les observait.

Susan l'entraîna un peu à l'écart. Jonathan prit un verre de champagne au valet qui lui tendait un plateau.

— Et maintenant, parle-moi de ta mystérieuse invitée, dit-il à mi-voix. C'est bien elle, là-bas, avec ton mari ?

— Oui, mais je ne peux pas t'apprendre grand-chose, je la connais à peine. Je l'ai rencontrée la semaine dernière chez Betsy Androtti, je l'ai trouvée bien faite, séduisante, intelligente, et j'ai immédiatement pensé à toi.

— Au téléphone, tu m'avais dit *parfaite*.

— A mon avis, elle l'est, pour toi du moins. Il y a en elle quelque chose qui devrait te plaire — après tout, je crois te connaître particulièrement bien...

— Betsy ne t'a rien dit sur son compte? demanda-t-il en réprimant un sourire.

— Betsy ne la connaît guère plus que moi. Elle était venue dîner avec un banquier allemand, dont elle avait fait la connaissance l'été dernier dans le midi de la France, paraît-il, à moins que ce ne soit en Sardaigne, je ne sais plus.

— C'est donc vraiment la femme-mystère...

— N'est-ce pas plus amusant ainsi? dit Susan en riant. Elle va sûrement fasciner nos célibataires — les autres aussi, sans aucun doute. Voilà pourquoi j'ai voulu aussitôt t'en réserver la primeur.

— Susan, tu es une sainte... Je préférerais quand même te garder, toi dont je connais les immenses vertus.

— Ne dis pas de bêtises, Johnny. Je suis mariée et j'ai l'intention de le rester, tu le sais très bien.

— Aussi ne te proposais-je pas de *vivre* avec toi, ma chérie. Simplement de coucher avec toi...

Elle sourit sans répondre.

— Revenons à notre mystérieuse étrangère, reprit-il. Que fait-elle à Hong Kong? Y passe-t-elle en visiteuse?

— Non, elle s'y installe. Elle ouvre une boutique d'antiquités dans le quartier de Hollywood Road, m'a-t-elle dit.

— Ah, oui? Quel genre d'antiquités?

— Elle se spécialise dans les jades, je crois... Mais ne restons pas là. Viens, je vais te la présenter avant qu'un bel Adonis ne te prenne de vitesse ou que mon mari ne succombe.

Elwin Sorrell accueillit Jonathan avec cordialité. Les deux hommes étaient restés bons amis, au point que Jonathan se demandait si Susan n'avait pas inventé les prétendus soupçons de son mari comme prétexte commode à leur rupture.

Susan fit les présentations:

— Jonathan Ainsley, Arabella Sutton.

Ils se serrèrent la main, échangèrent les courtoisies d'usage tout en se toisant discrètement l'un l'autre.

Agée d'une trentaine d'années, de taille moyenne, mince, suprêmement élégante dans une robe blanche, Arabella frappait d'abord le regard par sa longue chevelure blonde, si claire qu'elle semblait argentée, encadrant un visage très pâle, sans autre touche colorée que le rouge vif de ses lèvres. Le nez finement modelé, les pommettes hautes, le menton creusé d'une fossette dessinaient une physionomie intéressante, sinon vraiment jolie. Mais ce qui fascinait le plus en elle, c'était ses yeux en amande, dont le noir profond formait un contraste saisissant avec la pâleur de son teint.

Arabella étudiait Jonathan avec autant d'attention. Elle avait beaucoup entendu parler de lui et connaissait sa parenté avec le légendaire personnage d'Emma Harte. Elle ne s'attendait cependant pas à ce qu'il fût si séduisant. Il émanait de toute sa personne l'autorité tranquille que donne une longue habitude de l'argent et de la puissance qu'il confère.

— Elwin, dit Susan à son mari, nous délaissons nos invités! Allons nous occuper d'eux et laissons ces deux-là faire plus ample connaissance.

Une fois seul avec Arabella, Jonathan lui prit le bras et l'entraîna vers la terrasse:

— Vous avez là un bijou extraordinaire, dit-il en désignant son pendentif de jade. Susan m'a dit que vous étiez spécialisée dans les jades anciens?

— Oui, mais j'essaie de me limiter aux bijoux en jadéite et aux néphrites sculptées.

— Où vous approvisionnez-vous? A Hong Kong, auprès des négociants, ou directement en Chine populaire?

— Les deux. J'ai trouvé à Shanghai des pièces remarquables, comme celle-ci.

— Je m'intéresse moi-même aux jades, dont je possède

une assez jolie collection, je crois. J'aimerais beaucoup aller voir ce que vous avez dans votre boutique. Demain, peut-être ?

— Elle n'est pas encore ouverte, je n'ai pas fini de constituer mon stock. L'inauguration n'aura lieu que la semaine prochaine... Venez quand même demain, se hâta-t-elle d'ajouter. Tout est en désordre, mais je vous montrerai les pièces les plus rares.

— Cela me ferait grand plaisir, Arabella. Puis-je vous inviter à dîner ensuite ?

— Volontiers, Jonathan. Je serais également très heureuse d'admirer votre collection.

— Rien de plus facile, nous boirons un verre chez moi avant le dîner. J'ai aussi quelques bronzes qui ne sont pas méprisables... Mais, dites-moi, de quelle partie de l'Angleterre êtes-vous originaire ?

— Du Hampshire, où mon père est médecin. Vous êtes vous-même du Yorkshire, si je ne me trompe ?

— Oui, entre autres lieux... Venez, nous ferions mieux de rentrer. Je n'ai pas encore eu l'occasion de saluer mes amis et je ne voudrais pas donner l'impression de vous accaparer.

Elle lui adressa un sourire charmeur — tout s'était passé plus facilement qu'elle n'aurait osé l'espérer. Puis, sur un dernier regard, elle lui tourna le dos et alla bavarder avec les Campbell. Elle les connaissait à peine, mais ils l'avaient conduite à ce dîner et elle était fermement décidée à se faire raccompagner par eux, et non par Jonathan, ce soir-là.

Susan avait placé Jonathan à table en face d'Arabella de sorte que, tout en soutenant poliment la conversation avec ses voisines, il puisse poursuivre pendant le repas son examen de la jeune femme.

Plus il l'observait, plus elle le captivait. Elwin lui-même était sous le charme, comme une forte majorité des convives masculins, ensorcelés par sa voix chaude, un peu rauque. Elle s'exprimait avec aisance sur tous les sujets. Visiblement, elle avait beaucoup voyagé et connaissait la vie, ce qui ajoutait à sa séduction. Jonathan n'avait jamais eu de goût pour les oies blanches et les idiotes. Il n'était attiré que par des femmes qu'il pût traiter en égales.

Déroutante au premier abord, sa beauté s'affirmait à mesure que l'on détaillait la courbe de ses joues, la sensualité de sa bouche, l'éclat mystérieux de ses yeux noirs. Un érotisme discret mais puissant irradiait de son visage expressif, de son corps aux proportions parfaites, que l'on devinait à demi nu sous la robe, et même de ses mains fines et blanches, aux doigts déliés, aux ongles peints du même rouge que ses lèvres.

Jonathan n'en avait jamais vu de semblables et se prit à rêver de leurs caresses... pour constater, à sa grande stupeur, l'effet que produisait sur lui cette pensée. Excité et embarrassé à la fois, il détourna les yeux de la captivante, provocante — et dangereuse — Arabella, pour entamer avec un de ses voisins une conversation sans danger sur les sports.

— Pourquoi me l'as-tu présentée, Susan?

Jonathan et elle se tenaient devant la cheminée, un peu à l'écart des autres invités qui revenaient par petits groupes de la salle à manger. Elle s'assura qu'Elwin était occupé à l'autre bout de la pièce avant de répondre:

— Peut-être à titre de compensation. J'ai encore des remords d'avoir rompu si brutalement avec toi. Tu étais mon meilleur amant, Johnny, mon préféré...

Il sourit en les imaginant toutes deux dans son lit. Quelle combinaison imbattable cela ferait! Mais mieux valait ne pas y songer: les Anglaises manquent trop de hardiesse et d'imagination dans ce domaine, et ces deux-là — l'une fille d'un comte, l'autre d'un médecin — refuseraient sans doute avec indignation. Dommage...

— J'avais raison, n'est-ce pas? reprenait Susan. Arabella est parfaite. Qu'en penses-tu?

— A première vue, peut-être. Mais je ne puis me forger

d'opinion valable avant d'avoir apprécié ce dont elle est capable au lit, répondit-il froidement.

Un éclair de colère et de jalousie traversa le regard de Susan, à la vive satisfaction de Jonathan. S'il craignait toujours autant d'être mêlé à un scandale, il n'en voulait pas moins à Susan de l'avoir éconduit de manière aussi expéditive.

Elle se domina aussitôt et répliqua d'un ton léger:

— Je regretterai vivement de ne plus être à Hong Kong pour prendre connaissance de tes impressions.

— Tu les apprendras peut-être avant ton départ.

— Comment cela? Je pars après-demain.

— J'ai prévu d'aller à la boutique d'Arabella demain en fin d'après-midi et de l'emmener chez moi boire un verre avant le dîner — un dîner en tête à tête, qui se passera aussi à la maison, je te le signale, ce qui nous permettra de prolonger la soirée de manière plus... intime. En fait, j'y compte bien.

— Salaud, souffla Susan.

— Voyons, ma chérie, de quoi te plains-tu? répondit-il avec un sourire ironique. C'est toi-même qui me l'as jetée dans les bras! Je t'en remercie, d'ailleurs, du fond du cœur.

Pour une fois, il était sincère: Arabella Sutton lui lançait un défi et Jonathan n'avait pas eu de défi à relever depuis beaucoup trop longtemps. Il commençait à s'ennuyer...

Plus tard ce soir-là, assis devant sa fenêtre, Jonathan contemplait le ciel étoilé. La chambre n'était éclairée que par la lumière froide de la pleine lune. Tout en frottant machinalement entre ses doigts un galet de jade, porte-bonheur dont il ne se séparait jamais depuis son arrivée à Hong Kong, il réfléchissait aux deux femmes que le hasard lui avait fait rencontrer le même jour, à quelques heures d'intervalle: Paula O'Neill, sa cousine, et Arabella Sutton, l'étrangère.

Elles l'obsédaient l'une et l'autre. Leurs images se mêlaient dans sa tête, au point qu'il dut faire un effort pour les séparer et les remettre chacune à leur place.

Il se fit alors à lui même deux promesses solennelles: anéantir la première, conquérir et posséder la seconde.

Avec un sentiment de contentement, il sc leva enfin, ôta sa robe de chambre de soie et alla se coucher. Dans un cas comme dans l'autre, il était sûr de réussir.

Ce n'était qu'une question de temps et de patience.

DEUXIÈME PARTIE

20

Dès la première minute, Paula avait senti que la soirée serait une réussite. La grande salle de bal du Claridge offrait un spectacle éblouissant. Les décorateurs de *Harte's* s'étaient surpassés pour réaliser les variations sur le thème que Paula avait elle-même choisi : l'argent, le blanc et le cristal. Sur les tables, des nappes en lamé argent, des bougies blanches dans des chandeliers d'argent, des vases de cristal débordants de fleurs blanches. Autour de la salle, dans de grandes vasques des gerbes de fleurs blanches — lys, orchidées, chrysanthèmes, œillets — cascadaient en vagues immaculées.

Par sa neutralité même, ce décor hivernal, féerique comme un palais de glace, mettait en valeur la symphonie multicolore des toilettes et des bijoux des femmes, que ponctuaient le noir et le blanc des smokings masculins.

Paula se réjouissait que tous les invités — famille, amis, célébrités, dirigeants et collaborateurs de Harte Entreprises — aient voulu être présents à cet événement exceptionnel. Elle constatait aussi que les femmes de la famille étaient particulièrement en beauté ce soir-là. Que ce fût sa cousine Sally, comtesse de Dunvale, en taffetas bleu avec des saphirs de la couleur de ses yeux ; Emily, en soie rubis avec le collier de rubis et de diamants offert par Winston pour Noël ; Amanda et Francesca, les jumelles, demi-sœurs d'Emily, en mousseline de soie magenta et brocart écarlate ; ou encore sa belle-sœur Miranda, étourdissante dans un fourreau de satin feuille morte sur lequel scintillait un collier de topazes et de diamants.

Paula tourna son regard vers sa mère et ses tantes, non moins remarquables. Les trois filles d'Emma Harte étaient assises à une table voisine : Daisy, en mousseline de soie vert sombre, portait les superbes émeraudes offertes par Paul McGill à Emma un demi-siècle auparavant ; septuagénaire aux cheveux blancs, Edwina, comtesse douairière de Dunvale, alliait élégance et dignité dans une robe de dentelle noire qu'éclairaient ses diamants. Réunies par la similarité des circonstances de leur naissance, l'aînée et la plus jeune entouraient leur sœur Elizabeth, la seule légitime des trois, toujours belle et jeune d'allure en fourreau de lamé argent sur lequel étincelaient rubis, diamants et émeraudes.

Les trois sœurs étaient les seuls enfants d'Emma Harte présents à la soirée. Paula n'avait pas invité ses oncles, Kit Lowther et Robin Ainsley, écartés depuis des années des réunions de famille, tant à cause de leurs propres trahisons que de celles de leurs enfants, Sarah et Jonathan.

Cette fête brillante marquait le début de la célébration du soixantième anniversaire du grand magasin de Knightsbridge. Le lendemain, toute la presse s'en ferait l'écho et Paula ne pouvait que s'en réjouir : le public était toujours friand de luxe, de célébrités, d'un prestige auquel il rêve de s'associer, et tout cela constituerait la meilleure des publicités pour le magasin. On était le 31 décembre 1981. Paula se promit de tout faire pour assurer au nom de Harte une renommée et une prospérité sans précédent pendant cette nouvelle année et — pourquoi pas ? — les dix suivantes. Elle le devait à la mémoire de sa grand-mère qui avait placé sa confiance en elle, à ses propres filles qui hériteraient d'elle un jour...

Shane, qui bavardait avec Jason Rickards et Sir Ronald Kallinski, interrompit sa rêverie :

— Tu es dans la lune, ma chérie, dit-il en lui prenant la main. Détends-toi ! Ta soirée est un triomphe... Allons, bon ! Je vois venir Michael. Il va t'enlever alors que tu viens à peine de te rasseoir près de moi...

— Que veux-tu, tout le monde se croit obligé d'inviter par politesse la maîtresse de maison et je ne peux pas refuser... Mais j'ai assez dansé ! Si tu m'aimes, interdis-moi d'organiser le moindre bal ou d'en accepter jusqu'à la fin de l'année prochaine ! dit-elle avec bonne humeur.

Shane la contemplait avec admiration. Jamais elle ne lui avait paru plus belle que ce soir. Sa robe de velours bleu nuit, d'une ligne très simple, soulignait sa silhouette élancée. Elle portait la broche de saphirs qu'il avait fait réaliser pour elle chez Boucheron. En la recevant le jour de Noël, elle n'avait pu dissimuler sa joie, tout en protestant pour la forme: « C'est une folie, mon chéri! La serre à orchidées suffisait amplement! » A quoi Shane avait répondu que la serre était un cadeau des enfants, qui s'étaient cotisés pour payer sa construction.

Michael s'inclina.

— Allons, Paula, du courage! Tu m'avais promis le premier slow, le voici — et j'ai bien peur que ce ne soit aussi le dernier de la soirée. Tu ne m'en veux pas de te priver d'elle cinq minutes? demanda-t-il à Shane.

— Si, à mort! répondit Shane en riant. Mais il faut bien que je me fasse une raison.

— La femme de Philip est ravissante, dit Michael en entraînant Paula sur la piste de danse. Il a de la chance, mais il t'a fait perdre une précieuse collaboratrice.

Paula sourit à Philip et à Madalena qui dansaient, joue contre joue, à quelques pas de là.

— C'est vrai, mais je ne m'en plains pas. Jamais je n'ai vu mon frère aussi heureux. Et si j'ai perdu ma meilleure adjointe, j'y ai gagné une adorable belle-sœur.

Trop occupé à lutter contre la tentation de serrer Paula contre lui, Michael ne répondit pas. Il regrettait de l'avoir invitée à danser, au risque de ranimer en lui une flamme toujours aussi ardente. D'ailleurs, Shane avait beau l'avoir pris sur le ton de la plaisanterie, Michael avait la désagréable impression qu'il se doutait de quelque chose et ne le quittait pas des yeux. Pour sa part, en tout cas, Paula semblait parfaitement inconsciente des sentiments amoureux qu'elle lui inspirait. Elle le traitait, comme à l'accoutumée, en ami d'enfance digne d'une confiance aveugle, et c'est ainsi que Michael entendait maintenir leurs rapports.

— De toute façon, poursuivait Paula, Maddy continuera à travailler après leur retour à Sydney. Je l'ai nommée directrice générale de la chaîne *Harte's* en Australie. J'avoue qu'elle me manquera beaucoup à New York, mais leur bonheur passe avant tout. Ils sont tellement amoureux l'un de l'autre !

— Il suffit de les voir pour s'en convaincre...

Michael se força à sourire. Le bonheur de Philip le rendait jaloux. Pourquoi n'avait-il jamais pu trouver la femme idéale, depuis son malheureux essai conjugal ? D'ailleurs, était-il réellement amoureux de Paula, ou ne lui inspirait-elle qu'un désir physique ?... Il chassa bien vite de telles pensées, trop scabreuses pour s'y attarder.

— Daisy paraît enchantée.

— Absolument ! Elle était déçue qu'ils se soient mariés à New York au début de décembre sans en aviser d'abord la famille — nous l'étions tous, à vrai dire. Mais maman est tellement soulagée de voir son play-boy de fils enfin décidé à s'assagir qu'elle a volontiers fermé les yeux sur ce manquement aux usages, j'en suis persuadée.

— Je voulais les inviter à dîner, mais Philip m'a dit qu'ils quittaient Londres après-demain pour leur voyage de noces.

— En effet. Ils comptent passer quelques jours à Vienne avant d'aller sur la Côte d'Azur, à la villa Faviola.

— Il y fait plutôt froid, en cette saison. Je pensais que Philip aurait choisi un pays chaud, l'hôtel de Shane à La Barbade par exemple.

— Philip a toujours eu un faible pour Vienne et l'hôtel Impérial, où grand-mère l'emmenait enfant, et il tient à partager ses souvenirs avec Maddy. Quant à la villa, elle s'imposait : Maddy admire tellement grand-mère qu'elle veut connaître toutes les maisons qu'elle a habitées, tous les endroits du monde où elle a séjourné. C'est une véritable obsession chez elle.

— Comme je la comprends ! répondit Michael en riant. Ce qui m'amène à dire que ta chère grand-mère aurait été fière de toi ce soir, Paula. Je n'ai pas encore eu l'occasion de te féliciter pour ce bal. C'est le plus réussi, le plus extraordinaire que j'aie jamais...

— Tu ne m'en voudras pas, j'espère, de te prendre ta cavalière? l'interrompit Anthony en lui tapant sur l'épaule.

Michael feignit d'être scandalisé.

— Pour une fois que je danse avec toi, il faut qu'un de tes cousins vienne me couper mes effets! protesta-t-il en cédant sa place de bonne grâce au comte de Dunvale.

Paula lui fit un sourire malicieux et partit en tournoyant dans les bras d'Anthony.

— Envisagerais-tu enfin de venir avec Shane passer un long week-end en Irlande? lui demanda celui-ci un instant plus tard. Vous n'avez pas remis les pieds à Clonloughlin depuis une éternité. Sally serait ravie de vous y recevoir.

— Cela nous fera grand plaisir, Anthony. Nous pourrons peut-être nous libérer quelques jours vers la fin de janvier. J'en parlerai à Shane, mais je crois que nous n'avons pas prévu de voyage à ce moment-là.

— Grande nouvelle! Vous êtes pires que des bohémiens, ces derniers temps. Toujours par monts et par vaux, on ne sait jamais où vous joindre...

Paula n'eut pas le loisir de répondre: Alexander tapait à son tour sur l'épaule d'Anthony.

— Tu accapares la maîtresse de maison, c'est inadmissible! A mon tour, mon cousin!

Avant qu'Anthony ait pu réagir, Paula s'était envolée.

Elle avait toujours plaisir à danser avec Sandy, son partenaire préféré depuis l'enfance. Ils évoluèrent quelques instants sans mot dire. Le premier, Sandy rompit le silence:

— Je tiens à te remercier, Paula.

— Et de quoi donc? demanda-t-elle, étonnée.

— De Noël à Pennistone, de ce bal... Tu as su faire revivre le passé, ranimer le souvenir de tous ceux que j'ai aimés, grand-mère, ma chère Maggie, ton père...

— Pourquoi ce ton mélancolique, Sandy? Je voulais, au contraire, que notre réunion de famille à Noël et la fête de ce soir soient pour chacun d'entre nous des occasions joyeuses...

— Et tu as parfaitement réussi, Paula. Je ne suis pas du tout mélancolique, au contraire.

— Bien vrai ?

— Bien vrai.

Paula lui adressa un sourire affectueux. Alexander avait toujours été son cousin préféré et elle prit la résolution de ne plus tant le négliger à l'avenir. Il souffrait certainement de sa vie solitaire et il avait autant besoin de sa sollicitude que de celle de sa sœur Emily.

Alexander s'efforça en vain de conserver son sourire insouciant. Dieu merci, Paula ne pouvait pas voir son expression et, dans la pénombre qui régnait sur la piste de danse, les autres danseurs ne remarquaient rien non plus. Par un effort de volonté qui tenait du miracle, il termina la danse sans trébucher ni vaciller une seule fois...

Car il était au bout du rouleau. Dans quelques semaines, au mieux, toute la famille serait au courant, il ne pourrait pas retarder davantage le moment de révéler la vérité. Et il redoutait cette confession avec une angoisse qui ne cessait de croître.

— Donne-nous ton opinion, Paula, dit Sir Ronald avec un sourire amusé. La femme moderne peut-elle tout avoir, carrière, enfants, vie de famille ?

— Oui, si elle est une petite-fille d'Emma Harte ! Sérieusement, poursuivit-elle dans les rires qui saluaient sa boutade, grand-mère nous a appris à nous organiser, c'est notre seul secret. Aussi répondrai-je que la femme moderne peut prétendre tout avoir si elle sait organiser sa vie comme il faut.

— J'applaudis de grand cœur à la manière exemplaire dont Emily et toi menez votre vie, mais je connais beaucoup de gens qui ne sont pas de ton avis.

— Eh bien, demandons celui de Maddy, la voilà justement qui vient. S'il y en a une ici qui incarne la femme des années 80, c'est bien elle.

Les regards se tournèrent vers Philip et Madalena qui se dirigeaient vers la table. Comme à son habitude, elle était d'une élégance sobre et irréprochable, d'une beauté rendue plus éclatante par son expression de bonheur paisible. Elle tenait, comme si elle ne voulait plus le lâcher, le bras de Philip qui, rayonnant de fierté et de tendresse, se montrait de son côté tout aussi possessif. Paula leur fit signe de se joindre à eux.

— Volontiers, dit Philip, nous avons encore à peine eu le temps de nous voir. Paula, ta soirée est fabuleuse...

— Merci, mais c'est l'avis de Maddy qui nous intéresse. Oncle Ronald demandait si la femme moderne peut tout avoir dans la vie, carrière, enfants, vie de famille. Aucune ne me paraît plus qualifiée que Maddy pour y répondre, puisqu'elle poursuit une brillante carrière et qu'elle vient de se marier.

— Je ne le sais pas encore, mais je l'espère! dit-elle en riant. Philip souhaite que je continue à travailler et je le désire moi aussi, même après avoir eu des enfants.

— J'approuve d'avance tout ce qui plaira à ma femme, renchérit Philip, en lui prenant la main qu'il porta à ses lèvres.

— A mon avis, reprit Madalena, une femme n'a pas le droit de gâcher ses dons, sa carrière, son éducation, uniquement parce qu'elle a un enfant. On *doit* pouvoir tout mener de front. C'est souvent difficile, il faut jongler avec des éléments parfois inconciliables, mais avec un peu de bonne volonté...

— La dernière valse! s'écria Shane.

Il se leva d'un bond et entraîna Paula vers la piste.

— Je ne voulais pas te la laisser danser avec un autre, ma chérie.

— J'aurais refusé, rassure-toi.

Elle s'abandonna dans ses bras, avec un sentiment de paix et de sécurité. Ils étaient si bien ensemble! Tant de choses les rapprochaient, les liaient l'un à l'autre, dans leur passé comme dans leur avenir! Elle regretta de n'avoir pas eu la présence d'esprit de répondre à Sir Ronald qu'une femme ne pouvait *réellement* tout avoir qu'en étant mariée à l'homme de sa vie. Or, cette chance, elle l'avait...

Le souvenir de Jim Fairley s'était si bien estompé qu'il n'en restait dans sa mémoire que des fragments, de plus en plus obscurcis par les événements survenus depuis sa mort, par l'existence des êtres qui lui étaient chers et retenaient son attention quotidienne, par le passage du temps, surtout. Elle ne se rappelait pas avoir été la femme d'un autre que Shane. Les années s'étaient si vite écoulées depuis leur mariage...

Elle se recula, le dévisagea comme pour s'assurer de sa présence et de sa réalité.

— Qu'y a-t-il, ma chérie? demanda-t-il, étonné.

— Rien, mon amour. Je pensais simplement qu'une nouvelle année va débuter dans quelques minutes et s'envoler sans doute aussi vite que les autres.

— C'est vrai. Mais tu pourrais aussi te dire que 1982 ne sera que la première des cinquante années que nous allons encore passer ensemble.

— Merci, mon amour, pour une si merveilleuse pensée.

Leurs lèvres s'effleurèrent. Le cœur battant, Paula se laissa emporter par le tourbillon de la valse.

Tout autour de leur couple, elle voyait danser les autres membres de la famille, ses meilleurs amis. Ce soir, les trois clans étaient représentés: Harte, O'Neill, Kallinski, tous descendants des trois amis qui, près d'un siècle plus tôt, avaient uni leurs volontés et leurs ambitions pour sortir de l'obscurité, de la pauvreté et conquérir le monde...

La musique s'interrompit soudain, le chef d'orchestre s'approcha du micro:

— Mesdames et messieurs, il va être minuit! La BBC est relayée par notre sonorisation, nous allons donc entendre sonner Big Ben en direct... Et voici le premier coup!

Un silence absolu régnait maintenant dans la salle. Immobiles, les danseurs écoutèrent la célèbre horloge égrener les douze coups. Le dernier résonnait encore quand un roulement de tambour et les acclamations de l'assistance saluèrent l'avènement de la nouvelle année.

Dans la joyeuse ronde d'embrassades et de vœux qui s'ensuivit, Paula retrouva Madalena :

— Bienvenue dans notre famille, Maddy. De tout mon cœur, je souhaite que cette nouvelle année soit la première d'un très long bonheur pour Philip et pour toi.

Madalena allait répondre quand l'orchestre attaqua la première mesure d'*Auld Lang Syne.* Paula et Philip lui prirent chacun une main pour l'inclure dans la chaîne qui se formait, tandis que l'assistance reprenait en chœur le chant traditionnel.

Entourée des membres de sa nouvelle famille, baignée dans la chaleur de leur affection, Madalena se demanda comment elle avait mérité la chance de devenir l'une d'entre eux. Des années durant, sa vie n'avait connu qu'une suite d'épreuves et de tristesse. Maintenant, grâce à Dieu, elle abordait une nouvelle étape, celle du bonheur.

21

La tête sur l'épaule de Philip, Madalena cherchait en vain à se rendormir. On n'entendait dans la chambre silencieuse que la respiration de Philip, le bruissement des rideaux, le tic-tac de la pendule sur la commode. Pour un mois de janvier, il faisait un temps presque printanier. Portées par une douce brise, les senteurs de la nuit entraient par la fenêtre entrouverte.

Madalena se leva et alla s'y accouder. Le jardin était paisible sous le ciel étoilé où brillait la pleine lune. Madalena soupira de contentement. Ils étaient à la villa depuis dix jours, dans un merveilleux farniente occupé par l'amour, les grasses matinées, les promenades à pied dans le jardin, sur la plage, parfois en voiture le long de la côte. Ils ne sortaient guère, cependant, et préféraient lire ou écouter de la musique ensemble. « Etre seul avec toi sans rien faire, sans penser à personne d'autre que toi, voilà comment j'imagine le Paradis », lui avait encore dit Philip ce matin-là.

Elle retrouvait ici la même sensation de paix, la même beauté de la nature qu'à Dunoon — Dunoon où elle serait désormais chez elle, comme à Sydney dans l'appartement au sommet de la tour. Mais la « grande maison » resterait à jamais son lieu de prédilection. C'est là qu'elle avait rencontré Philip et qu'ils s'étaient aimés pour la première fois...

Après que Philip eut quitté sa chambre, ce soir-là, elle avait sangloté dans son oreiller parce qu'elle ne parvenait pas à se représenter leur avenir ensemble. Quel aveuglement!... Bien sûr qu'elle avait un avenir avec Philip! Elle était maintenant sa femme et, comme le lui avait souhaité Paula,

1982 ne serait que la première d'une longue succession d'années de bonheur. Ils avaient la vie devant eux.

Elle aimait Philip si intensément qu'elle éprouvait loin de lui de vraies souffrances physiques. Ils n'étaient pourtant pas restés longtemps séparés, au début, car il l'avait rejointe à New York quinze jours après son retour d'Australie. Elle l'avait vu surgir dans son bureau de *Harte's*, souriant mais le regard assombri d'une inquiétude qu'elle avait aussitôt discernée.

Son bonheur de revoir Philip lui avait fait oublier son sentiment de déchirement en le quittant à Sydney, la tristesse qui l'étreignait pendant le long vol du retour. A ce moment-là, elle savait déjà qu'elle l'aimerait jusqu'à son dernier jour. Son amour pour lui comptait dorénavant plus que tout dans sa vie, plus que sa carrière même. Si elle avait dû choisir, elle la lui aurait sacrifiée sans regrets.

Cette nuit-là, chez elle, ils s'étaient passionnément aimés. Quand il lui avait demandé de l'épouser, elle avait accepté sans hésiter. Ensuite, très avant dans la nuit, ils avaient évoqué leurs projets. Philip voulait garder le secret sur leurs fiançailles, « pour nous épargner le remue-ménage », avait-il précisé. Madalena tenait pourtant à prévenir Paula : « Je dois lui donner le temps de me trouver une remplaçante ! Je ne peux pas la lâcher à l'improviste, elle a été trop bonne pour moi. Et j'ai toujours pris mes responsabilités. » Devant l'insistance de Philip, elle avait cependant dû finir par s'incliner. Les choses tournèrent finalement mieux qu'elle ne le craignait : elle recruta sans difficulté une de ses protégées, favorablement notée par Paula depuis un certain temps, qui se montra rapidement capable de prendre sa suite.

Au début de novembre, Philip avait dû repartir pour l'Australie où le rappelaient ses affaires, mais il était de retour dès la fin du mois.

A peine arrivé, il lui déclara qu'ils allaient se marier sur-le-champ. Un grand mariage avec toute la famille aurait, disait-il, entraîné des délais excessifs. Aux protestations de

Madalena, il avait opposé son refus de se plier aux exigences ou aux caprices des uns et des autres. « Et puis, avait-il conclu, j'ai trop peur de te perdre. Puisque je te tiens, je ne te lâche plus. » Madalena avait vu reparaître dans ses yeux l'expression d'inquiétude du premier jour. Bouleversée, elle avait accepté d'en passer par toutes ses volontés.

Ils s'étaient mariés au début de décembre à la cathédrale Saint-Patrick, dans une cérémonie intime à laquelle n'assistaient que Patsy Smith, l'amie de Madalena, et Miranda, la sœur de Shane. Ce soir-là, Philip avait téléphoné à Daisy, qui se trouvait déjà à Pennistone, et à Paula qui était encore à Londres. Elles avaient toutes deux accueilli la nouvelle avec joie mais sans réelle surprise. Malgré leurs regrets de n'avoir pu assister à la cérémonie, elles prodiguèrent à Madalena les souhaits les plus chaleureux et les plus sincères.

Ainsi avait débuté sa nouvelle vie.

Philip lui manifestait le même amour profond, intense, qu'elle éprouvait pour lui. Il l'exprimait autant par ses élans passionnés que par mille attentions, mille marques de tendresse. Il la couvrait de cadeaux, des plus humbles aux plus extravagants. Il lui donnait un tel sentiment de plénitude et de sécurité qu'elle en oubliait sa solitude passée. Parfois, elle se demandait si pareil bonheur était bien réel...

Philip s'était levé sans bruit. Elle sursauta quand il la prit par la taille et l'embrassa dans les cheveux.

— Que fais-tu là, mon amour? Tu vas prendre froid.

— Je ne pouvais pas dormir, dit-elle en lui caressant le visage. Alors, je suis venue regarder le jardin, il est si beau sous la lune. Et puis... je pensais à tout ce qui m'est arrivé ces derniers mois. Je crois rêver, Philip. Par moments, j'ai l'impression que je vais me réveiller et découvrir que rien de tout cela n'est vrai, que tu n'existes pas...

— Je suis tout ce qu'il y a de plus réel, ma chérie, crois-moi! Tout ce que nous vivons est vrai. Nous sommes en pleine réalité, *notre* réalité. Oublie tes mauvais rêves...

Il l'attira sur sa poitrine, la serra plus fort dans ses bras. Au bout d'un long silence, il reprit :

— Jamais encore je n'avais connu un tel sentiment de paix ni éprouvé d'amour si profond. Je t'aime de toute mon âme, Maddy. Je t'aimerai toujours, il faut que tu le saches. Tu es et tu seras toujours la seule femme dans ma vie.

— Je le sais, mon amour. Je t'aime tant...

Serrés l'un contre l'autre, il ne leur fallut qu'un instant pour ranimer leur désir par un long baiser plein de passion — ce désir qu'ils ne se lassaient jamais d'assouvir parce que, plus pleinement que tous les mots, il exprimait leur amour. Parce que l'union de leurs corps scellait l'union de leurs cœurs et de leurs âmes.

Elle lui parla le surlendemain.

Le mistral avait dégagé le ciel, il faisait un temps radieux mais froid. Assis sur la terrasse, chaudement vêtus, ils attendaient l'heure du déjeuner en envisageant leurs projets pour les semaines à venir. Madalena avait écouté Philip sans rien dire quand, profitant d'un silence, elle se décida :

— Faut-il vraiment aller à Rome, mon chéri ? Il vaudrait mieux, je crois, que nous rentrions à Londres...

— Pourquoi ? demanda-t-il, inquiet.

Elle hésita, s'éclaircit la voix.

— Eh bien... Je voulais te le dire depuis quelques jours... Je crois que je suis enceinte.

Le premier moment de surprise passé, Philip bondit de joie, la serra dans ses bras, la couvrit de baisers :

— Maddy, mon amour ! C'est la plus merveilleuse nouvelle que tu puisses m'apprendre ! Mais pourquoi dis-tu « je crois » ? Tu n'en es pas sûre ?

— Presque : un médecin confirmera le diagnostic, je pense. C'est pourquoi j'aimerais rentrer à Londres.

— Tu as absolument raison, ma chérie. Oh ! Maddy... Tu viens de me rendre le plus heureux des hommes !

— Vraiment ? Je craignais que tu ne trouves que cela survient un peu trop tôt...

— Trop tôt pour avoir un fils, un héritier? Tu plaisantes! Je suis fou de joie, mon ange!

— Et si c'était une fille?

— Eh bien, ce sera une héritière! Je suis le petit-fils d'Emma Harte, ne l'oublie pas. Ma grand-mère n'a jamais fait de distinction entre les hommes et les femmes, entre ses héritiers et ses héritières. Mon grand-père Paul non plus: tu sais qu'il a légué toute sa fortune à ma mère.

Madalena sourit sans répondre.

— Qu'y a-t-il encore, mon amour? demanda-t-il en voyant sa mine pensive. T'inquiètes-tu de ta carrière? Tu aurais tort, ce n'est pas moi qui te causerais des problèmes de ce côté-là. Ma grand-mère n'a jamais cessé de travailler quand elle était enceinte, Paula et Emily non plus. Ni Shane ni Winston n'ont soulevé la moindre objection. Tu sais que les hommes de notre famille ont été élevés par le modèle des matriarches...

— Je le sais, mon chéri.

— Alors, pourquoi cet air malheureux?

— Je te le disais il y a un instant, j'avais peur que tu ne juges l'arrivée de cet enfant trop précipitée. Tu aurais pu préférer que nous ayons un peu plus de temps seuls ensemble pour mieux nous connaître, tu aurais pu me reprocher d'avoir été négligente... Vois-tu, Philip, je t'aime, tu es toute ma vie... Je voudrais tout faire pour te rendre toujours heureux, ne jamais te déplaire en rien...

Bouleversé, il vit ses yeux s'emplir de larmes. Il lui prit la main, la porta tendrement à ses lèvres:

— Maddy, mon amour, toi aussi, tu es toute ma vie. Et notre enfant la rendra plus belle encore...

Il s'interrompit, éclata de rire.

— Qu'y a-t-il de si drôle? demanda-t-elle, stupéfaite.

— Quand je pense que le play-boy le plus volage de la décennie est non seulement marié mais prêt à se transformer en père de famille! Personne au monde ne m'en aurait cru capable!

Elle ne put s'empêcher de rire à l'unisson. Philip trouvait

toujours le moyen d'apaiser ses craintes et de lui rendre sa bonne humeur.

— Allons, viens, dit-il en lui prenant la main. Rentrons, je voudrais donner quelques coups de téléphone.

— A qui?

— A la famille, bien sûr! Je veux leur annoncer la grande nouvelle!

Ils traversaient la terrasse en se tenant par la taille quand Madalena s'arrêta:

— Philip... Quand j'aurai vu le gynécologue à Londres et que nous aurons passé quelques jours avec ta mère dans le Yorkshire, comme nous le lui avons promis, j'aimerais rentrer chez nous, en Australie. A Dunoon.

— Tu n'aurais rien pu dire qui me rende plus heureux, répondit-il en l'embrassant. Oui, nous rentrerons chez nous préparer la naissance de notre premier enfant.

Une demi-heure plus tard, Philip était toujours au téléphone. Il avait d'abord appelé Daisy et Jason, puis Paula. Chaque fois, Madalena était venue dire quelques mots, recevoir leurs félicitations, leurs vœux de bonheur. Daisy était aux anges à la perspective d'avoir de nouveaux petits-enfants à dorloter.

Il parlait maintenant à son cousin Anthony, en Irlande. Madalena s'étonnait de son empressement à clamer la nouvelle à tous les échos: d'habitude, Philip se montrait très réservé sur sa vie privée. N'avait-il pas insisté pour garder le secret de leur mariage? Elle comprit tout à coup pourquoi: s'il avait voulu exclure sa famille de la cérémonie, c'était afin de lui épargner la douleur d'être seule. Lui, il aurait été entouré d'une famille nombreuse, heureuse, unie. Pas elle, dont tous les proches étaient morts. La différence aurait été trop manifeste, trop pénible à supporter. Voilà pourquoi il avait fait preuve d'exigences qui, de prime abord, lui avaient paru incompréhensibles et ne correspondaient pas avec ce qu'elle connaissait de son caractère. Cette nouvelle preuve d'amour la toucha profondément.

Quel homme merveilleux! se dit-elle en l'observant. Brillant, habile, parfois dur en affaires, il était en même temps capable de se montrer sensible et généreux à l'extrême. S'il ne tenait qu'à elle, il resterait éternellement tel qu'elle le voyait aujourd'hui, si jeune, si beau, si plein de gaieté et de vitalité...

Dans un élan d'amour et de reconnaissance, Madalena se jura de ne rien faire qui puisse le décevoir ou lui causer la moindre peine.

22

Arabella avait tout de suite senti que Sarah la considérait comme une rivale ou, plutôt, une intruse. Jusque-là, Sarah avait pu se permettre d'accaparer son cousin Jonathan quand il venait en Europe car, à l'évidence, elle était de ces femmes qui aiment être l'objet de toutes les attentions et ne supportent pas la concurrence. Arabella n'allait pourtant pas céder au découragement pour si peu. N'était-elle pas sur le point d'atteindre le but qu'elle s'était fixé ?...

Etendue sur le canapé de la chambre d'amis, devant la cheminée, elle réfléchissait en contemplant les flammes qui lui rappelaient la grande maison de son enfance dans le Hampshire. Elle était arrivée le matin même avec Jonathan au vieux mas de Mougins, luxueusement restauré et aménagé par Sarah. D'emblée, celle-ci s'était montrée glaciale, mais Arabella avait trouvé Yves Pascal, son mari, très sympathique. Si elle jugeait ses toiles trop abstraites pour son goût, le peintre avait en revanche une personnalité chaleureuse à laquelle il était difficile de résister. Il formait avec Sarah un couple si mal assorti qu'on s'étonnait qu'il parût adorer sa femme et leur fille Chloé. Selon Jonathan, la fillette ressemblait beaucoup à son arrière-grand-mère Emma Harte, dont il ne lui parlait pourtant presque jamais depuis quatre mois qu'ils se connaissaient.

Pendant le déjeuner, Arabella avait déduit de quelques mots prononcés par Sarah que Jonathan et elle étaient brouillés avec leur cousine Paula O'Neill. Quand, dans l'après-midi, elle lui avait demandé la cause de cette querelle de famille, Jonathan s'était borné à dire que Paula avait monté leur grand-mère contre eux et lui avait fait modifier son testament à leur détriment. Mais il avait répondu de si mauvaise grâce et avec tant d'irritation que, surprise par ce soudain accès de colère, elle s'était hâtée de changer de sujet.

Jamais, en effet, elle n'avait vu Jonathan dans cet état. Au début, on lui disait qu'elle ne réussirait jamais à se l'attacher tant il était insaisissable. Il n'en avait rien été, au contraire: dès le lendemain de leur rencontre à Hong Kong, c'était lui qui avait pris l'initiative. Elle lui avait d'abord habilement résisté, pour ne céder que peu à peu à ses avances de plus en plus pressantes. Elle avait su le tenter de manière subtile, faire briller les facettes de son intelligence, de sa culture artistique, de son expérience de la vie. Leurs amicales embrassades des premiers jours s'étaient muées graduellement en baisers de plus en plus profonds, en caresses de plus en plus intimes jusqu'au moment où, succombant à sa séduction, elle s'était enfin laissé entraîner dans son lit.

Sans prétendre être vierge, elle lui avait clairement fait comprendre qu'elle n'avait pas pour habitude de se jeter dans les bras du premier venu et qu'elle voulait être assurée de leurs sentimemts réciproques avant de s'engager dans une liaison. Cette franchise avait plu à Jonathan, qui lui avait confié ne s'intéresser qu'aux femmes possédant une expérience de la vie et de l'amour comparable à la sienne. Désormais sûr de sa victoire, il s'était montré patient. Alors, elle avait insensiblement affermi son emprise sur lui jusqu'à ce qu'il ne pût plus se passer d'elle — de jour comme de nuit.

Leur mariage à Hong Kong, juste avant Noël, l'avait quand même prise au dépourvu, car elle ne s'attendait pas à remporter un succès si rapide. A l'alliance sertie de diamants qu'il voulait lui offrir, Arabella avait préféré un simple anneau d'or plus symbolique à ses yeux, sentiment délicat qui avait ému Jonathan. Il voulait faire leur voyage de noces en Europe. Elle avait réussi à le dissuader de séjourner à Paris, où subsistaient trop de souvenirs d'un passé sur lequel elle refusait de revenir, en lui affirmant qu'ils s'amuseraient davantage à Rome. De là, ils iraient rendre visite à sa cousine

Sarah, dont il lui avait maintes fois parlé avec affection et qu'elle avait très envie de connaître. Jonathan avait souscrit avec joie à ce changement de programme.

Ils s'étaient, en effet, fort bien amusés à Rome. Arabella connaissait mieux la ville que beaucoup de Romains. Elle avait fait découvrir à Jonathan des endroits ignorés des touristes, où l'on ne rencontrait que l'élite locale et les célébrités du jet-set. Pendant tout leur séjour, elle n'avait cessé de lui prodiguer les marques d'un amour sincère, de se plier à tous ses caprices, de prévenir ses moindres désirs.

Au comble du bonheur, Jonathan avait tenu à marquer leur dernière nuit dans la Ville Eternelle par une surprise, sous la forme d'un extraordinaire collier de perles noires portant en pendentif une grosse perle blanche et un diamant de dix carats. Jamais Arabella n'avait possédé de plus somptueux bijou, qui surpassait même sa bague birmane de rubis et de diamants, cadeau de fiançailles de Jonathan...

Le tintement de la pendule la tira de sa rêverie. Il était 19 heures. Jonathan était allé à Cannes avec Yves Pascal et devait rentrer vers 19 heures 30. Il était temps qu'elle se préparât à l'accueillir.

Après s'être rafraîchie dans la salle de bain, elle passa un vaporeux déshabillé de dentelle noire qui dévoilait de manière suggestive les courbes de son corps. Elle se brossa les cheveux, retoucha son maquillage, se parfuma. Enfin, elle sortit de son écrin le collier de perles noires et le mit à son cou. Jonathan aimait tant qu'elle porte des bijoux quand ils faisaient l'amour...

Ainsi parée, elle s'examina dans le miroir avec satisfaction. Elle s'étonnait parfois elle-même d'être si belle: le temps, les épreuves, rien ne semblait laisser de traces révélatrices sur son visage. A trente-quatre ans, elle gardait l'apparence d'une jeune fille d'à peine vingt ans.

Sûre de sa séduction, elle retourna s'étendre sur le canapé. Jonathan ne s'était absenté que deux heures mais il lui manquait déjà. Elle appréciait sa finesse, sa distinction, son éducation. Son caractère, typiquement britannique, la changeait agréablement des étrangers qu'elle fréquentait naguère. Elle aimait plus encore les attentions dont il l'entourait, la passion qu'il lui manifestait. Jonathan était son mari, mais elle découvrait un peu plus chaque jour qu'il était aussi, et surtout, un merveilleux amant — le meilleur de tous. Et qu'elle devenait réellement amoureuse de lui...

Jonathan arriva un quart d'heure plus tard. Arabella se tenait devant la cheminée. Il fut frappé par sa beauté, sa sensualité, rendues plus provocantes par le déshabillé translucide, dont la couleur noire mettait en valeur la blancheur de sa peau, la blondeur de sa chevelure. Elle lui tendit les bras avec, dans le regard, une expression qu'il n'y avait pas encore remarquée, dont la signification lui échappait, mais qui éveillait son désir avec une intensité inaccoutumée.

— Tu me manquais, mon amour, dit-elle de cette voix un peu voilée qui ne manquait jamais de l'exciter.

Il l'attira contre lui, l'embrassa avec avidité. Au bout d'un instant, il s'écarta et, la tenant aux épaules, la dévisagea fixement.

— Tu es si belle ce soir, Arabella, murmura-t-il. Plus belle, plus désirable que je ne t'ai jamais vue...

Il fit glisser le peignoir de ses épaules, dénoua les rubans de la chemise. Quand elle fut nue, vêtue du seul collier de perles noires, il recula d'un pas et la contempla. De toutes les femmes qu'il avait connues, elle était la plus intelligente, la plus excitante, la plus experte aux jeux de l'amour. De tous les objets d'art de sa collection, elle était le plus précieux. Elle incarnait dans tous les domaines la perfection qu'il poursuivait depuis toujours. Elle était un trésor et ce trésor était le sien. Pourtant, il ne la possédait pas tout à fait. Elle se dérobait encore. Elle conservait en elle des secrets, sans doute afin de continuer à le surprendre. Mais un jour, bientôt peut-être, elle s'abandonnerait tout entière, elle ne lui dissimulerait plus rien, il en était persuadé. Car il avait sur elle un pouvoir absolu...

— Qu'y a-t-il, Jonathan ? Pourquoi me regardes-tu ainsi ?

— Je t'admirais. Tu es si belle...

Il tendit la main, lui effleura un sein. Frémissant de désir, il dégrafa le collier, le glissa dans sa poche.

— Tu n'as besoin d'aucun ornement, Arabella. Nue, tu es plus parfaite que la plus rare des statues grecques... Viens, dit-il en l'entraînant vers le canapé, je veux faire l'amour avec toi, nous avons le temps avant le dîner. Aimons-nous comme nous savons si bien le faire. Découvrons ensemble de nouveaux secrets. Je veux tout connaître de toi. Je veux te posséder tout entière, corps et âme... Me laisseras-tu te posséder, Arabella ? Te livreras-tu à moi ?

— Oui, Jonathan — quand tu te seras, toi aussi, livré à moi.

— Ah ! mon amour, nous nous ressemblons tant, toi et moi ! Nous étions vraiment faits l'un pour l'autre...

Alors, tout en la caressant d'une main, il commença de se dévêtir.

23

— Je ne sais trop comment vous dire...

Alexander s'interrompit. Son regard alla de sa sœur Emily à sa cousine Paula et à son cousin Anthony, assis tous trois devant la cheminée du salon, dans sa maison de Mayfair. Ils tenaient encore les verres qu'il venait de leur servir et le considéraient avec étonnement.

— De fait, reprit-il, je me creuse la tête depuis des semaines, je cherche les mots qu'il faut...

Il se leva et, le dos tourné, alla se poster devant la fenêtre. Il regrettait maintenant de les avoir fait venir et de devoir leur parler. Si seulement il pouvait laisser les événements suivre leur cours... Impossible. Ce serait trop déloyal envers eux. Il y avait trop de décisions à prendre, trop de problèmes pratiques et juridiques à résoudre.

Emily ne le quittait pas des yeux. Le seuil à peine franchi, elle avait remarqué la nervosité, la mine anxieuse de son frère. Ils étaient restés trop proches l'un de l'autre depuis leur enfance pour qu'elle n'ait pas aussitôt senti quelque chose d'anormal.

— Tu as l'air bien sérieux, Sandy, dit-elle en s'efforçant de maîtriser son inquiétude.

— Oui, c'est vrai...

Il regardait obstinément le jardin, déjà obscur en cette fin d'après-midi de janvier. La grisaille ambiante, les arbres squelettiques, les massifs dépouillés de leurs fleurs sous la neige noircie par la suie londonienne semblaient faire écho à sa propre désolation.

En attendant qu'il se décidât à leur expliquer pourquoi il les avait convoqués avec tant d'insistance, ses cousins échangeaient derrière son dos des regards perplexes. Le silence se prolongeait. La première, Emily le rompit:

— Ecoute, Sandy... Grand-mère nous a appris que, si nous avions quelque chose de difficile ou de désagréable à dire, il valait mieux le déballer d'un seul coup. Parle!

— Quel que soit le problème, mon vieux, tu sais que tu peux toujours compter sur nous, renchérit Anthony.

Alexander se tourna enfin vers eux:

— Je sais, Anthony, et je t'en remercie sincèrement.

Son sourire s'effaça aussitôt. Une étrange lueur dans son regard alerta Paula:

— Il s'agit de quelque chose de grave, n'est-ce pas?

— Oui. Vois-tu, je me vantais jusqu'à présent d'être capable de faire face à n'importe quelle situation, mais là...

Il ne put terminer sa phrase. Paula se souvint alors de leur conversation téléphonique du mois d'août, de son pressentiment mis sur le compte d'un excès d'imagination. Elle comprit qu'elle ne s'était pas trompée et son anxiété redoubla.

— Je vous ai demandé de venir, reprit Alexander, parce que, de toute la famille, c'est avec vous que j'ai toujours eu les rapports les plus étroits, les plus confiants. Je suis confronté, en effet, à certains problèmes. J'avais pensé que nous pourrions en discuter calmement et que vous m'aideriez à prendre un certain nombre de décisions, mais...

— Bien sûr que nous t'aiderons! s'écria Anthony.

L'étrange comportement de son cousin le plongeait à son tour dans une vive inquiétude. Ils s'étaient naguère soutenus l'un l'autre dans des circonstances pénibles et il souhaitait de tout cœur pouvoir lui venir en aide. Il insista:

— De quoi s'agit-il? Des affaires ou de la famille?

— Non. C'est un problème purement personnel.

Alexander regagna son fauteuil à pas lents. Il ne pouvait plus atermoyer, il devait leur assener la vérité:

— Eh bien... je suis gravement malade. En fait, je suis condamné. Pardonnez ma brutalité, se hâta-t-il d'ajouter, mais je ne fais que suivre le conseil d'Emily. Grand-mère avait raison, rien ne vaut la franchise.

Cette révélation les laissa sans voix, sans aucun mot capable d'exprimer leur douleur et leur désarroi. Tremblante, Paula agrippa la main d'Anthony. Il était aussi bouleversé qu'elle : Sandy, condamné ? Sandy, mourant ? Si jeune ? C'était impensable ! Sandy, qui lui avait prodigué tant de réconfort dans ses épreuves, quand Minerva avait été retrouvée noyée dans la pièce d'eau de Clonloughlin... Anthony vida d'un trait son verre de whisky. Il en avait soudain le plus urgent besoin.

Livide, Emily fixait sur son frère un regard incrédule. Rassemblant son courage, elle vint s'agenouiller à ses pieds, lui prit la main :

— Ce n'est pas vrai ! Dis-nous que ce n'est pas vrai, Sandy ! Cela ne peut pas t'arriver, pas à toi...

— Malheureusement si, répondit-il d'une voix ferme. Et je n'y peux rien, ma chérie. Personne n'y peut plus rien.

— Mais pourquoi parles-tu de mourir ? Tu m'as l'air en parfaite santé. De quoi es-tu atteint ?

— D'une forme aiguë de leucémie.

— La leucémie se soigne, de nos jours ! dit Anthony. La recherche médicale sur les diverses formes du cancer a fait des progrès considérables !

— Celle-ci est incurable.

— Explique-toi, à la fin ! dit Emily d'une voix tremblante. Quelle est la cause de cette épouvantable maladie ?

— Sans entrer dans les détails, elle provient d'une altération de certains leucocytes de la moelle épinière, qui vivent plus longtemps que les autres et prolifèrent en les détruisant. Ils gagnent peu à peu l'ensemble de l'organisme.

Paula gémit. Les mots qu'elle était sur le point de prononcer lui restaient dans la gorge. Un instant plus tard, elle parvint à reprendre possession d'elle-même :

— Tu peux compter sur moi, Sandy, comme sur nous tous. De nuit, de jour, n'hésite jamais à faire appel à nous... Mais n'existe-t-il aucun moyen de stabiliser, de simplement *ralentir* la progression de cette maladie ?

— Aucun.

— Tu as sans doute consulté les meilleurs spécialistes de Londres, intervint Emily, mais il faut aller voir ailleurs, en Amérique ! Nous n'avons pas le droit de rester sans réagir !

— Emily a raison, approuva Anthony. Il y a sûrement un nouveau traitement quelque part dans le monde. Moi non plus, je ne peux pas accepter cela sans rien faire !

— Je vous comprends d'autant mieux, les uns et les autres, que j'ai d'abord réagi comme vous, répondit Alexander. J'ai cru à ma guérison, j'ai cherché un traitement. Mais mes espoirs du début ont vite été déçus et, après la révolte, j'en suis arrivé à la résignation. Je suis allé partout, j'ai vu les spécialistes les plus réputés, à Londres, à New York, à Zurich. Il n'y a rien à faire, croyez-moi. Rien. On me soigne, naturellement, mais sans aucun résultat pratique.

Le silence retomba. Soulagé par sa confession, Alexander se détendit enfin. Depuis longtemps résigné à son sort, il ne se souciait plus que de l'effet de ses révélations sur les membres de sa famille, surtout sur sa sœur Emily.

Celle-ci et ses deux cousins s'efforçaient non sans mal d'amortir le choc violent qu'ils venaient de subir. Chacun à sa manière, ils vouaient la même profonde affection à Alexander et, sans le savoir, partageaient au même moment la même pensée : pourquoi *lui* ? Pourquoi le plus doux, le plus tendre, le meilleur des hommes était-il victime d'une si criante injustice du sort ?

— Tu es au courant depuis plusieurs mois, n'est-ce pas ? demanda Paula.

Alexander acquiesça d'un signe.

— Avais-tu déjà appris la nature de ta maladie l'année dernière, à la fin d'août ?

— Non, en octobre. Mais tu ne te trompes pas de beaucoup. Comment avais-tu deviné ?

— Je n'avais rien deviné. Quand tu m'as téléphoné de Leeds, le jour où nous nous sommes manqués de peu au cimetière de Fairley, j'ai simplement eu l'impression que tu ne tournais pas rond. Le son de ta voix, peut-être, je ne sais pas au juste... Mais c'était assez pour que je te pose la question, souviens-toi. Tu m'as répondu que tout allait bien, j'ai cru que mon imagination me jouait un tour et je n'y ai plus pensé.

— Ton intuition ne te trompait pas, ce jour-là. Je ne me sentais pas bien, c'est vrai, j'avais envie de te parler. Je m'inquiétais de symptômes auxquels je ne comprenais rien — une fatigue excessive pour le plus petit effort, des saignements au moindre choc, au point que je me demandais si je n'étais pas devenu tout d'un coup hémophile, ce qui aurait été absurde. Au début d'octobre, mes malaises se sont aggravés — c'est pourquoi j'avais décommandé notre déjeuner, tu t'en souviens sans doute. Finalement, je me suis décidé à consulter mon médecin, qui m'a immédiatement envoyé chez un spécialiste de Harley Street. Les analyses et une biopsie de la moelle épinière ont confirmé son diagnostic.

— Tu as dit tout à l'heure que tu reçois des soins mais qu'ils sont sans résultat, dit Anthony. Ils doivent pourtant te faire du bien, tu n'as pas mauvaise mine. Tu es peut-être un peu pâle et amaigri, mais...

— Ils me prolongent un peu, voilà tout.

— En quoi consistent-ils? demanda Emily.

— En transfusions de sang, en cures d'antibiotiques pour réduire les risques d'infection.

Emily se mordit les lèvres:

— Te... prolonger? Pour combien de temps?

— Quatre, cinq mois, tout au plus. Peu de gens atteints de ce type de leucémie peuvent espérer durer plus d'un an après la détection de la maladie.

— Non, c'est trop injuste! Pas toi, Sandy. Pas toi!...

Elle s'efforça en vain de ravaler ses larmes, de faire preuve d'autant de courage que son frère, de se montrer digne de lui. Alors, plutôt que de se donner en spectacle, elle se leva d'un bond et sortit du salon en courant.

24

Dans le vestibule, appuyée à la rampe d'escalier pour maîtriser ses tremblements, Emily laissa enfin couler ses larmes. Sandy, son frère, allait mourir. Et il n'avait que trente-sept ans... Elle ne pouvait, elle ne voulait pas se résigner.

Elle entendit s'ouvrir la porte du salon et sentit qu'on la prenait aux épaules. Elle se retourna. Alexander lui essuya les yeux avec son mouchoir:

— Allons, ma chérie, un peu de courage. Je te le demande pour moi. J'ai trop de peine à te voir malheureuse. Bien sûr, le choc est rude. Mais on ne peut pas annoncer sa mort avec ménagements à ceux qu'on aime...

Incapable de répondre, Emily se blottit dans ses bras.

— Merci de m'avoir rappelé le conseil de grand-mère, reprit-il. Il m'a donné le courage de vous parler. Je retardais ce moment depuis des semaines et je ne pouvais plus attendre, vois-tu. Les effets de la maladie ne vont pas tarder à se manifester, tu t'en serais rendu compte. Cette situation entraîne surtout un certain nombre de mesures qu'il faut prendre dès maintenant. Le temps passe vite, tu sais, très vite.

Emily fit des efforts désespérés pour se dominer.

— Rien ne sera plus jamais pareil, Sandy, quand tu... ne seras plus là, parvint-elle à dire. Qu'allons-nous devenir? Que vais-je faire, sans toi?...

Elle s'en voulut de paraître égoïste, mais il était trop tard pour reprendre les mots qui lui avaient échappé.

— Tu mèneras ta vie avec le courage que tu as toujours eu, Emily, celui que grand-mère nous a inculqué. Winston, tes enfants, c'est à eux que tu dois penser avant tout. Je ne me fais plus de soucis pour Francesca depuis son mariage avec Oliver, mais Amanda m'inquiète. Elle est si fragile, si impressionnable... Tu veilleras sur elle, n'est-ce pas?

— Je te le promets.

Ils restèrent ainsi, étroitement enlacés. Alexander rassemblait de son mieux ses forces déclinantes. La prochaine demi-heure allait être éprouvante, il ne pouvait y échapper.

Serrée contre lui, Emily se rendit compte à quel point il était décharné. Elle remarquait pour la première fois sa pâleur, ses yeux cernés. Pourquoi ne s'était-elle encore aperçue de rien, pourquoi n'avait-elle pas prêté plus d'attention à la santé de ce frère qu'elle aimait si tendrement? Les remords l'étouffaient.

Alexander la lâcha enfin, essuya encore une fois ses joues humides de larmes et sourit malgré lui. Sous son apparence délicate, Emily dissimulait une volonté d'acier, à l'image de leur grand-mère. Comme Emma, elle saurait faire face.

Elle parut avoir deviné ses pensées:

— Ne t'inquiète pas pour moi, Sandy. Tu as été pour moi le meilleur des frères, le plus sûr des amis. Je ne te l'avais encore jamais dit, mais je veux que tu saches...

— Je le sais déjà, ma chérie. Moi aussi, je t'aime. Mais pas d'attendrissement, je t'en supplie, je ne suis pas en état de le supporter. Rentrons au salon, veux-tu? Il est grand temps de nous occuper de l'avenir.

Un instant plus tard, ils étaient de nouveau réunis autour de la cheminée. Paula aurait paru parfaitement maîtresse d'elle-même si sa pâleur et ses yeux rougis ne l'avaient trahie.

— Commençons, si vous le voulez bien, par les questions concernant Harte Enterprises, déclara Alexander. J'ai eu le temps d'y réfléchir, mais j'aimerais d'abord connaître votre opinion avant de prendre des décisions définitives.

— Je n'ai rien à voir dans les affaires de la famille, intervint Anthony. Je crains même d'être de trop.

— Pas du tout. Tu es l'aîné des petits-enfants d'Emma Harte et, à ce titre...

— C'est Paula, le chef de famille, l'interrompit Anthony. Responsabilité que je ne lui envie d'ailleurs nullement!

— Moi non plus... Il n'empêche que tu es à la fois mon cousin et mon meilleur ami. Je tiens à ta présence — disons, pour me soutenir moralement. D'accord?

Anthony acquiesça d'un signe.

— Bien. Cela posé, je regrette de vous avoir convoqués alors que Winston est au Canada, mais il fallait que cette réunion ait lieu cette semaine, car j'entre demain à l'hôpital. De toute façon, son groupe de presse est indépendant des autres sociétés familiales et n'est donc pas concerné par les décisions que nous allons prendre.

— Winston ne t'en voudra sûrement pas, dit Emily. Combien de temps resteras-tu à l'hôpital?

— Quelques jours, il s'agit d'un de ces traitements de routine et ils me font du bien. Mais revenons à l'essentiel. Nous examinerons tous les points calmement, sans y mêler de sentiments inutiles. Selon les bonnes habitudes de la famille, je tiens à laisser mes affaires en ordre...

Certain de l'attention de son auditoire, il poursuivit:

— Depuis quinze jours, j'ai retourné le problème sous tous les angles. J'ai envisagé de vendre Harte Enterprises et de placer les capitaux, ou de céder certaines divisions pour n'en conserver qu'un nombre restreint. J'en suis alors arrivé à deux conclusions: la première, Emily, c'est que tu désirerais peut-être diriger Harte Enterprises à ma place et que j'avais tort de vouloir décider sans t'avoir consultée au préalable. Je me suis ensuite demandé ce que grand-mère aurait souhaité que nous fassions dans cette situation, et je suis persuadé qu'elle se serait opposée à la vente. La société est trop prospère et a trop d'importance pour la famille entière. Qu'en pensez-vous? Etes-vous d'accord?

— Oui, murmura Emily, trop bouleversée par la perspective d'un avenir dont son frère serait absent pour en dire davantage.

— Je suis pleinement d'accord avec toi, dit Paula en faisant un effort pour parler sans trembler. Grand-mère aurait certainement voulu qu'Emily te succède.

— Bien. Je propose donc qu'Emily soit rapidement nommée présidente du conseil d'administration et directrice générale, de sorte que je puisse lui transmettre mes pouvoirs et me retirer le plus tôt possible.

— Tu désires sans doute qu'Amanda reprenne Genret, mon secteur d'import-export? demanda Emily.

— Oui, si tu es d'accord. Je crois également que nous pourrions vendre Lady Hamilton.

— Aux Kallinski, je pense? dit Paula.

— Oui. Oncle Ronnie a des droits moraux sur cette filiale qui, ainsi, ne sortira pas vraiment de la famille. Je voudrais seulement savoir, Paula, si cette solution te convient. Tu n'es pas directement concernée par Harte Enterprises, mais Lady Hamilton est fournisseur exclusif de la chaîne *Harte's*.

— Oncle Ronnie m'a donné toutes assurances sur ce point quand nous en avions évoqué l'éventualité en août dernier.

— Bien. Et toi, Emily?

— Je n'ai aucune objection. Mais que va dire Amanda? Elle est très attachée à Lady Hamilton.

— Je sais. Mais elle comprendra sûrement qu'à situation exceptionnelle il faut des solutions exceptionnelles. Et puis, elle ne perdra pas au change avec Genret, qui la passionnera autant que toi quand tu en as pris la tête il y a douze ans.

— C'est vrai...

— Qu'y a-t-il, Emily? Tu parais hésitante.

— Non, mais... Je ne suis pas sûre d'être à la hauteur. Je ne connais rien, par exemple, à l'immobilier.

— Ne t'inquiète pas. Thomas Lorring dirige ce secteur avec la plus grande compétence depuis le départ de Jonathan et j'ai toute confiance en lui. Il continuera à travailler pour toi quand tu auras pris ma place. Car tu acceptes de la prendre, n'est-ce pas?

— Oui, Sandy.

Emily surmontait à grand-peine son désarroi à l'idée de

devoir remplacer son frère. Si seulement Winston était là pour la soutenir, la réconforter... Mais son mari ne rentrerait pas du Canada avant une semaine. Pour la première fois depuis très longtemps, elle se sentait complètement désemparée.

Personne ne disait mot. Alexander s'était levé pour aller de nouveau se poster devant la fenêtre. Au bout d'un long silence, il regagna la cheminée et resta debout, le dos au feu.

— En ce qui concerne mes biens personnels, dit-il, j'ai l'intention de léguer cette maison à Francesca et le Prieuré à Amanda. Bien entendu, Emily, la villa Faviola est à toi.

Les yeux pleins de larmes, la gorge serrée, Emily ne répondit pas. Anthony s'était détourné afin de dissimuler son visage défait. Paula était bouleversée. Cet après-midi encore, elle se sentait joyeuse, optimiste. Quelques heures plus tard, la disparition inéluctable d'un cousin tendrement aimé la plongeait sans transition dans le plus profond chagrin qu'elle eût éprouvé depuis la mort de sa grand-mère et de son père.

Dans un silence entrecoupé de sanglots étouffés et de rares paroles d'approbation, Alexander poursuivit l'énumération des mesures qu'il comptait prendre pour répartir entre ses proches ses participations dans les sociétés familiales. Résolu à ne plus revenir sur le sujet, il parlait d'un ton ferme, ne laissant place ni au doute ni aux regrets.

Quand il eut terminé, Anthony prit enfin la parole:

— Viens te reposer à Clonloughlin après ton traitement, Sandy. Tu y resteras aussi longtemps que tu voudras.

— Rien ne me ferait plus de plaisir, Anthony. J'accepte volontiers. Ensuite, Emily, je travaillerai quelques semaines avec toi pour te mettre au courant de tous les détails. Mais je te crois déjà capable de t'en sortir les yeux fermés.

Emily ne répondit que d'un signe de tête.

— Que puis-je faire pour toi, Sandy? demanda Paula. Je voudrais tant pouvoir t'être utile...

— Merci, Paula, je n'ai besoin de rien... Si, à la réflexion, il y a un service que j'aimerais vous demander à vous trois:

pas un mot de ma maladie. Je n'ai aucune envie de devenir un sujet de conversation pour toute la famille. Je ne veux surtout pas subir la pitié des uns et des autres, encore moins voir les mines s'allonger en ma présence.

— Je te comprends, dit Emily. Mais j'aurai du mal, je te l'avoue, à ne rien dire à Winston.

— Tu peux lui en parler, bien entendu. De même que Paula peut prévenir Shane, et Anthony Sally. Je vous demande simplement de garder le silence vis-à-vis de vos enfants et de nos demi-sœurs, Amanda et Francesca. Pour le moment du moins.

— Et maman? insista Emily. Faut-il, elle aussi, la laisser dans l'ignorance?

— Surtout elle! Tu sais bien qu'elle s'affole pour un rien. Imagine comment elle réagirait... Et maintenant, si nous buvions quelque chose?

— C'est un bien lourd fardeau que tu t'es imposé de porter seul, Sandy, lui dit Anthony une dizaine de minutes plus tard. Tu aurais pu te confier à moi, tu sais.

Emily et Paula étaient parties ensemble et les deux cousins finissaient leurs verres avant de sortir dîner.

— Tu as raison. Mais je voulais d'abord amortir le choc. Comme je le disais tout à l'heure, je suis passé par une série d'émotions — incrédulité, colère, accablement. Le pire, c'est de se sentir si impuissant... J'étais hors d'état de me confier à quiconque avant de me dominer moi-même, avant d'avoir exploré toutes les possibilités de traitement. Quand j'ai dû me rendre à l'évidence qu'il n'existait aucun espoir de guérison, j'ai compris que je devais me résigner. Je le suis maintenant, rassure-toi — et je suis redevenu à peu près maître de moi, sinon je n'aurais pas pu vous parler ce soir. Cette épreuve est terminée, je puis enfin me détendre et me consacrer aux quelques mois qui me restent à vivre. Je compte, d'ailleurs, en profiter le mieux possible.

Anthony dissimula son trouble en avalant une gorgée de

whisky. Aurait-il été capable de faire preuve d'autant de courage et de dignité que son cousin? Il en doutait, car il fallait une force d'âme peu commune pour affronter l'imminence de sa propre mort avec un tel stoïcisme.

— Allons, Anthony, ne fais pas cette tête-là! J'ai déjà eu assez de mal à ne pas craquer devant Emily... Si c'est dur pour vous autres, ce l'est encore plus pour moi, tu sais.

— Pardonne-moi, mon vieux...

— Tu n'as pas à t'excuser. Je voudrais simplement que tout redevienne aussi normal que possible, cela me faciliterait bien les choses. Je ferai comme si je n'avais rien, je mènerai ma vie comme d'habitude. Sinon, ce serait vraiment l'enfer...

— Viendras-tu quand même à Clonloughlin?

— Bien sûr, dans une quinzaine de jours.

— Combien de temps penses-tu pouvoir rester?

— Dix jours, quinze peut-être... Dis-moi, j'ai retenu une table au Mark's Club pour 21 heures. Nous pourrions y aller sans nous presser, le temps de prendre un verre au bar...

La sonnerie du téléphone l'interrompit. Alexander alla répondre dans la pièce voisine et revint un instant plus tard:

— C'est pour toi. Sally t'appelle d'Irlande.

— Ah, oui! J'attendais son coup de fil.

— Surtout, ne lui dis rien maintenant.

Anthony le rassura.

Une fois seul, Alexander ferma les yeux, épuisé. Les deux dernières heures l'avaient durement éprouvé. Malgré leurs efforts pour paraître braves, les autres avaient très mal supporté le choc. Il n'avait lui-même réussi à leur donner le change qu'en affectant un détachement qu'il était loin de ressentir.

Pourtant, il avait accepté son destin et se résignait à la mort sans plus se révolter, dans l'espoir que son exemple serait un jour utile à ceux qui lui étaient chers. Seule, Emily lui inspirait de l'inquiétude. Depuis toujours, ils se soutenaient l'un l'autre. Pendant leur enfance et leur jeunesse, leur mère, toujours volage, courait d'un homme à l'autre, se mariait à tort et à travers avec le premier venu. Quant à leur père, bon mais faible, il était trop accablé par les infidélités de sa femme pour prendre conscience de l'existence de ses enfants. La vie de leurs parents avait été un désastre permanent — peut-être comme la vie elle-même...

Grand-mère n'approuverait pas ce genre de pensées débilitantes, se dit-il avec un sourire. Pour Emma Harte, indomptable jusqu'à son dernier jour, il n'y avait pas de désastre, pas d'épreuve qui ne puissent, qui ne *doivent* être surmontés. Pour d'autres, en revanche, la vie n'est qu'une longue tragédie...

La voix d'Anthony le rappela à la réalité:

— Sandy, tu vas bien?

Il ouvrit les yeux, vit la mine inquiète de son cousin.

— Oui, rassure-toi. Je récupérais un peu, voilà tout. Ces dernières heures m'ont fatigué.

— On le serait à moins... Viens, allons dîner.

Quelques minutes plus tard, ils marchaient du même pas dans la rue balayée par un vent froid. Frissonnant, Alexander releva le col de son pardessus et mit ses mains dans ses poches.

— Quelles nouvelles de Sally?

— Tout va bien de son côté. Je lui ai annoncé ta visite, sans d'autres commentaires bien entendu. Inutile de te préciser qu'elle est enchantée de t'avoir à la maison... Elle m'a quand même dit quelque chose de bizarre, ajouta-t-il.

— Ah, oui? Quoi donc?

— Bridget — tu sais, la gouvernante du château — veut à tout prix savoir quand je compte rentrer, sous prétexte qu'elle a hâte de me parler. Je me demande bien de quoi!

— Tu ne m'en voudras pas de te dire que ta gouvernante m'a toujours paru plutôt excentrique.

— A toi aussi? C'est vrai, elle est un peu... fêlée, comme

beaucoup d'Irlandais, malheureusement. Bah ! Peu importe. Il ne s'agit sans doute que d'une de ses lubies... Ah ! Nous voici arrivés.

Avec un soupir de soulagement, les deux cousins s'engouffrèrent dans l'entrée chaude et accueillante de leur club.

25

Il pleuvait à Clonloughlin le lendemain du retour d'Anthony et la brume estompait le contour des arbres et de la façade du château.

De l'allée centrale du parc, Anthony admira encore une fois la demeure que la grisaille de cette journée d'hiver ne parvenait pas à enlaidir. Située au sommet d'une légère éminence, c'était une harmonieuse construction palladienne du XVIIIe siècle, à portique et fronton, entourée d'un vaste parc. Ses trois cent soixante-cinq fenêtres — folie d'un ancêtre bâtisseur dont Anthony s'était toujours réjoui — lui conféraient légèreté et originalité. Elles ouvraient largement l'intérieur sur la campagne environnante et laissaient entrer à flots l'air, la lumière et, pendant la belle saison, un soleil souvent voilé.

Anthony aimait Clonloughlin avec passion. Il y était né quarante-cinq ans plus tôt, il ne souhaitait vivre nulle part ailleurs et c'est là qu'il voulait mourir quand son heure aurait sonné. Jeremy, son fils aîné, lui succéderait alors en assurant la continuité de la lignée. Les Standish, comtes de Dunvale, plongeaient leurs racines à Clonloughlin depuis plusieurs siècles. De nombreux autres, à coup sûr, s'écouleraient avant qu'ils ne s'éteignent.

La veille au soir, Sally était venue le chercher à l'aéroport de Cork. Anthony avait toutefois préféré attendre qu'ils soient seuls dans leur chambre pour lui apprendre les tristes nouvelles de leur cousin. Elle avait été bouleversée, il l'avait réconfortée de son mieux et, afin de se consoler tous deux, ils avaient projeté en détail le séjour que viendrait faire Alexander après sa sortie de l'hôpital. En vain : Sally pleurait encore quand elle était finalement parvenue à s'endormir. Son frère

Winston et elle avaient passé toute leur enfance avec Alexander et Emily. Alexander était aussi le parrain de Gilles, leur fils cadet âgé de neuf ans. Pour Sally, le choc était trop rude.

Ayant lui-même mal dormi, Anthony s'était levé à l'aube sans que sa promenade dans le parc et la vue des paysages familiers atténuent sa tristesse. La pluie redoublait. Rentré au château par une porte latérale, il se débarrassa de son ciré ruisselant et se dirigea vers son cabinet de travail.

Il n'était que sept heures du matin, Sally et les deux enfants dormaient encore. Assis à son bureau, Anthony s'absorba dans la lecture du courrier arrivé pendant son absence et n'entendit pas entrer Bridget, la gouvernante:

— Monsieur me pardonnera de n'avoir pas fait allumer le feu, je ne m'attendais pas à ce que Monsieur soit levé de si bon matin.

— Aucune importance, Bridget, je n'ai pas froid.

— Le feu est tout prêt. Je n'ai qu'à y mettre une allumette et j'irai chercher le thé et les toasts de Monsieur.

— Merci, Bridget.

Il s'abstint de demander ce qu'elle avait de si urgent à lui dire. Mieux valait attendre qu'elle en prenne l'initiative et qu'il ait eu le temps de se réconforter avec son petit déjeuner. Bridget se montrait volontiers bavarde et Anthony ne se sentait pas d'humeur à l'affronter l'estomac vide, surtout ce matin-là.

Pendant qu'elle s'affairait devant la cheminée, il lut une lettre de son fils aîné, Jeremy, qui avait regagné son internat à la fin des vacances de Noël. Comme tous les collégiens de onze ans, il n'écrivait sans doute que pour lancer un appel de détresse. Après quelques lignes de banalités et de sentiments filiaux, Jeremy concluait en effet par une urgente demande de fonds. Comment le lui reprocher? se dit-il, amusé. Il était exactement pareil à son âge... Jeremy lui causait toutefois d'autres soucis. C'était un enfant délicat, beaucoup moins robuste que Gilles et India, ses jeunes frère et sœur. Anthony devait souvent lutter contre la tentation de le dorloter comme le faisait Sally. Il terminait la lecture de la lettre quand la gouvernante reparut, un plateau à la main.

— Où Monsieur désire-t-il que je le pose?

— Ici, sur mon bureau. Merci, Bridget.

Il se versa du thé, tartina un toast de confiture d'orange, leva les yeux. Bridget n'avait pas bougé. Anthony soupira, agacé :

— Qu'y a-t-il, Bridget?

— Il faut que je vous parle, Monsieur.

— Cela ne peut pas attendre?

— Non, Monsieur. C'est très important.

— Soit... Mais, de grâce, asseyez-vous! J'ai horreur qu'on reste planté devant moi comme cela.

La gouvernante s'assit au bord d'une chaise en se tordant nerveusement les mains. Anthony finit de manger son toast puis, n'entendant rien venir, lança un regard interrogateur.

— Je ne sais trop comment vous dire... commença-t-elle.

Anthony reposa la tasse qu'il allait porter à ses lèvres. Entendre la même phrase pour la deuxième fois en quelques jours lui paraissait de mauvais augure.

— Parlez, Bridget! Nous nous connaissons depuis assez longtemps pour que vous n'ayez aucune crainte.

— C'est au sujet de Lady Dunvale...

— Ah, oui? dit-il, étonné.

— Il ne s'agit ni de l'actuelle Lady Dunvale ni de Madame la comtesse douairière. C'est de la première épouse de monsieur que je veux parler. De Lady Minerva...

Anthony perdit soudain tout intérêt pour son déjeuner.

— Alors? Je vous écoute.

— C'est-à-dire que... Cela concerne sa mort.

Anthony réprima un nouveau sursaut et se prépara à entendre le pire :

— Faut-il vraiment en parler, si longtemps après?

— Oui, Monsieur.

— Pourquoi?

— Parce que j'ai besoin de décharger ma conscience. Il faut que je vous dise comment les choses se sont réellement passées. Depuis des années, je n'en dors plus. J'en fais des cauchemars jusqu'à aujourd'hui...

Elle marqua un temps. Anthony déglutit avec peine.

— Ce n'était pas un suicide comme avait conclu l'enquête, reprit Bridget.

— Voulez-vous dire que Lady Dunvale s'est noyée accidentellement, ainsi que je l'ai toujours soutenu?

— Non, Monsieur. Elle était dans la pièce d'eau parce que quelqu'un l'y avait... jetée.

Il y eut un silence. Anthony se força à demander:

— Qui?

Bridget semblait n'attendre que cela, car il n'y eut plus moyen de l'arrêter:

— Michael Lamont. Ce samedi-là, ils étaient chez lui. Ils se sont querellés, il l'a frappée. En tombant, elle s'est cogné la tête contre la cheminée du salon — rappelez-vous ses contusions au visage, le médecin légiste et le Dr Brennan en ont fait état pendant l'enquête. Elle était inconsciente, Lamont a essayé de la ranimer mais, au bout de quelques minutes, il a constaté qu'elle était morte. Il a cru qu'elle avait eu une crise cardiaque ou quelque chose de ce genre: tout au long de l'après-midi et de la soirée, elle n'avait pas cessé de boire de l'alcool. Avec les tranquillisants et les drogues qu'elle prenait sans arrêt, le mélange devait fatalement finir par la tuer, a-t-il dit. Alors, Lamont a été la jeter dans la pièce d'eau. Le lendemain, il a fait semblant de découvrir son corps. Il est monté au château vous prévenir, il a lui-même appelé la police, si bien que personne ne pouvait le soupçonner d'être mêlé à l'affaire. C'est même vous qu'un des policiers a soupçonné — si ce n'est pas une honte, quand même!

Anthony se trouva ramené plus de dix ans en arrière. Il respira à fond, parvint à se calmer.

— Comment se fait-il que vous sachiez tout cela, Bridget? demanda-t-il enfin.

— Parce que, cet après-midi-là, Lady Minerva était venue en voiture de Waterford. Monsieur sait qu'elle venait souvent à Clonloughlin, malgré votre interdiction et la procédure de divorce en cours. Mais cela n'empêchait rien, elle venait souvent me rendre visite — en réalité, c'était pour le voir, lui. Ce jour-là, nous avons pris le thé ensemble. Elle m'a quittée vers cinq heures en disant qu'elle allait se promener dans le parc. D'ailleurs, Monsieur avait remarqué sa petite voiture rouge en rentrant ce soir-là, puisque vous aviez fait un détour pour ne pas la rencontrer. Vous ne risquiez rien, car, à ce moment-là, elle était déjà chez Lamont. Elle m'avait dit qu'ils dîneraient ensemble mais que, cette fois-ci, elle ne passerait pas la nuit chez lui... Parce que Monsieur l'ignore peut-être, mais ces deux-là avaient... étaient...

Elle reprit son souffle avant de poursuivre, sur un débit de plus en plus précipité:

— Bref, ils étaient amants. Ce jour-là, Lady Minerva m'avait dit qu'elle viendrait me dire bonsoir à la cuisine vers dix heures et demie — elle ne quittait jamais Clonloughlin sans me dire au revoir. Inquiète de ne pas l'avoir vue à onze heures et demie, je suis allée chez Lamont. Et là...

Bridget se tut, les larmes aux yeux, émue par les souvenirs de son enfance, les plus beaux de sa vie. La petite paysanne qu'elle était alors avait pour compagnons de jeux Minerva Glendenning, fille de Lord Rothmerrion, et Anthony Standish, aujourd'hui Lord Dunvale. Ils avaient le même âge, ils étaient les meilleurs amis du monde...

Anthony faillit céder à un mouvement de compassion.

— Continuez, Bridget, dit-il plus sèchement qu'il n'aurait voulu. Il faut que je sache tout.

— Quand je suis arrivée devant chez Lamont, j'ai trouvé la porte close, les rideaux tirés, mais je les entendais se disputer à l'intérieur. Ils se jetaient à la tête des mots, des insultes... Je ne peux pas les répéter, c'était horrible. Lady Minerva était tellement ivre qu'elle ne se contrôlait plus. Et puis, d'un seul coup, silence complet. Alors, j'ai pris peur, j'ai tapé à la porte, j'ai appelé et Lamont m'a ouvert — il ne pouvait pas faire autrement, bien sûr. En voyant Lady Minerva étendue par terre, j'ai cru que mon cœur avait cessé de battre! J'ai couru, j'ai essayé de la ranimer, mais il était déjà trop tard. Elle était morte. C'est alors que Lamont a eu l'idée de la porter dans la pièce d'eau pour faire croire qu'elle s'était noyée. Il avait très peur que vous ne le chassiez en découvrant qu'ils couchaient ensemble depuis des années, il ne pouvait pas se permettre de perdre son emploi. Et puis, même innocent de la mort de Lady Minerva, les apparences étaient contre lui et suffiraient à le faire condamner. C'est du moins ce qu'il me disait, Monsieur. Il me l'a répété plus de vingt fois.

Ce récit laissa Anthony partagé entre le dégoût et l'indignation.

— Pourquoi ne m'avez-vous rien dit à ce moment-là? s'écria-t-il d'une voix tonnante. Pourquoi vous être rendue complice de Lamont?

Bridget ne répondit pas. A son air buté, Anthony comprit qu'il devrait s'y prendre autrement pour la forcer à avouer les raisons de son long silence, à expliquer ce qui la poussait à cette confession inattendue et manifestement incomplète.

C'est alors qu'une affreuse pensée lui vint à l'esprit.

— Qu'est-ce qui vous rendait si sûre que Minerva était morte? demanda-t-il en se forçant à garder son calme. Elle n'était peut-être qu'inconsciente. Si elle était encore en vie quand il l'a jetée dans la pièce d'eau, Lamont n'aurait pas simplement camouflé sa mort en suicide, il l'aurait bel et bien assassinée.

— Non, c'est impossible! Elle était déjà morte, j'en suis certaine!

— L'autopsie a révélé la présence d'alcool et de barbituriques dans le sang, mais aussi une importante quantité d'eau dans les poumons. C'est ce qui a permis au médecin légiste de conclure que la mort était due à la noyade. Elle n'était donc pas morte quand elle a été jetée dans l'étang: je ne connais pas d'exemple de cadavres capables d'aspirer de l'eau!

Bridget était devenue livide.

— Non! Elle ne vivait déjà plus, je vous le jure! Je ne lui aurais jamais fait de mal, je l'aimais trop, vous le savez!

La sincérité de sa protestation ébranla Anthony:

— Son corps était-il encore chaud quand Lamont l'a emporté à l'étang?

Hors d'état de parler, Bridget fit un signe affirmatif.

— Il faut environ deux heures avant que la rigidité cadavérique ne se manifeste. En supposant que le corps puisse absorber de l'eau juste après la mort, cela ne saurait en aucun cas dépasser vingt, trente minutes. Seul, un médecin pourrait me le confirmer de façon certaine...

Horrifiée, Bridget se tordait les mains. Au bout d'un long silence, Anthony reprit la parole:

— J'aimerais savoir pourquoi vous vous décidez à me raconter cette sordide histoire au bout de dix ans. Répondez, Bridget. Parlez, que diable!

— Je vous l'ai déjà dit: tout cela pesait trop lourd sur ma conscience! Je savais combien vous étiez bouleversé qu'elle soit venue se suicider ici, chez vous. Vous vous l'êtes reproché des années, vous pensiez qu'elle avait perdu la raison à cause du divorce. Vous pensiez aussi que vos rapports avec votre cousine Sally Harte l'avaient poussée à se tuer...

Anthony ne put retenir une grimace. Il y avait beaucoup de vrai dans les propos de Bridget.

— Je vous ai tout raconté dans l'espoir d'apaiser vos remords, conclut-elle. Vous n'avez rien à vous reprocher.

Elle en faisait trop. Anthony n'en crut pas un mot et s'efforça de deviner son véritable mobile: depuis la mort de Minerva, Bridget et Lamont avaient une liaison, il le savait. Or, Lamont devait quitter définitivement Clonloughlin. Il partait pour les Etats-Unis au service d'une jeune veuve américaine qui, après avoir loué un an le château de Rothmerrion, regagnait son haras de Virginie. Anthony savait aussi que son régisseur et la jeune femme étaient en bons termes ; il se doutait de rapports plus étroits entre eux depuis que Lamont lui avait présenté sa démission un mois auparavant. Songeur, il alla tisonner les bûches. Ce n'était qu'une hypothèse, certes, mais il était presque certain de ne pas se tromper.

Il observa Bridget avec plus d'attention. Sans avoir jamais été vraiment jolie, ses cheveux roux, ses yeux bleus, sa silhouette bien tournée, ses longues jambes fines avaient attiré les hommes dans sa jeunesse. L'or de sa chevelure virait maintenant au gris terne, la silhouette s'était épaissie. De ses charmes passés, il ne restait que les yeux — toujours bleus, mais froids, calculateurs. Enfant, Bridget O'Donnell possédait déjà un caractère difficile, dominateur. Elle avait conservé une étrange emprise sur Minerva. Pourquoi s'était-il si longtemps aveuglé sur le compte de cette vieille camarade ? Sa famille était au service de la sienne depuis des générations. Mais cela suffisait-il à justifier sa confiance ?...

— Vous connaissez sûrement ce vieux proverbe, Bridget : « Il n'est pire furie qu'une femme jalouse », dit-il enfin.

— Je ne comprends pas, Monsieur...

— Vous avez toujours été amoureuse de Michael Lamont et c'est pourquoi vous l'avez aidé, vous l'avez protégé tout ce temps. Minerva morte, vous lui avez succédé dans les bras de Lamont. Et c'est parce qu'il vous quitte pour une femme plus jeune — et riche ! — que vous vous vengez en le poignardant dans le dos. N'est-ce pas la vraie raison pour laquelle vous venez maintenant le dénoncer, Bridget ?

— Non. Comme je l'ai déjà dit, je ne voulais que vous rendre la tranquillité de votre conscience, vous assurer que vous n'aviez rien à vous reprocher pour la mort de...

— Mais je ne me reproche plus rien depuis de longues années ! Je suis désormais certain que vous ne dénoncez Lamont que par jalousie. Vous vous vengez parce que votre amant vous plaque. C'est bien cela, n'est-ce pas ? Avouez, Bridget !

Elle ne répondit pas, mais sa rougeur subite démontra à Anthony qu'il avait touché juste. Ne pouvant soutenir son regard, elle se détourna presque aussitôt.

— Qu'allez-vous faire ? demanda-t-elle un instant plus tard. Irez-vous lui demander des explications ?

— Bien entendu ! On ne peut pas fermer les yeux sur les faits que vous m'avez révélés. Vous le savez d'ailleurs si bien que c'est votre seule raison de m'en avoir parlé... Je compte aussi demander à la police de rouvrir l'enquête sur la mort de mon ex-femme. Etes-vous consciente, Bridget, de vous être rendue coupable de dissimulation d'indices et de faux témoignage? Si Minerva était encore en vie au moment où Lamont l'a jetée à l'eau, il y a plus grave encore: vous devenez sa complice. *Complice d'un meurtre.*

Dès que Bridget se fut retirée, Anthony décrocha le téléphone et appela un numéro à Cork. Au bout de dix minutes, il raccrocha, la mine sombre.

Il alla remettre son ciré et ses bottes. Il ne pleuvait plus mais le ciel restait couvert et le brouillard ne s'était pas dissipé. Marchant d'un bon pas, il se dirigea vers la maison du régisseur, adossée à un petit bois près de l'étang. Il entra sans frapper, traversa le vestibule et ouvrit à la volée la porte du bureau.

Michael Lamont était penché sur un livre de comptes. Le soudain courant d'air qui dérangea ses papiers lui fit lever la tête. Il sourit en reconnaissant Anthony:

— Bonjour, monsieur...

Son sourire s'effaça aussitôt:

— Que... qu'y a-t-il? dit-il en se levant.

Adossé à la porte, Anthony observa le régisseur en silence. Brun, trapu, d'un abord sympathique, Lamont travaillait pour lui depuis près de vingt ans et Anthony s'était flatté de bien le connaître. Mieux qu'un serviteur dévoué, il le considérait comme un ami. Comment avait-il pu se tromper à ce point sur son compte?

— Bridget vient de me raconter une étrange histoire sur la mort de ma première femme, déclara-t-il sans préambule.

Surpris, Lamont sursauta. Il alla s'accouder à la cheminée, le plus loin possible de son patron. Pour se donner le temps de la réflexion, il alluma une cigarette.

— Où voulez-vous en venir? demanda-t-il enfin.

— Pas de faux-fuyants, Lamont. Bridget m'a avoué en détail ce qui s'est passé dans cette maison ce soir-là.

Tout en parlant, Anthony se rapprochait de Lamont sans le quitter des yeux. L'autre chercha à se donner une contenance en tirant de longues bouffées de sa cigarette.

— Quelle preuve aviez-vous que Minerva était morte? Vous n'êtes pas médecin, que je sache?

— Elle était morte, je vous le jure! On n'a pas besoin d'être médecin pour constater que quelqu'un a cessé de respirer! J'ai tout tenté pour la ranimer, je lui ai fait du bouche-à-bouche, mais sans succès. J'aimais Minerva. Vous ne pouvez pas en dire autant, Dunvale!

Il tirait toujours nerveusement sur sa cigarette. Pas à pas, Anthony se rapprocha, les poings serrés, maîtrisant à grand-peine une furieuse envie de boxer le régisseur.

— Ne parlez pas d'amour, Lamont, c'est un mot absent de votre vocabulaire! Vous n'êtes qu'un vulgaire coureur de jupons doublé d'un menteur.

— Et c'est vous qui osez me le dire? Vous qui avez jeté Minerva dans mes bras en la délaissant des années durant pour courir après vos maîtresses?

— Ne me poussez pas à bout, Lamont! Pourquoi n'êtes-vous pas aussitôt venu me prévenir de son malaise? Vous auriez au moins pu appeler un médecin! Par quelle aberration avez-vous décidé d'agir comme vous l'avez fait?

Michael Lamont comprit que Bridget O'Donnell l'avait trop bien trahi pour qu'il espère s'en tirer par des mensonges. En pareil cas, la vérité constitue le meilleur recours.

— J'avais peur que vous ne me chassiez en apprenant notre liaison. Je ne suis pas riche, vous le savez, et je ne pouvais pas me passer de cet emploi. J'avais peur que vous ne me rendiez responsable de sa mort. Les circonstances m'accablaient et il y a bien des innocents condamnés sur des preuves moins évidentes. Je n'avais pas le choix, comprenez-vous? J'étais *forcé* de camoufler sa mort pour me protéger!

— Vous protéger!... Je me demande comment vous avez fait, sachant ce que vous saviez, pour me regarder dans les yeux pendant dix ans. Vous n'êtes qu'un salaud, Lamont!

Le régisseur ne répondit pas. Il s'en voulait de n'avoir pas depuis longtemps quitté Clongloughlin. Il n'était resté qu'à cause de Bridget, de l'emprise qu'elle exerçait sur lui. Il avait eu grand tort de se fier à elle, il en avait maintenant la preuve. Quand, d'un commun accord, ils avaient mis fin à leur longue liaison, il s'était cru définitivement débarrassé d'elle. Elle semblait avoir bien pris leur rupture, sans lui vouer trop de rancune. Or, à peine jetait-il les yeux sur une autre femme qu'elle le poignardait dans le dos...

— J'ai une forte envie de vous casser la figure comme vous le mériteriez, reprit Anthony. Mais, rassurez-vous, je ne lèverai pas le petit doigt. Je préfère laisser la justice faire ce travail à ma place.

Lamont sursauta:

— Quoi? Qu'avez-vous dit?

— Vous avez fort bien entendu: je compte demander la réouverture de l'enquête sur la mort de ma première femme. Je suis convaincu que vous l'avez tuée et je veux vous voir payer les conséquences de votre acte criminel.

— Mais vous êtes fou, complètement fou, Dunvale! Vous ne savez plus ce que vous dites! Minerva s'empoisonnait depuis des années avec toutes les cochonneries qu'elle avalait sans arrêt. Elle est morte sur le coup en tombant...

Lamont hurlait, le visage congestionné, les yeux écarquillés de terreur.

— Vous vous trompez, Lamont. Une ingestion excessive d'alcool et de barbituriques l'avait rendue inconsciente , mais elle était vivante quand vous l'avez jetée dans l'étang...

— Vous mentez! Vous inventez n'importe quoi!

— Non, malheureusement pour vous. Je viens de m'entretenir par téléphone avec le médecin légiste qui a procédé à l'autopsie de Minerva. Rappelez-vous: c'est lui qui, à l'enquête, avait conclu à la noyade. Or, ce médecin, le Dr Kenmarr, m'a confirmé ce dont j'étais déjà presque sûr: un cadavre ne peut *en aucun cas* avaler de l'eau, même si la personne n'est morte que depuis une seconde. Minerva était donc *vivante* quand vous l'avez mise dans l'eau. Vous l'avez assassinée.

Lamont vacilla et dut se retenir à la cheminée pour ne pas tomber. Depuis dix ans, ses mensonges et ses remords ne cessaient de le hanter, sa conscience le tourmentait sans trêve.

— Non, Dunvale, non ! C'est faux ! Son pouls ne battait plus, elle ne respirait pas ! Jamais je n'aurais pu faire de mal à Minerva, encore moins la tuer, c'est... monstrueux ! Je l'aimais, je vous le répète, je l'aimais ! s'écria-t-il sans plus retenir ses larmes. Interrogez Bridget, demandez-lui les détails, forcez-la à dire la vérité, pour une fois. Minerva était déjà morte, je vous le jure !

— Elle était vivante, Lamont.

Fou de rage et de douleur, le visage congestionné, le régisseur bondit, les poings dressés. Un soudain élancement à la tempe ne l'arrêta pas. Il allait se ruer sur Anthony quand une sorte d'éclair explosa dans sa tête et l'aveugla. Une fraction de seconde plus tard, il s'écroula, inconscient.

Stupéfait, Anthony mit un instant à comprendre que Lamont était terrassé par une attaque. Il se pencha, lui tâta le pouls, l'ausculta. Le cœur battait irrégulièrement, mais il battait. Anthony courut au téléphone, appela l'hôpital :

— Dunvale à l'appareil. Envoyez immédiatement une ambulance, je vous prie. Michael Lamont, mon régisseur, vient d'avoir une attaque mais il vit encore. Si vous faites vite, nous pourrons probablement le sauver.

Afin que justice soit faite, murmura-t-il quand il eut raccroché.

26

— *Larson's?* Il faut que j'en prenne le contrôle! s'écria Paula en serrant le bras de Michael Kallinski. Ce serait criminel de laisser échapper une occasion pareille.

— Une occasion coûteuse! Cent soixante-cinq millions de dollars ne sont quand même pas une bagatelle.

— Non, bien sûr. D'un autre côté, ce n'est pas trop cher payé si tu considères ce qu'on acquiert pour ce prix: une chaîne de prestige, des biens immobiliers qui valent au moins cette somme à eux seuls, un compte d'exploitation bénéficiaire. Quant à l'implantation des magasins, je n'aurais pas pu rêver mieux: Westchester, Boston et Philadelphie sur la Côte Est, Detroit et Chicago dans le Middlewest, Los Angeles et San Francisco dans l'Ouest! C'est fabuleux, Michael! Je ne sais comment te remercier de m'avoir signalé l'affaire.

— Attends de l'avoir conclue avant de me remercier.

— Pourquoi? Connaîtrais-tu des raisons pour qu'elle ne se fasse pas?

— Non, sauf que rien n'est jamais sûr jusqu'à la dernière minute... Allons, ne t'inquiète pas, ajouta-t-il. Autant que je sache, il n'y a encore personne d'autre sur l'affaire. Millard Larson est prêt à engager les négociations — et comme il est à la fois le PDG et l'actionnaire majoritaire, il ne devrait pas y avoir de mauvaises surprises. A ta place, je ne tarderais cependant pas à partir pour New York.

— Si je pouvais, j'irais tout de suite. Malheureusement c'est impossible avant une quinzaine de jours: Lorne et Tessa arrivent demain pour les vacances de Pâques. Je ne peux pas les laisser seuls à la maison.

— C'est vrai, j'oubliais les vacances scolaires... Dans ce cas, j'ai le même problème que toi. Me voilà bloqué ici.

— Prévoyais-tu d'aller aux Etats-Unis, toi aussi?

— Oui, je dois me rendre à New York pour affaires ce mois-ci... Mais, dis-moi: si nous y allions ensemble dans quinze jours? Je ferai ainsi d'une pierre deux coups. C'est moi qui t'ai présenté Harvey Rawson et qui t'ai indiqué *Larson's*, je ne peux pas faire moins que de rester à ta disposition si tu avais besoin de moi. Qu'en dis-tu?

— Ma foi, oui. Pourquoi pas?

Ravi du succès de son habile manœuvre, transporté à l'idée de se trouver seul à New York avec Paula, Michael parvint néanmoins à garder son sang-froid.

— Alors, c'est entendu. Et maintenant, occupons-nous un peu de l'exposition de papa. Il nous regarde de travers depuis dix minutes et j'ai l'impression qu'il est vexé.

— Il y a de quoi, le pauvre! Depuis que nous sommes arrivés, nous discutons entre nous sans un regard à ses œuvres d'art! Allons le rejoindre, il tient à me servir lui-même de guide. Je suis d'ailleurs stupéfaite, je ne me doutais pas de l'importance de sa collection de Fabergé.

— Tout ce qui est présenté ici ne lui appartient pas. Certains objets ont été prêtés par la Reine et plusieurs autres collectionneurs.

— Je sais, ton père me l'a déjà dit. Il n'empêche que sa collection est extraordinaire.

— Au point de lui faire presque oublier ses affaires depuis quelques années, ajouta Michael en riant.

L'exposition avait lieu à Burlington House, siège de l'Académie Royale des Beaux-Arts, où le vernissage battait son plein ce soir du mois d'avril. La manifestation, organisée par Sir Ronald au profit d'une de ses œuvres de bienfaisance préférées, avait attiré une foule considérable. En les voyant s'approcher, Sir Ronald se détacha d'un groupe d'invités et vint à leur rencontre.

— Je sais que vous êtes l'un et l'autre incapables de parler d'autre chose que de vos affaires, mais fallait-il vraiment tenir une conférence pendant ma réception ? leur dit-il avec agacement. Et maintenant, ma chère enfant, viens visiter l'exposition, poursuivit-il d'un ton radouci en prenant le bras de Paula. Il y a un certain nombre de nouvelles acquisitions que tu ne connais pas encore. Toi non plus, Michael.

— Depuis des semaines, je me fais une joie de les découvrir, répondit ce dernier. Et je suis désolé de notre long aparté, pour lequel je vous présente mes excuses.

— Je les accepte, mon garçon. Mais assez bavardé. Venez plutôt admirer mes chefs-d'œuvre, dit-il en entraînant Paula vers la première vitrine.

Penaud, Michael leur emboîta le pas.

— Je ne savais pas qu'Amanda venait ce soir !

Ils n'avaient pas terminé la visite de la première salle quand Michael poussa cette exclamation. Amanda était sur le seuil et regardait autour d'elle, visiblement afin de les repérer dans la foule.

— Ah ! oui, j'ai oublié de te prévenir, dit Paula. Je lui avais envoyé une invitation, elle m'a dit qu'elle ferait l'impossible pour se libérer.

— Je vais la chercher. Il y a tellement de monde ce soir qu'elle ne nous retrouvera jamais.

Paula le suivit des yeux et adressa un sourire complice à Sir Ronald.

— Me tromperais-je, ou jouerais-tu les marieuses ? lui demanda-t-il.

— Pourquoi pas ? Elle a depuis longtemps le béguin pour Michael. Ne serait-ce pas merveilleux, oncle Ronnie, s'il s'en apercevait enfin ?

Déconcerté d'abord, Sir Ronald fit un large sourire.

— Ce le serait, tu as tout à fait raison. Amanda est aussi charmante qu'intelligente. Elle a su profiter des leçons d'Emily et d'Alexander — inutile de te rappeler combien elle nous a été précieuse au moment de la reprise de Lady Hamilton. Mes collaborateurs sont en admiration devant elle, comme je le disais l'autre jour encore à Emily, et nous regrettons sincèrement qu'elle ne puisse rester avec nous. Mais Emily m'a expliqué que vous avez besoin d'elle à Harte Enterprises...

Il s'interrompit, le regard soudain assombri par la tristesse. Paula n'eut pas besoin de lui en demander la cause : il pensait à Alexander, qui lui avait confié son secret quelques semaines auparavant.

Paula céda elle-même à la mélancolie. Son cousin s'était retiré au début de mars et Emily remplissait désormais ses fonctions de président-directeur général. Amanda avait repris Genret, la division d'import-export, tandis que Winston restait à la tête de la Yorkshire Consolidated Newspaper Company et de ses filiales, dont il détenait une partie du capital. Sous leur direction à tous trois, Harte Enterprises fonctionnait aussi efficacement que par le passé. Mais cela ne les consolait pas de l'absence d'Alexander. Il ne sortait plus du Prieuré de Nutton, sa propriété du Yorkshire, d'où il restait en contact téléphonique avec la famille.

Amanda s'approchait avec Michael. Paula la salua affectueusement :

— Tu es éblouissante, ma chérie.

— Merci, tu es trop gentille. Bonsoir, oncle Ronnie. Désolée de mon retard, la circulation était épouvantable.

— Tu es tout excusée, ma chère enfant. Eh bien, Michael, qu'attends-tu pour aller chercher du champagne ?

— J'y cours !

Pendant qu'Amanda bavardait avec Paula, Sir Ronald l'observa discrètement. Grande, mince, blonde, elle ressemblait beaucoup à Emily, sa demi-sœur. Son tailleur rouge sombre orné d'une broche ancienne était d'une élégance sobre et irréprochable. Pour la première fois, Sir Ronald la considérait en belle-fille éventuelle et la perspective lui plaisait. Jolie, séduisante, intelligente comme toutes les petites-filles d'Emma Harte, elle serait pour Michael une épouse idéale. Leur mariage scellerait enfin l'union des clans Harte et Kallinski, ce qui comblait ses vœux et le poussait à encourager les deux jeunes gens — comme Paula en avait, de son côté, l'intention évidente. Plus tard, il aurait à ce sujet une longue conversation avec Paula afin de mettre au point leur plan d'action. Il faudrait discrètement guider Michael, qui se montrait trop hésitant avec les femmes. Depuis son divorce, il était resté si longtemps seul qu'il prenait de mauvaises habitudes de célibataire. Il était grand temps d'y mettre fin...

27

Le jardin avait toujours été pour elle un lieu magique.

Depuis son enfance, Paula adorait jardiner. Le travail au grand air l'apaisait et lui permettait d'oublier ses soucis. Elle avait aussi constaté que ses pensées n'étaient jamais plus claires que dans les jardins de Pennistone. Ce jour-là, juste après Pâques, ne faisait pas exception. C'était une belle journée d'avril, ensoleillée et fraîche sous un ciel sans nuages.

Tout en travaillant à ses nouvelles rocailles, elle réfléchissait à l'acquisition de la chaîne de magasins Larson aux Etats-Unis. Les négociations étaient engagées et Millard Larson l'attendait à New York dans une semaine pour mettre au point les modalités définitives de la transaction.

Son idée première, bien avant que l'affaire ne se fût présentée, avait été de financer son expansion avec ses fonds propres. Mais cent soixante-cinq millions de dollars représentaient une somme considérable, se répétait-elle tout en choisissant les fleurs alpestres qu'elle s'apprêtait à planter. Depuis plusieurs jours, elle étudiait les possibilités de financement les mieux adaptées.

Le problème ne se serait pas posé si, l'été précédent, sa mère avait donné son accord pour la vente des actions Sitex. Or, Daisy se montrait toujours intraitable sur ce point et Paula avait dû se résoudre à dégager par d'autres moyens les capitaux nécessaires à l'achat de sa chaîne de magasins.

Après avoir mûrement soupesé les mérites et inconvénients des diverses solutions possibles, elle était forcée de revenir à la plus simple : la vente de dix pour cent des actions *Harte's* léguées par Emma. Elle en tirerait sans mal soixante-quinze à quatre-vingts millions sur le marché boursier, sans trop écorner sa participation au capital où elle resterait largement majoritaire avec quarante et un pour cent. Elle se procurerait le reste grâce à des prêts bancaires gagés sur son acquisition et, notamment, sur les biens immobiliers dont la valeur, dans le cas de *Larson's*, suffirait amplement.

Au bout de longues hésitations, sa décision était enfin prise. Dès lundi matin, de retour à Londres, elle donnerait ses instructions à son agent de change. Les dés étaient jetés. Et, pour la première fois de la journée, c'est avec le sourire qu'elle finit de planter les essences alpestres dans les crevasses aménagées entre les roches.

Ce soir-là, après avoir consacré une partie de l'après-midi à jouer avec les enfants, Paula et Shane se préparaient pour le dîner.

— Je suis émerveillée des progrès de Patrick, ces derniers temps. As-tu remarqué? lui demanda-t-elle en mettant la dernière main à son maquillage.

— En effet, il comprend tout ce qu'on lui dit, il parle presque normalement et s'adapte beaucoup plus facilement au monde extérieur. Son nouveau précepteur réussit mieux avec lui que les précédents... Mais cesse donc de te pomponner, ma chérie, tu es ravissante telle que tu es! ajouta Shane en riant. Viens, j'ai mis du champagne au frais. Nous pourrons tranquillement boire un verre tous les deux avant l'arrivée de Winston et d'Emily.

Ils se dirigèrent vers le petit salon. Cette pièce du premier étage, retraite préférée d'Emma Harte à Pennistone, était devenue celle de Paula. Elle aurait cru commettre un sacrilège en changeant quoi que ce soit au décor et à l'ameublement, et se bornait à repeindre périodiquement les murs de la même couleur et à refaire les tapisseries avec les mêmes étoffes lorsqu'elles commençaient à se défraîchir. Il y régnait toujours l'ambiance à la fois luxueuse et intime conçue par Emma plus d'un demi-siècle auparavant.

Ce soir-là, un grand feu flambait dans la cheminée, les

lampes répandaient une lumière tamisée, les derniers rayons du soleil couchant posaient çà et là des touches plus chaudes. Paula s'assit dans un canapé avec un sentiment de bien-être. Le petit salon était, pour elle, un havre de paix. Elle y retrouvait les plus beaux souvenirs de son enfance, la présence de tous ceux qu'elle avait aimés dans le passé et qui lui étaient encore chers aujourd'hui. Ici plongeaient ses racines...

— A quoi rêves-tu?

Shane lui tendait une flûte où pétillait le vin doré.

— Merci, mon chéri... Je me disais simplement combien j'aime cette pièce. Elle est si pleine de souvenirs...

— Les souvenirs de toute notre vie. C'est ici que nous nous sommes vus pour la première fois...

Abandonnés à une plaisante nostalgie, ils bavardèrent en évoquant le passé.

— Et si nous parlions maintenant de l'avenir? dit Paula quelques instants plus tard. J'ai mûrement réfléchi, Shane, et ma décision est prise: je vais racheter Larson.

Une expression soucieuse assombrit le regard de Shane. S'il estimait que Paula se chargeait de trop lourdes responsabilités, il se donnait toutefois pour règle de ne jamais chercher à l'influencer. Cette fois encore, il se borna à observer:

— Si tu y tiens, ma chérie, je suis content que tu aies pris cette décision. Mais la somme me paraît importante...

— En effet. C'est pourquoi je compte la réunir par mes propres moyens.

Shane ne parvint pas à dissimuler sa stupeur:

— Ah? Comment vas-tu y parvenir?

— Je financerai pour moitié l'acquisition par un emprunt bancaire gagé sur l'actif de la chaîne. Pour l'autre moitié, conclut-elle après une légère hésitation, je vendrai dix pour cent de mes actions *Harte's*.

Cette fois, Shane ne put s'empêcher de sursauter:

— Paula! As-tu bien réfléchi? Tu prends un risque grave. Sans vouloir me mêler de tes affaires, ces actions constituent ta seule sécurité en t'assurant le contrôle absolu du capital. Si tu n'en détiens plus que quarante et un pour cent, tu t'exposes à toutes sortes de mauvaises surprises.

— Mais non! D'où viendraient-elles? Je dispose du soutien inconditionnel du conseil d'administration et des actionnaires, tu le sais très bien. La compagnie est à moi, nul ne songe à mettre en cause mon autorité. J'incarne *Harte's*, comme Emma l'incarnait avant moi.

— Pourtant, je me demande...

Shane s'interrompit. Pour la première fois depuis leur mariage, il enfreignait la règle qu'il s'était imposée de se tenir à l'écart des affaires de Paula, de ne jamais lui donner de conseils. Indépendante, obstinée, elle ressemblait trop à sa grand-mère pour les accepter — et, comme elle, était douée d'un jugement quasi infaillible. Il se résigna donc à ne pas exprimer ses inquiétudes et poursuivit d'un ton égal:

— Je vois que ta décision est prise. Tu parais sûre de toi et je m'en réjouis, car c'est l'attitude qu'il faut adopter quand on s'engage dans une affaire aussi lourde de conséquences. Alors, ma chérie, tu peux compter sur moi jusqu'au bout.

— Merci, Shane, je tenais énormément à ce que tu m'approuves. Je le disais encore à Michael l'autre jour... Au fait, il compte partir pour New York la semaine prochaine en même temps que moi.

— Curieuse coïncidence!

— Pas du tout. Il devait de toute façon y aller ce mois-ci, mais il s'est arrangé pour modifier son emploi du temps. Il tient à être là pour m'aider en cas de besoin dans mes négociations avec Larson.

Shane se crispa imperceptiblement:

— Tu n'as jamais eu besoin de l'aide de quiconque dans tes négociations jusqu'à présent. Pourquoi maintenant?

— Je n'en ai aucun besoin, à vrai dire, répondit-elle en riant. Mais c'est Michael qui m'a présenté Harvey Rawson, l'avocat d'affaires, et qui m'a mis sur la piste Larson. Il se croit moralement obligé de se tenir à ma disposition et je ne voudrais pas le vexer en lui disant que c'est inutile.

— Oui, bien sûr...

Shane alla se verser du champagne afin de dissimuler à Paula son soudain accès de jalousie. Ces derniers temps, Michael l'exaspérait. Il sentait d'instinct qu'il s'intéressait à sa femme plus qu'elle ne s'en rendait compte elle-même. Certes, il avait en Paula une confiance aveugle et ne doutait ni de son amour ni de sa fidélité. C'était Michael dont il se méfiait, et il ne voulait pas que Paula se trouve par sa faute dans une situation gênante pendant son séjour à New York. Avait-il tort ou raison? Ses soupçons étaient-ils ou non justifiés? Michael était un trop vieil ami pour se conduire de façon déloyale... En un instant, Shane se décida et improvisa une réplique:

— Eh bien, ma chérie, je te réservais une petite surprise mais, puisque nous en parlons, autant te la révéler maintenant: je pars moi aussi pour New York la semaine prochaine. Miranda a des problèmes urgents qu'il faut que j'aille régler. Je sais que nous nous efforçons de ne pas partir en voyage au même moment à cause des enfants, mais il s'agit d'obligations auxquelles je ne peux pas échapper.

— Oh! mon chéri, quelle bonne nouvelle! La gouvernante s'occupera très bien de Linnet et de Patrick en notre absence. Et puis, figure-toi qu'Amanda y sera elle aussi, ajouta Paula en pouffant de rire. J'ai l'intention d'organiser quelques dîners en son honneur — et celui de Michael! Tu sais qu'elle se consume pour lui. Oncle Ronnie et moi trouvons qu'ils feraient un couple idéal, tu ne crois pas?

Shane éprouva un soulagement inattendu:

— Je me demande si Michael est tellement tenté par le mariage après son désastre conjugal, répondit-il en venant se rasseoir près de Paula. En tout cas, je suis d'accord avec toi et oncle Ronnie, Amanda serait parfaite pour lui...

L'arrivée bruyante de Tessa l'interrompit:

— Bonsoir, papa, bonsoir, maman. Je pars chez Mélanie, son frère vient d'arriver pour me conduire.

— Tu ne vas pas y aller comme cela! A treize ans, on ne met pas du fond de teint et du rouge à lèvres! s'écria Paula.

— Ce que tu es vieux jeu, maman! Toutes mes copines se maquillent. De quoi vais-je avoir l'air, à la boum?

— Tu auras l'air bien élevée! Fais ce que je te dis.

La discussion s'éternisa. Butée, Tessa refusait de plier. Elle accepta finalement un compromis et partit, non sans claquer la porte, essuyer son rouge à lèvres.

Shane avait assisté à la dispute en se bornant à intervenir au moment crucial.

— Il est vrai qu'elle porte plus que ses treize ans, dit-il en souriant.

— Elle grandit vite, trop vite pour mon goût, répliqua Paula. Je crois qu'il est grand temps de l'envoyer à Heathfield comme nous en avions l'intention. J'en parlerai à la directrice la semaine prochaine, avant de partir. Plus tôt Tessa sera soumise à une discipline stricte, mieux cela vaudra.

— Je t'ai toujours dit qu'elle était singulière. Lorne et elle ont beau être jumeaux, ils ne se ressemblent pas du tout. Il faudra la surveiller de près, les années à venir.

Shane avait raison: affectueuse, expansive, bonne élève, Tessa pouvait se montrer entêtée, téméraire, parfois révoltée. Elle a moins hérité du caractère Harte que des défauts Fairley, surtout visibles dans sa coquetterie et sa tendance à l'égoïsme, se dit Paula avec tristesse. Elle a même la blondeur et le regard énigmatique de son arrière-grand-mère Adèle...

— Quelle curieuse expression, ma chérie! dit Shane. A quoi penses-tu? Qu'est-ce qui ne va pas?

— Rien du tout, rassure-toi. Verse-moi donc une autre coupe de champagne.

— Ainsi, je ne m'étais pas trompée, dit Emily. Allons, Paula, Winston, admettez-le au moins de bonne grâce!

— Tu avais raison sur tous les points, répondit Paula, et je ne me pardonnerai jamais de t'avoir contredite à l'époque. Voilà, tu es contente, au moins?

— Je te demande humblement pardon, dit Winston, de t'avoir traitée de folle quand tu disais que Minerva ne s'était pas suicidée.

Emily sourit d'un air satisfait:

— C'est bon, j'accepte vos excuses. Ce gigot est délicieux, Paula, ajouta-t-elle avec gourmandise.

— Tu avais donc toujours pensé qu'il s'agissait d'un meurtre? lui demanda Shane en dégustant son bordeaux.

— Bien sûr.

— Qu'est-ce qui te l'a fait croire?

— Un trou de cinq heures dans son emploi du temps. Je n'arrivais pas à m'expliquer où était Minerva de six heures du soir, moment où Anthony avait remarqué sa voiture près de l'étang, à onze heures quand elle est morte. La voiture était restée au même endroit, Minerva devait donc se trouver chez quelqu'un pendant ce temps — soit au village, soit dans la propriété. J'avais même envisagé qu'elle avait un amant, mais je tournais en rond. Ces cinq heures me chiffonnaient.

— Le mystère est enfin résolu, ajouta Winston, au grand soulagement de ma sœur. Cette pauvre Sally s'accusait depuis des années avec Anthony d'avoir poussé Minerva au suicide. Dieu merci, l'affaire est maintenant éclaircie.

— Anthony a-t-il expliqué pourquoi Lamont s'est décidé à avouer avoir accidentellement tué Minerva? demanda Shane.

— Lamont aurait été rongé par le remords au point de se confesser sur son lit de mort. Découvrir que Minerva n'était pas morte quand il l'a jetée à l'eau l'a rendu fou, et c'est ce qui a provoqué l'attaque qui l'a terrassé.

— Sa mort a au moins permis à Anthony d'enterrer définitivement l'affaire, observa Paula. La réouverture de l'enquête aurait été pénible pour toute la famille — sans parler du cas de Lamont, exposé à être condamné pour homicide.

— Je m'étais toujours doutée que Bridget O'Donnell en savait plus qu'elle ne voulait le dire, intervint Emily.

L'arrivée inopinée de la gouvernante interrompit leur conversation:

— On demande Madame d'urgence au téléphone.

Paula alla aussitôt dans le hall, où se trouvait l'appareil le plus proche, en se demandant qui pouvait l'appeler à pareille heure un samedi.

— Madame O'Neill ? Ursula Hood, dit une voix féminine.

Mme Hood était la gouvernante du Prieuré de Nutton, la propriété d'Alexander. Paula sentit sa gorge se serrer :

— Que se passe-t-il, madame Hood ?

— Eh bien, je vous appelle parce que... un terrible accident vient de se produire...

La gouvernante étouffa un sanglot et dut s'interrompre.

— Monsieur est sorti chasser cet après-midi, reprit-elle d'une voix altérée. Un faux mouvement, sans doute, un coup de feu malencontreux...

— Est-il gravement blessé ? s'écria Paula.

— Non, Madame. M. Barkstone est... mort.

Paula poussa un cri de douleur, auquel firent écho les sanglots de la gouvernante. Au bout d'un long silence, celle-ci parvint à se ressaisir :

— C'est affreux, Madame, je ne peux pas croire à une telle tragédie... Je vous appelle parce que je n'ai pas le courage de prévenir les sœurs de Monsieur. Je ne saurais comment leur apprendre la nouvelle.

Paula dut faire un effort surhumain pour répondre :

— Vous avez eu raison, madame Hood, je vous comprends. Mme Harte est justement ici ce soir, je me charge de la prévenir ainsi que ses sœurs... Mais, je vous en prie, que s'est-il passé au juste ? Pouvez-vous me donner quelques détails ?

— Hélas ! non, Madame. Ne voyant pas Monsieur à l'heure du dîner, j'ai envoyé le maître d'hôtel le chercher dans sa chambre, mais il n'y était pas. Personne ne l'avait vu rentrer. Le maître d'hôtel, le valet et le chauffeur sont partis à sa recherche dans les bois... Ils l'ont trouvé sous un chêne, son fusil à la main. Il était déjà mort.

Paula craignit d'éclater en sanglots à son tour :

— Merci de m'avoir prévenue, madame Hood. Mon mari et moi serons au Prieuré d'ici une heure. M. et Mme Harte nous accompagneront sans doute.

— Je vous attendrai, Madame.

Assommée, Paula raccrocha. Sandy, mourir ainsi, seul

dans les bois ! Pourquoi, pourquoi ? se répéta-t-elle avec un désarroi croissant — jusqu'à ce qu'une affreuse pensée la fît tressaillir : s'était-il donné la mort ? Non ! Jamais Sandy n'aurait commis pareil acte. Il tenait trop à la vie, il luttait pour la conserver. Chaque minute lui était précieuse, il le lui avait lui-même dit quelques jours plus tôt. Au prix d'un nouvel effort, elle parvint à chasser de son esprit l'idée même de suicide.

Mais le plus douloureux restait à faire. Alors, d'un pas d'automate, Paula retourna à la salle à manger annoncer à Emily que son frère avait perdu la vie.

28

Le temps lui-même semblait s'être mis en deuil.

Un ciel gris et bas pesait sur la lande, où roulait une longue file de voitures. Le cortège funèbre traversa lentement le village de Fairley et fit halte devant la vieille église. Six hommes s'avancèrent vers le corbillard pour porter le cercueil du défunt: ses cousins Anthony Standish et Winston Harte, Shane O'Neill, Michael Kallinski et deux de ses amis d'enfance. Ils avaient connu et aimé Alexander toute sa vie et tenaient à lui rendre ainsi un dernier hommage.

La famille se rassembla autour de la tombe. Anthony alla rejoindre Sally. Plongé dans de sombres réflexions, il entendit à peine le pasteur entonner l'office des morts. Une semaine auparavant, il avait assisté à l'enterrement de Michael Lamont, son régisseur, que la mort avait sauvé du déshonneur d'un procès et d'une condamnation. Aujourd'hui, c'était la dépouille de son cousin, de son meilleur ami, qu'il voyait descendre dans la terre froide.

Il avait encore la lettre de Sandy dans la poche de sa veste. Elle lui était parvenue le lendemain de sa mort, dont Paula l'avait prévenu par téléphone, et l'épreuve n'en avait été que plus douloureuse. Depuis, il l'avait si souvent relue qu'il la savait par cœur: « *Je tenais à t'expliquer les raisons de mon geste,* écrivait Sandy, *parce que tu es mon ami le plus sûr, parce que tu m'as si souvent aidé dans mes épreuves. Je le fais d'abord pour moi, bien entendu, mais aussi dans l'espoir d'épargner à ma famille l'épreuve de ma longue et pénible agonie. Aucun de vous ne supporterait de me voir souffrir... Sache que je suis heureux d'échapper à mon enveloppe mortelle. Je suis libre, enfin !... Dieu te bénisse, toi et les tiens.* »

Cette lettre lui était destinée, à lui seul. Aussi n'y avait-il fait allusion ni devant Paula, ni même devant Sally à qui d'habitude il ne cachait rien. Il n'avait pu se résoudre à la détruire. Pourtant, il le fallait absolument. Aujourd'hui même, de retour à Pennistone, il ferait le nécessaire. Personne d'autre que lui ne devait savoir comment Sandy avait minutieusement mis en scène son départ ; comment, après avoir chassé une partie de l'après-midi afin de remplir son carnier de quelques lapins, il avait fait feu de telle façon que sa mort parût accidentelle. L'enquête l'avait confirmé. Nul ne devrait jamais se douter de la vérité. Alexander l'avait voulu ainsi. Sa dernière volonté serait respectée.

Un soudain rayon de soleil transperça les nuages. Anthony leva les yeux et sourit malgré lui : c'était l'âme de Sandy qui lui faisait signe, se dit-il en adressant un dernier adieu à son cousin. Ses souffrances ont pris fin, il a trouvé la paix. Il a rejoint Maggie, qu'il avait tant aimée...

La pasteur prononça les dernières prières, l'assistance se dispersa. Anthony prit le bras de Sally :

— Allons déjeuner.

— Oui, répondit-elle en frissonnant, nous avons grand besoin de nous réchauffer.

— J'ai toujours eu horreur des repas d'enterrement, grommela Paula. C'est une coutume barbare.

— Non, dit Shane. Cela nous donnera au contraire l'occasion d'être ensemble, de nous consoler les uns les autres. De nous rappeler Sandy tel qu'il était et de célébrer sa vie au lieu de déplorer sa mort.

Paula n'oublia pas ces paroles.

Elle les entendait encore une semaine plus tard, dans la voiture qui l'emmenait à Heathrow prendre le Concorde de New York. Amanda était à côté d'elle, muette et abattue.

— Tu penses encore à Sandy ? lui demanda-t-elle.

— Oui.

— Ne te retiens pas, pleure si tu en as envie, cela fait du bien. Mais rappelle-toi aussi tes souvenirs heureux, tes années d'enfance avec lui. Pense à ta chance d'avoir eu un frère comme lui, si bon, si juste et qui t'a tant aimée.

— Tes conseils sont pleins de sagesse, Paula. J'essaierai de les suivre... Je suis pourtant bien malheureuse.

— C'est normal. Tu le seras sans doute encore longtemps. Mais Sandy ne souffre plus, désormais. Sois heureuse *pour lui*, Amanda. Laisse sa mémoire reposer en paix.

Trop émue, Amanda fut incapable de répondre. Mais un peu plus tard, au bar de l'aéroport où elles buvaient un café en attendant l'appel d'embarquement de leur vol, elle se pencha vers sa cousine:

— Merci, Paula. Tes consolations m'ont fait du bien. Il n'empêche que... j'ai peur, par moments. La vie humaine est si fragile. Nous ne savons jamais de quoi demain sera fait.

— Oui, elle est fragile — mais si merveilleuse! Elle est faite pour être pleinement vécue.

— C'est ce que disait grand-mère... Puisque nous parlons de la vie, reprit-elle en esquissant un sourire, Francesca m'a téléphoné hier soir. Elle est enceinte!

— Ah! voilà au moins une bonne nouvelle!... (Paula hésita avant de poursuivre:) Pardonne-moi de paraître indiscrète, mais tu as toujours un faible pour Michael Kallinski, si je ne me trompe?

— Cela se remarque tellement? répondit Amanda en rougissant malgré elle.

— Non, sauf pour moi. Ce n'est pas pour rien que la famille m'a surnommée « Œil de lynx »!

— En tout cas, je ne l'intéresse pas.

— Je n'en suis pas si sûre.

— Que veux-tu dire?

— Michael ne t'a encore vue que dans le cadre des affaires, surtout pendant la reprise de Lady Hamilton. Il faut maintenant qu'il te découvre sous un jour différent, dans le monde où tu es toujours entourée d'une cour d'admirateurs — si, c'est vrai, ne fais pas semblant de dire non! Pendant que nous serons à New York, Shane et moi allons organiser des dîners, des cocktails. Je veux que Michael ait l'occasion de mieux te connaître, sur un plan plus personnel.

Gênée, Amanda ne répondit pas.

— Fais-moi confiance! reprit Paula. Ton avenir me paraît tout à fait enviable.

— Le tien aussi, s'empressa de dire Amanda pour changer de sujet. Je sens que tu vas gagner dans l'affaire Larson.

— Que le Ciel t'entende!

Alors même que le Concorde de British Airways décollait à destination de New York, un Boeing de Qantas en provenance de Hong Kong se posait à Heathrow.

Les passagers débarquèrent quelques minutes plus tard et, parmi les premiers, Jonathan Ainsley franchit les contrôles et pénétra dans le hall. Il repéra très vite, dans la foule qui attendait derrière les barrières, la chevelure rousse et le sourire de sa cousine Sarah Lowther, à qui il adressa un salut de la main. Un instant après, ils s'embrassaient avec effusion.

— Content d'être de retour? demanda Sarah.

— Enchanté! Je n'étais pas revenu depuis une éternité.

Il fit signe au porteur de le suivre et entraîna sa cousine par le bras vers la sortie.

— Je suis surtout ravi que nous ayons pu faire coïncider nos voyages, ajouta-t-il pendant qu'ils prenaient place dans la limousine affrétée par Sarah.

— Yves m'a demandé de venir voir la galerie qui le représente à Londres et j'avais quelques affaires personnelles à régler. Cela tombait tout à fait bien.

— Comment va ton mari?

— A merveille. Sa peinture est particulièrement inspirée, en ce moment.

— Ses ventes n'ont rien à envier à son inspiration, si j'en crois les bijoux dont tu es couverte!

— Yves est très généreux, mais je dois aussi préciser que mes investissements se sont montrés rentables... Et comment va Arabella? ajouta-t-elle à regret.

Jonathan se lança dans une longue tirade sur le bonheur

conjugal et leur vie à Hong Kong. Sarah s'en voulut d'avoir prononcé le nom de cette femme qu'elle exécrait — sans raison, d'ailleurs : que lui importait que son cousin ait épousé celle-là plutôt qu'une autre ? Sarah vouait cependant à Jonathan trop d'affection pour se désintéresser de son sort. Dès sa première rencontre avec Arabella, elle avait soupçonné en elle une intrigante au passé trouble et, depuis, elle se désolait de ne pouvoir mettre en garde Jonathan contre un danger qu'elle pressentait. Yves lui-même, modèle de fidélité par ailleurs, avait été ensorcelé pendant le bref séjour d'Arabella à Mougins au début de l'année. Que dissimulaient donc ce charme trop évident, cette beauté trop provocante ? Sarah n'aurait su le dire. Elle détestait Arabella d'instinct.

Certes, elle avait désormais un mari à sa dévotion, une fille qu'elle adorait. Mais Jonathan représentait son dernier, sinon son seul lien avec le passé. Elle l'aimait en dépit de sa responsabilité évidente dans la brouille qui l'avait séparée de sa famille. Sarah ne s'était jamais consolée de cette déchirure dans le clan Harte. Elle avait beau se répéter que ses cousins étaient indignes de ses regrets ou de son affection, elle était restée blessée du bannissement dont ils l'avaient frappée.

Ce n'était pas tout : Jonathan semblait hypnotisé par Arabella, et Sarah ne supportait pas la concurrence. Elle en avait déjà souffert du vivant de Sebastian Cross. Sarah s'était maintes fois étonnée que Johnny et lui soient restés amis intimes depuis leurs études à Eton. Sebastian lui déplaisait : moralement veule, physiquement peu ragoûtant, son attachement à Jonathan lui paraissait inexplicable. Sans sa réputation bien établie de coureur de jupons, elle aurait juré qu'il était homosexuel. Sa mort elle-même, provoquée par une overdose de cocaïne, avait quelque chose de trouble et de malsain. En fait, la chance l'avait si bien abandonné depuis que Jonathan avait quitté l'Angleterre que Sebastian avait accumulé les erreurs, au point de mourir ruiné.

Une exclamation agacée de Jonathan la fit sursauter :

— Eh bien, à quoi penses-tu ? Tu n'écoutais même pas ce que je te disais !

— Mais si, je n'en ai pas perdu un mot, je t'assure!

Sarah n'avait, en effet, rien entendu. Mais elle ne voulait pas contrarier son cousin, dont elle connaissait trop bien la susceptibilité et le mauvais caractère.

— Permets-moi d'en douter... Allons, dis-moi plutôt ce qui te tracasse.

— Eh bien, je pensais à Sebastian Cross, si tu tiens à le savoir. Sa mort m'a toujours semblé étrange.

— Plus qu'étrange... Il était bisexuel, poursuivit-il après une pause. Je l'ignorais, bien entendu. Il me l'a avoué quand il est venu me voir à Hong Kong, la première année où je m'y suis installé. L'objet de sa passion, c'était moi...

Sarah accueillit la révélation sans surprise:

— Un tel aveu a dû te choquer.

— Naturellement, et je lui ai fait comprendre qu'il ne frappait pas à la bonne porte, dit-il avec ironie. Il n'a pas semblé se vexer d'être éconduit — du moins l'avais-je cru sur le moment. Depuis, je me suis souvent demandé si sa mort apparemment accidentelle n'était pas, en réalité, un suicide.

— Je me le suis moi-même demandé, figure-toi.

— Tout cela est bien triste... Mais je suis impardonnable de ne pas t'avoir encore réclamé des nouvelles de Chloé, ton adorable fille.

Jonathan ne souhaitait pas seulement changer le sujet d'une conversation pénible, il ne s'était jamais senti concerné par le passé. L'avenir seul l'intéressait. Enchantée de pouvoir briller à nouveau, Sarah entama sans se faire prier un récit détaillé des mérites de Chloé:

— Et elle adore son oncle Johnny! conclut-elle. Avant mon départ, elle m'a fait jurer de te ramener à Mougins pour un week-end. Tu viendras, j'espère?

— Je ferai l'impossible.

— J'y compte. Et maintenant, satisfais ma curiosité: quand tu m'as téléphoné pour me prévenir de ton arrivée, que voulais-tu dire, au juste, par « Paula va enfin avoir la monnaie de sa pièce »?

— Tout simplement ceci: nul au monde n'est infaillible

et les plus grands hommes d'affaires commettent, au moins une fois dans leur carrière, une erreur de jugement. Paula ne fait pas exception à la règle. J'attendais le moment, j'étais certain qu'il viendrait. Mon instinct — et des renseignements obtenus de source sûre — me portent à croire que ce moment est proche. Et là, je serai prêt à agir...

— Explique-toi! Que sais-tu? Comment l'as-tu appris?

— Plus tard, ma chérie. Quand nous serons seuls dans ma suite du Claridge, à l'abri des oreilles indiscrètes, je te raconterai en détail comment j'entends me venger de Paula et provoquer sa chute.

Sarah ne put retenir un frémissement de plaisir:

— J'ai hâte de t'entendre expliquer ton projet et je te fais confiance pour qu'il soit parfaitement au point! Moi aussi, je brûle d'impatience de rabattre son caquet à cette garce, à cette voleuse! Tu sais qu'elle m'a pris Shane, en plus du reste.

— Je le sais.

Jonathan abonda dans son sens et, comme il le faisait depuis des années, attisa la haine de Sarah envers Paula. Il lui fallait un allié sûr, ne serait-ce que pour le soutenir moralement.

Tout en parlant, il plongea la main dans sa poche et pétrit le galet de jade qui ne le quittait jamais. Ce talisman lui avait porté chance jusqu'à présent. Il n'y avait aucune raison pour que son pouvoir se soit évanoui et ne lui procure pas dans l'avenir d'aussi grandes satisfactions.

TROISIÈME PARTIE

29

— Philip a vraiment eu la chance de sa vie en vous épousant, Maddy! s'exclama Daisy.

Les deux femmes prenaient le thé dans la villa de Philip à Point Piper, banlieue résidentielle de Sydney, où le jeune ménage séjournait quand il ne vivait pas à Dunoon. On était au mois d'août. C'était un bel après-midi d'hiver, doux pour la saison ; la brise de mer chargée de senteurs de chèvrefeuille et d'eucalyptus entrait par les portes-fenêtres ouvertes. Ce cri du cœur toucha profondément Madalena:

— Je peux dire la même chose de lui, répondit-elle. Il m'a fait oublier mes deuils et mes peines, il me donne tant d'amour que je crois, par moments, éclater de bonheur!

D'un regard, Daisy remercia sa belle-fille. Elle l'aimait et la respectait, elle appréciait sa manière franche et directe d'exprimer ses sentiments. Elle lui vouait surtout une profonde gratitude pour la métamorphose de son fils qui, après tant d'années d'instabilité, s'était « rangé » grâce à elle et s'adaptait si bien à la vie conjugale.

— Il n'y a rien de meilleur au monde qu'un mariage heureux, dit Daisy. C'est un rare bonheur de rencontrer un homme généreux, qui donne tout de lui-même — comme Philip et Jason...

Son regard se tourna avec mélancolie vers des photos de famille, disposées sur un guéridon, où elle figurait avec ses enfants et David Amory, son premier mari.

— J'ai failli ne pas survivre à la mort de David, poursuivit-elle. Pour moi, c'était la fin du monde. J'avais dix-huit ans quand nous nous sommes mariés et je n'imaginais pas qu'on puisse être plus heureux, ni connaître le même bonheur avec un autre. En quittant l'Angleterre pour venir m'installer ici, j'ai fait l'effort de recommencer ma vie sur des bases nouvelles. Mes œuvres pour les enfants malades et défavorisés m'ont aidée, bien sûr, à donner un sens à mon existence. Mais c'est à Jason, et à lui seul, que je dois d'avoir repris goût à la vie et d'être redevenue une femme.

— Jason est un homme exceptionnel, répondit Madalena, qui avait eu le temps d'apprécier, sous ses dehors bourrus, les qualités de cœur de son beau-père. Nous avons eu de la chance, l'une et l'autre, de trouver des maris tels que les nôtres.

Venues d'horizons très différents, elles éprouvaient cependant l'une pour l'autre une profonde affection. Leur amour commun pour Philip et Paula, le véritable culte que vouait Madalena à la mémoire d'Emma Harte contribuaient à les rapprocher. Daisy répondait volontiers aux questions dont l'assaillait sa belle-fille, avide d'en savoir toujours davantage sur son idole. Mais il existait entre elles un lien plus puissant encore depuis que Madalena portait l'enfant de Philip, cet héritier dont Daisy rêvait depuis des années.

La naissance tardait, le terme était dépassé depuis près de quinze jours et Daisy, avec toute la famille, faisait preuve d'une impatience croissante. Seule, Madalena conservait son calme et s'amusait de la nervosité de son entourage.

— Malgré ma hâte de savoir si j'aurai un petit-fils ou une petite-fille, vous avez bien fait, je crois, de refuser l'échographie, dit Daisy.

— Pour ma part, j'ai toujours tenu à me ménager la surprise. Mais j'ai le pressentiment que ce sera une fille...

Madalena posa les mains sur son ventre en refrénant une grimace de douleur. Daisy se pencha vers elle, inquiète:

— Souffrez-vous, ma chère enfant?

— Non, ce n'est rien... Pour être franche, je deviens moi aussi de plus en plus impatiente. Dans l'état où je suis, je me sens inutile, bonne à rien...

— Ne dites jamais cela, Maddy!

Daisy prit dans son sac à main un petit écrin au cuir éraillé et le lui tendit:

— Pour vous, ma chérie.

Etonnée, la jeune femme souleva le couvercle et poussa un cri d'admiration: sur le velours noir scintillait un nœud d'or incrusté d'émeraudes.

— Oh! C'est trop beau! Je ne peux pas accepter...

— Si, j'y tiens. Je voulais vous offrir un souvenir qui sorte de l'ordinaire et celui-ci, j'en suis sûre, vous sera doublement précieux parce qu'il appartenait à ma mère.

— Justement, je ne peux pas! C'est un bijou de famille...

— N'en feriez-vous déjà plus partie? l'interrompit Daisy en riant. S'il y a une personne à qui ce bijou revient de plein droit, c'est bien à la femme de Philip! Mais laissez-moi vous conter son histoire, car il en a une très touchante. Elle commence en 1904. A l'époque, Emma travaillait au château de Fairley, où elle était servante depuis l'âge de douze ans. Au mois de mars de cette année-là, Blackie O'Neill dut quitter la région pour plusieurs mois et lui offrit pour son quinzième anniversaire, en gage de leur amitié, une petite broche de métal doré incrustée de verre coloré. Il avait remarqué cette broche dans la vitrine d'une boutique de Leeds, car sa couleur émeraude lui rappelait celle des yeux d'Emma. Imaginez la joie d'Emma, qui n'avait jamais rien vu ni possédé de plus beau! Pourtant, ce jour-là, Blackie lui fit une promesse solennelle: quand il serait riche, il remplacerait ce bijou de pacotille par une broche exactement pareille mais en or et en émeraudes véritables. Blackie tint parole de longues années plus tard et cette broche est celle qu'il donna à Emma en souvenir de sa promesse de jeunesse. Ma mère me l'a léguée avec la collection d'émeraudes constituée par mon père au fil des ans.

— Quelle belle histoire! C'est pourquoi j'hésite encore plus à accepter. Cette broche devrait revenir à Paula...

— J'insiste, Maddy! Je suis sûre que ma mère vous l'aurait donnée elle-même si elle vous avait connue.

Madalena comprit qu'elle aurait mauvaise grâce à protester davantage et épingla la broche sur sa robe. Le geste de Daisy l'émouvait d'autant plus que, comme cette dernière l'avait deviné, le bijou avait appartenu à Emma Harte.

— Puisque nous parlons de ma fille, reprit Daisy, n'a-t-elle pas commis une erreur en acquérant cette chaîne de magasins aux Etats-Unis ? Répondez franchement, Maddy.

— Pas du tout ! Depuis que je la connais, elle ne s'est jamais trompée dans ses jugements.

— Si seulement, l'été dernier, elle m'avait dit pourquoi elle voulait vendre ses actions Sitex ! Elle aurait pu au moins me demander de lui procurer la somme dont elle avait besoin. Mais Paula veut toujours n'en faire qu'à sa tête. Elle est entêtée comme ma mère... Je ne sais que penser de tout cela. Le monde des affaires me déroute, à vrai dire...

Daisy s'interrompit et poussa un profond soupir :

— Je ne comprends pas mieux la réaction de Shane et de Philip. Pourquoi ne m'avoir rien dit des projets de Paula ? Ils étaient au courant depuis longtemps ! Pourquoi ne lui ont-ils donné aucun conseil ?

— Je vois mal Paula accepter les conseils de quiconque. A mon avis, d'ailleurs, elle n'en a nul besoin et c'est elle, au contraire, qui pourrait en dispenser à bien des hommes. De toute façon, Shane n'intervient jamais dans ses affaires — ce qui est l'attitude la plus sage, comme vous avez pu vous en rendre compte hier soir.

— Justement, je m'étonne encore de leur conversation pendant le dîner. Elle ne vous a pas surprise ?

— Non, pas du tout. J'étais l'adjointe de Paula à New York, ne l'oubliez pas, et je connaissais de longue date ses projets d'expansion aux Etats-Unis. Je vous le répète, j'ai une confiance aveugle dans sa sûreté de jugement. Shane et Philip aussi, ils l'ont clairement exprimé hier soir. Pourquoi douteriez-vous d'elle ? Et puis, ajouta Madalena d'un ton rassurant, vous êtes-vous jamais demandé si Paula n'avait pas tout simplement envie de posséder quelque chose en propre, qu'elle ne doive qu'à elle-même ?

— Mais elle possède déjà tout ce qu'elle pourrait sou haiter, Maddy ! La chaîne *Harte's*...

— Qui a été fondée par Emma, l'interrompit-elle. Tout lui vient de sa grand-mère. Peut-être a-t-elle besoin de bâtir quelque chose de ses propres mains, avec son propre argent.

— Vous l'a-t-elle fait comprendre quand vous travailliez ensemble ?

— Non, il ne s'agit que d'une impression. Mais je crois la connaître assez pour ne pas m'être trompée.

Déconcertée par ce que sa belle-fille lui révélait du caractère de Paula, Daisy réfléchit quelques instants :

— Peut-être avez-vous raison, Maddy. J'avoue ne pas avoir envisagé la situation sous cet angle. Quoi qu'il en soit, j'estime malgré tout qu'elle se charge de responsabilités bien lourdes, en plus de celles qu'elle doit déjà assumer.

— Ne vous faites pas de soucis pour Paula : elle réussira le mieux du monde. Philip me répète souvent qu'elle a de qui tenir, comme vous le disiez vous-même il y a un instant. Faut-il se plaindre qu'elle devienne une nouvelle Emma Harte ? conclut-elle en riant.

30

Après le départ de sa belle-mère, Madalena s'enveloppa d'une cape de laine et sortit marcher dans le jardin, exercice auquel elle s'astreignait au moins deux fois par jour. Le crépuscule tombait, la température fraîchissait. On n'entendait que le clapotis du ressac au pied du promontoire rocheux où se dressait la maison. L'océan se confondait avec le ciel assombri et on ne distinguait déjà plus l'horizon. Parvenue au bout du jardin, Madalena frissonna et préféra faire demi-tour.

Elle retrouva avec plaisir l'atmosphère douillette de la maison. Ces derniers temps, l'amour de Philip et sa maternité prochaine lui faisaient éprouver à chaque instant un sentiment de bonheur et de plénitude. Pour elle, l'année écoulée avait été miraculeuse, le mot n'était pas trop fort. Le poids de l'enfant qu'elle portait, son ventre sur lequel ses mains se posaient d'elles-mêmes lui apportaient la preuve qu'il ne s'agissait pas d'un rêve. Désormais, elle pouvait évoquer sans tristesse le souvenir de ses parents, de ses frères. Jamais plus elle ne se sentirait seule et désemparée. Elle était heureuse, comblée, comme elle ne l'avait jamais été.

Avant de se préparer pour le dîner, elle termina une lettre à Sœur Bronagh, toujours directrice de la Résidence de Rome, qu'elle avait commencée avant l'arrivée de Daisy. Elle avait déjà écrit aux quelques personnes les plus chères à son cœur — Sœur Mairead, son amie Patsy Smith, sa belle-sœur Paula — afin de leur annoncer à l'avance la grande nouvelle. Car Madalena ne doutait pas que son accouchement se produirait avant la fin de la semaine.

Une fois habillée, elle épingla sur sa robe la broche

d'émeraudes d'Emma Harte et, avant de quitter la chambre, elle glissa dans son sac les enveloppes timbrées qu'elle posterait à l'hôtel O'Neill, où elle devait retrouver Shane et Philip. Dans le couloir, elle ne put s'empêcher de pousser pour la centième fois la porte de la chambre d'amis aménagée en nursery, de tout vérifier, de caresser amoureusement le berceau. Oui, constata-t-elle une fois de plus, tout était prêt pour son enfant...

Jamais Shane n'avait vu Madalena plus radieuse, plus belle, plus épanouie que ce soir-là. Elle paraissait encore plus amoureuse de Philip que lorsqu'il les avait vus ensemble en Angleterre au début de l'année, et Philip ne cessait de la couvrir d'attentions. Shane se réjouissait de les voir aussi heureux que Paula et lui. Leur bonheur était si évident que les clients du restaurant ne pouvaient s'empêcher de leur lancer à la dérobée des regards curieux ou attendris.

Madalena avait rejoint Philip et Shane dans l'appartement de ce dernier à l'hôtel O'Neill, où ils l'attendaient en prenant l'apéritif avant de dîner à *L'Orchidée*.

— Nous n'irons pas à Dunoon ce week-end, dit Philip après qu'ils eurent pris place à table. Le gynécologue préfère que Maddy reste à Sydney.

— Je m'en félicite égoïstement, répondit Shane. Cela me donne l'occasion de passer le dimanche avec vous à Point Piper.

— Nous allions te le suggérer, en espérant que tu pourrais rester le week-end entier. Viens donc dès vendredi soir, cela te laissera le temps de te détendre loin de ton travail.

— Excellente idée, à laquelle je souscris volontiers! Depuis mon arrivée, je n'ai pas eu une minute de tranquillité.

— Je serai ravie de vous avoir à la maison, Shane, intervint Madalena. Notre cuisinière est un vrai cordon bleu, elle vous préparera tous vos plats préférés.

— Je ne pourrai pas profiter de son talent, hélas! Paula m'impose un régime draconien sous prétexte que j'ai pris quelques kilos pendant nos vacances sur la Côte d'Azur. A côté d'elle, il est vrai, tout le monde paraît obèse! Vous n'avez guère d'embonpoint vous non plus en temps normal, Maddy.

— Paula et moi brûlons nos calories superflues en travaillant comme des forcenées. Je ne connais pas de meilleure méthode pour rester mince!

— A propos de travail, avez-vous toujours l'intention de diriger Harte's-Australie après la naissance de l'enfant?

— Bien sûr. Les deux premiers mois, je prévois de rester à la maison, où je pourrai m'occuper du courrier et me servir du téléphone. Mais, après cela, je reprendrai des horaires réguliers et une activité normale.

— J'ai fait aménager des bureaux pour Maddy à côté des miens, dans la tour McGill, et il y aura une chambre d'enfant dans l'appartement, à l'étage au-dessus. Ainsi, elle sera à pied d'œuvre, si je puis dire, précisa Philip.

— Paula emmenait souvent nos enfants au bureau, comme Emily, d'ailleurs — c'est une sorte de tic chez les femmes de la famille! dit Shane. Ne suivez pas leur mauvais exemple...

Le sourire de Madalena se mua en un bâillement qu'elle s'efforça vainement de dissimuler. Philip se leva:

— Il est grand temps de la mettre au lit. Tu ne m'en voudras pas d'écourter la soirée, Shane?

— Pas le moins du monde, au contraire. Pour une fois, je ne vois aucun inconvénient à me coucher à une heure décente.

Shane les accompagna jusqu'à l'entrée de l'hôtel, où le chauffeur attendait, et referma la portière après leur avoir souhaité une bonne nuit. Dès que la Rolls eut démarré, Philip attira Madalena dans ses bras:

— Comment te sens-tu, mon amour?

— Très bien, Philip. Fatiguée, voilà tout.

— Tu n'as pas encore ressenti de douleurs?

— Non, dit-elle en se pelotonnant contre lui. Rassure-toi, je te préviendrai à la toute première contraction.

Il lui caressa tendrement les cheveux, se pencha pour poser un baiser sur ses lèvres :

— Je t'aime tant, tu sais... Par moments, je ne sais pas comment te dire à quel point je t'aime.

— Moi aussi je t'aime, mon amour, répondit-elle en fermant les yeux. Mais ce soir, je l'avoue, je me sens si lasse que j'ai hâte de me coucher...

Elle s'assoupit presque aussitôt dans les bras de Philip et se réveilla avec peine en arrivant à Point Piper. Dix minutes plus tard, elle dormait profondément dans son lit.

Le lendemain matin, après le petit déjeuner, Madalena dormait encore quand Philip monta lui dire au revoir. Au repos, elle lui parut si belle, si détendue, qu'il n'eut pas le cœur de la réveiller. Il se contenta d'effleurer ses lèvres d'un baiser avant de se retirer en silence.

Pendant le trajet, il sortit de son porte-documents les dossiers les plus urgents qu'il n'avait pas eu le temps de lire la veille au soir, prit quelques notes. A sept heures trente précises, comme tous les matins, il entra dans son bureau où Barry Graves, son adjoint, et Maggie Bolton, sa secrétaire, l'attendaient pour leur conférence quotidienne.

Barry confirma un entretien suivi d'un déjeuner de travail avec le directeur de la mine de Lightning Ridge.

— Je viens de lire son dernier rapport, dit Philip, et j'aurai beaucoup de détails à lui faire préciser. Vous resterez avec nous, Barry. Rien d'urgent au courrier, Maggie ?

— Non, monsieur... Ah, si ! ajouta-t-elle en souriant. Une lettre de Steve Carson — vous vous souvenez, l'Américain qui voulait se lancer dans les opales ? Il se déclare enchanté d'avoir suivi vos conseils et se confond en remerciements

— Eh bien, Barry, nous qui le prenions pour un pigeon ! Tant mieux s'il réussit, ce garçon. J'en suis ravi pour lui.

— La veine des novices, attendons la suite, répondit Barry avec une moue sceptique. J'ai obtenu les renseignements que vous vouliez sur le groupe de presse du Queensland. Le patron serait prêt à vendre. J'ai également reçu hier soir un coup de téléphone de Greg Cordovan.

— Pas possible? Il demande un armistice?

— Avec lui, restons méfiants. En tout cas, il m'a paru disposé à céder ses stations de télévision de Victoria. C'est lui qui prend les devants, cela me paraît bon signe.

— Ne nous réjouissons pas trop vite.

Ils examinèrent ensuite divers dossiers sur lesquels Philip devait donner sa décision. Lorsque ses collaborateurs se furent enfin retirés, Philip s'absorba si bien dans la lecture des rapports qu'il était déjà dix heures trente quand le timbre de l'interphone le fit sursauter:

— Désolée de vous déranger, monsieur, dit Maggie. Un appel urgent de votre domicile, sur la ligne un.

Philip décrocha immédiatement et reconnut la voix de Mme Ordens, la gouvernante:

— Que se passe-t-il?

— Madame ne va pas bien, répondit l'autre, affolée.

Philip lutta contre la panique:

— De quoi s'agit-il? Expliquez-vous!

— Elle ne se réveille pas, Monsieur. Je suis montée dans sa chambre à neuf heures et demie, comme d'habitude, mais elle dormait si bien que je n'ai pas voulu la déranger. A dix heures, je lui ai monté son petit déjeuner et elle dormait toujours. Pendant plus de dix minutes, j'ai tout fait pour essayer de la réveiller, mais elle ne réagit pas. Elle paraît avoir perdu conscience.

Philip se leva d'un bond, livide.

— J'arrive tout de suite!... Non, inutile. Il faut l'emmener sans délai à l'hôpital Saint-Vincent. Je commande immédiatement une ambulance. Partez avec elle, je vous y rejoindrai avec le Dr Hardcastle. Etes-vous dans sa chambre en moment?

— Oui, Monsieur.

— Restez-y jusqu'à l'arrivée de l'ambulance, ne la laissez pas seule une seconde, compris?

— Oui, Monsieur. Mais faites vite, j'ai peur que ce ne soit grave.

31

Moins d'un quart d'heure plus tard, Madalena était admise à l'hôpital Saint-Vincent, le plus proche de Point Piper. Mme Ordens ne l'avait pas quittée et, pendant tout le trajet, lui avait tenu la main. Si sa respiration était régulière, sa main restait inerte, son visage inexpressif, sans même un battement de paupières.

Catholique comme sa patronne, à qui elle vouait une véritable adoration, Mme Ordens pria avec ferveur en attendant dans un bureau mis à la disposition de la famille et des proches. Arrivé peu auparavant avec le Dr Hardcastle, le meilleur gynécologue de Sydney et un de ses amis de longue date, Philip la rejoignit au bout d'une dizaine de minutes et la remercia de sa promptitude à réagir.

— Oh, Monsieur, quel malheur! Avez-vous vu Madame? A-t-elle repris connaissance?

— Pas encore. Le docteur l'examine en ce moment même avec plusieurs de ses confrères. Ils détermineront les causes de sa léthargie, j'en suis persuadé. Mon chauffeur va vous raccompagner à la maison. Je vous téléphonerai dès que j'aurai des nouvelles plus précises.

— Merci, Monsieur. Je ne vivrai plus jusqu'à ce que je sache ce qui est arrivé!

Une fois seul, Philip donna libre cours à son angoisse. Qu'est-ce qui avait provoqué la perte de conscience de Madalena? Il fallait agir au plus vite! Mais comment?... Son sentiment d'impuissance l'affolait. Il savait que Madalena était en de bonnes mains, que les médecins feraient l'impossible pour la guérir. Mais il ne savait rien d'autre. Il ne pouvait qu'attendre...

Au bout d'une vingtaine de minutes, le Dr Hardcastle entra. Philip se leva d'un bond:

— Alors, Malcolm ?

— Venez vous asseoir, mon vieux...

Son anxiété redoubla:

— Parlez, bon sang! Qu'a-t-il pu lui arriver entre hier soir, où elle était parfaitement normale, et ce matin?

— Nous sommes à peu près certains qu'il s'agit... d'une hémorragie cérébrale, répliqua le médecin en hésitant.

Horrifié, Philip ne répondit pas.

— Je suis désolé, Philip, mais les symptômes concordent. J'ai consulté deux neurochirurgiens, qui ont examiné Maddy avec moi tout à l'heure, et...

— Qui sont-ils? Ils se trompent peut-être! J'exige qu'elle soit vue par des spécialistes!

— Je prévoyais votre demande, Philip. Aussi ai-je déjà demandé à mon confrère Litman de faire appel à Alan Stimpson, le meilleur spécialiste du cerveau en Australie et sans doute dans le monde. Nous avons de la chance, Stimpson se trouve actuellement à Sydney et Litman a pu prendre contact avec lui. Il sera ici dans quelques minutes.

— Excusez mon mouvement d'humeur, Malcolm. Je suis fou d'inquiétude...

— Ne vous excusez pas, je vous comprends.

Le Dr Stimpson les rejoignit peu après et entra aussitôt dans le vif du sujet:

— Je viens de m'entretenir avec le Dr Litman et je vais moi-même examiner votre femme dans un instant, dit-il à Philip. Mais j'ignorais qu'elle était sur le point d'accoucher. Or, le scanner présente des risques pour l'enfant.

— Cet examen est-il indispensable?

— Oui, si nous voulons connaître avec précision l'étendue des dommages subis par le cerveau. Toutefois, avant de prendre une décision, je compte effectuer une série complète d'examens cliniques et consulter mes confrères. Nous déterminerons d'un commun accord la thérapeutique à mettre en œuvre.

— Je vois... J'espère que ces décisions seront prises rapidement, chaque minute compte.

— En effet, c'est pourquoi je vous prie de m'excuser, dit le chirurgien en se levant. Malcolm, j'aimerais que vous participiez à la consultation.

Une fois seul, Philip céda à la panique qu'il avait jusqu'alors maîtrisée tant bien que mal. Il ne comprenait pas comment pareille monstruosité avait pu se produire, pourquoi Maddy, *sa* Maddy, était inconsciente, mourante peut-être! La veille au soir, elle était si joyeuse, si radieuse! Maintenant, il se retrouvait plongé au cœur d'un cauchemar dont il ne distinguait pas la fin.

Dix minutes plus tard, le bruit de la porte lui fit lever la tête. Shane apparut sur le seuil, bouleversé:

— J'étais sorti, Barry m'a prévenu à l'instant. Que s'est-il passé, Philip?

— Les médecins pensent qu'il s'agit d'une hémorragie cérébrale. Elle a probablement eu lieu au cours de la nuit.

— Savent-ils ce qui l'a provoquée?

— Pas encore. Dieu merci, le Dr Stimpson est à Sydney. C'est lui qui examine Maddy en ce moment.

— Je le connais de réputation, j'ai lu plusieurs articles à son sujet. Il a déjà accompli des miracles.

— Je ne sais pas ce que je deviendrais s'il arrivait quoi que ce soit à Maddy. Elle compte pour moi plus que tout au monde, Shane, tu le sais...

Philip dut s'interrompre. Shane lui posa la main sur l'épaule et s'efforça de le réconforter:

— Ne perds pas confiance, il ne lui arrivera rien. Il ne faut jamais prévoir le pire, Philip.

— Merci, Shane. Je suis content que tu sois là.

Le silence retomba.

Philip était obsédé par sa vision de Madalena au moment de son admission, par son visage pâli, inexpressif, sa main inerte et froide quand il l'avait saisie. Malgré ses efforts, il ne pouvait chasser de son esprit ces atroces images qu'il évoquait avec une horreur croissante.

Shane respectait la douloureuse méditation de son beau-frère, à qui il jetait un regard de temps à autre. Il ne pouvait rien faire, rien dire que le plaindre en silence — et prier pour la guérison de Madalena.

Daisy arriva peu après, livide et tremblante. Shane la fit asseoir et la mit en quelques mots au courant du premier diagnostic. Daisy fondit en larmes:

— Oh, Philip! Notre Maddy...

Philip s'approcha de sa mère, tenta de la réconforter:

— Elle est en de bonnes mains. Le Dr Stimpson l'a prise en charge.

— Stimpson? Dieu soit loué! Je l'ai rencontré à la Fondation, il est le seul à pouvoir guérir Maddy.

— Je sais, j'ai confiance en lui.

— J'ai vu Barry avant de venir. Sans nouvelles de vous deux depuis plus d'une heure, il est mort d'inquiétude. Appelez-le sans tarder, Shane, tenez-le au courant. Jason est parti pour Perth hier soir, il le préviendra.

— C'est vrai, j'oubliais Barry, dit Philip. Je me charge de lui téléphoner. En même temps, j'appellerai la maison. Cette pauvre Mme Ordens est aussi inquiète que nous.

Le Dr Stimpson revint trois quarts d'heure plus tard:

— Notre premier diagnostic se confirme, monsieur Amory. Votre femme a subi une forte hémorragie cérébrale. Son état est préoccupant, je ne vous le cache pas.

Philip se tenait debout devant la fenêtre. Il sentit ses jambes se dérober sous lui et dut s'asseoir précipitamment, incapable d'articuler un mot. Shane répondit à sa place:

— Que recommandez-vous, docteur?

— Je voudrais effectuer le plus vite possible un examen au scanner et procéder à une trépanation, afin de réduire la pression qu'exerce le caillot de sang sur le cerveau. Je dois également vous signaler que, faute d'opérer très rapidement,

Mme Amory risque de ne jamais reprendre conscience et de rester dans un état comateux le restant de ses jours.

Philip ne put retenir un gémissement. Maddy dans le coma, inconsciente toute sa vie? C'était plus qu'il n'en pouvait supporter. Le chirurgien comprit son angoisse et attendit en silence qu'il eût repris sur lui.

— Continuez, docteur, parvint-il enfin à murmurer.

— Nous devons aussi considérer l'enfant. Si votre femme n'était enceinte que de quelques semaines, j'aurais sans hésiter conseillé l'interruption de sa grossesse, solution bien évidemment impossible dans sa situation actuelle. Le travail de l'accouchement peut débuter d'une minute à l'autre. Je recommande donc d'exécuter sans délai une césarienne.

— Je suis prêt à intervenir, dit le Dr Hardcastle.

— La césarienne peut-elle mettre la vie de ma femme en danger? demanda Philip.

— Non, au contraire, répondit Stimpson. Le danger serait beaucoup plus important si elle n'était pas effectuée. Elle nous permettra en outre de procéder à l'examen au scanner et à la trépanation sans craindre de nuire à l'enfant.

— Dans ce cas, ne perdez pas une minute! s'écria Philip. Mais, pendant que vous vous préparerez, je veux revoir ma femme et passer quelques minutes seul avec elle.

Peu après 14 heures, Madalena mit au monde une fille en parfaite santé. Elle n'avait pas repris connaissance.

Le Dr Hardcastle vint aussitôt avertir Philip, qui attendait avec Shane et Daisy. Philip ne laissa pas au gynécologue le temps de placer un mot:

— Et ma femme, comment est-elle? Parlez, Malcolm! Comment a-t-elle supporté le choc opératoire?

— Bien. Son état ne s'est pas amélioré mais il n'a pas non plus empiré.

— Est-ce bon signe? Pouvons-nous espérer?

— Probablement.

— Puis-je la voir?

— D'ici une heure, elle est encore en réanimation. Mais permettez-moi au moins de vous parler de votre fille, Philip ! Elle pèse sept livres et demie, elle est pleine de vie...

Philip parvint à se ressaisir :

— Merci, Malcolm. Je vous suis reconnaissant pour tout ce que vous avez fait.

— Pouvons-nous voir l'enfant ? intervint Daisy. J'aimerais quand même souhaiter la bienvenue à ma petite-fille.

— Certainement, madame. Venez, je vais vous conduire.

Ils se dirigèrent tous quatre vers la pouponnière. Une infirmière reconnut le gynécologue et s'approcha de la paroi vitrée, un nouveau-né dans les bras.

— La voilà, dit le Dr Hardcastle.

Daisy s'extasia :

— Regarde, Philip, comme elle est jolie ! Elle a déjà une touffe de cheveux blonds !...

Philip jeta à peine les yeux sur sa fille. Il se détourna presque aussitôt et attira le gynécologue à l'écart :

— Que va-t-il se passer maintenant, Malcolm ? Quand Stimpson compte-t-il opérer ?

— Bientôt, Philip. Vous feriez mieux, en attendant, de sortir prendre l'air, d'aller boire une tasse de thé ou de café avec votre mère et votre beau-frère...

— Je ne quitterai pas l'hôpital ! Je ne veux en aucun cas être séparé de ma femme ! s'écria Philip. Je déciderai peut-être les autres à partir, mais moi, je reste... Pardonnez ma nervosité, Malcolm, et merci encore pour tout ce que vous avez fait, dit-il avant de s'éloigner à grands pas.

Lorsque Shane et Daisy l'eurent rejoint dans la chambre voisine de celle de Madalena, ils refusèrent de regagner la villa de Point Piper comme il le leur suggérait :

— Nous n'allons certainement pas te laisser seul dans un moment pareil ! déclara Shane.

— Inutile d'insister, nous resterons, renchérit Daisy. Nous sommes déjà assez inquiets ! Comment t'imagines-tu que nous nous sentirions, loin de tout, sans nouvelles ?

Philip n'eut pas la force de discuter.

Incapable de tenir en place, il arpenta le couloir, revint s'asseoir, sortit de nouveau. Il chercha un dérivatif à son angoisse en téléphonant à son bureau. Rien n'y fit. Il passa le plus clair de son temps dans un silence accablé, debout devant la fenêtre.

Homme d'action, habitué à décider de tout et à maîtriser son destin, il lui paraissait inconcevable de rester inactif, de subir passivement une situation donnée, quelle qu'elle soit. Or, en une telle circonstance — la plus importante, la plus dramatique de sa vie — il ne pouvait rien faire, rien décider pour infléchir le cours des événements : le sort de la femme qu'il aimait reposait entièrement dans les mains des médecins. Il ne lui était d'aucun secours. Son sentiment d'impuissance exacerbait sa peur, au point qu'il sentait par moments sa raison lui échapper.

Il était près de 16 heures quand le Dr Stimpson vint annoncer qu'il avait procédé à l'examen au scanner du cerveau de Madalena et constaté la gravité de l'hémorragie.

— En avez-vous déterminé la cause ? demanda Philip d'une voix tremblante.

— On peut, je le crains, l'attribuer à sa grossesse. Nous avons déjà rencontré des cas similaires. Je compte opérer immédiatement. Souhaitez-vous voir votre femme avant que nous la préparions ?

— Oui.

— L'opération a de grandes chances de réussir. Soyez assuré que je ferai tout ce qui est humainement possible pour sauver la vie de Mme Amory.

— Je sais, docteur.

Philip le suivit jusqu'à l'antichambre de la salle d'opération, où le chirurgien le laissa seul. Bouleversé, il se pencha vers Madalena. Sur l'étroit lit d'hôpital, le visage aussi blanc que le drap, elle semblait si frêle, si vulnérable. Stimpson avait prévenu Philip qu'on devrait la raser en vue de l'opération. Peu importait à Philip de sacrifier sa somptueuse chevelure châtain si cela devait permettre de lui sauver la vie. Il caressa une des mèches soyeuses étalées sur l'oreiller, la porta à ses lèvres. La main qu'il serra dans les siennes resta inerte. Il se pencha plus près, posa un baiser sur sa joue, lui parla à l'oreille :

— Ne me quitte pas, mon amour. Je t'en supplie, ne me quitte pas. Bats-toi, lutte pour ta vie, mon amour. Je tiens trop à toi pour te perdre...

De longues minutes, il chuchota ainsi dans l'espoir de discerner un signe de compréhension, un battement de paupière, un frémissement signifiant qu'elle l'avait entendu. En vain.

Le cœur brisé, il lui donna un dernier baiser et se résigna à la quitter.

— Quelle heure est-il, Shane ? demanda Daisy.

— Six heures. Voulez-vous que j'aille chercher du thé ?

— Volontiers. Et toi, Philip ?

— Je préférerais du café si...

L'arrivée du Dr Stimpson l'interrompit. Encore vêtu de sa blouse, le chirurgien resta près de la porte. Devant son expression, Philip sentit son cœur cesser de battre.

— Je suis profondément navré, monsieur Amory. J'ai fait tout ce qui était en mon pouvoir, mais... votre femme est morte au cours de l'opération. Croyez bien que...

— Non !

Le cri avait échappé à Philip. Il bondit, vacilla, se retint au dossier de la chaise qu'il serra à le briser.

— Non ! répéta-t-il.

Daisy réprima un sanglot et accourut vers Philip, que Shane soutenait déjà aux épaules. Il les repoussa en secouant la tête, comme s'il voulait nier la réalité de ce qu'il venait d'entendre, et empoigna le chirurgien par le bras :

— Je veux voir ma femme, dit-il d'une voix rauque.

Une fois encore, Stimpson le conduisit à l'antichambre de la salle d'opération et le laissa seul avec Madalena.

Elle paraissait paisible, comme plongée dans un profond sommeil. Aucune trace de souffrance ou de crainte ne marquait ses traits. Philip s'agenouilla, lui prit la main. Elle était glacée. Passionnément, à peine conscient de la folie de son geste, il tenta de la réchauffer.

— Oh, mon amour, pourquoi m'as-tu abandonné? Sans toi, je n'ai plus rien au monde. Je ne suis plus rien. Pourquoi, Maddy, pourquoi?...

Il répéta interminablement la même question. Les larmes qu'il retenait depuis le matin jaillirent enfin, sans lui apporter de soulagement. Prostré, inconscient, il resta ainsi jusqu'à ce que Shane vînt avec douceur le prendre par le bras et l'entraîner au-dehors.

32

Pour la dernière fois, il la ramena à Dunoon, ce lieu qu'elle avait tant aimé.

Après le service funèbre à la cathédrale Sainte-Mary de Sydney, la dépouille mortelle de Madalena fut mise à bord du jet de Philip, qui resta assis avec Shane à côté de la bière pendant tout le trajet. Daisy et Jason suivaient dans l'avion de ce dernier avec Barry Graves et le Père Ryan, le confesseur de Madalena, qui avait célébré la messe.

Philip fit placer le cercueil dans la galerie, parmi les portraits de ses ancêtres. Il le veilla toute la nuit.

Le lendemain, le soleil se leva dans un ciel sans nuages. Les jardins resplendissaient. Philip ne vit rien des beautés de la Nature. Il se mouvait comme un automate, sans même avoir conscience de la présence de ceux qui l'entouraient.

A dix heures, sur les épaules des six porteurs désignés par Philip — Shane, Jason, Barry, le régisseur et deux palefreniers qui avaient idolâtré leur jeune patronne — le cercueil quitta la « grande maison ». Mené par le Père Ryan, le cortège traversa les jardins jusqu'au petit enclos où les McGill étaient inhumés, à l'ombre des ormes et des eucalyptus.

Philip avait fait préparer pour Madalena une tombe proche de celle de Paul, son grand-père. Savoir qu'elle avoisinerait dans la mort celui dont elle contemplait le portrait le jour de leur première rencontre, et à qui elle vouait une admiration égale à celle que lui inspirait Emma Harte, lui procurait une sorte de réconfort.

Daisy attendait près de la tombe, entourée de tout le personnel de l'exploitation en tenue de deuil. Les femmes et les enfants avaient apporté des bouquets de fleurs des champs. Tout le monde pleura sans retenue quand le Père Ryan commença les prières des morts.

Seul, Philip avait les yeux secs.

Livide, les poings crispés, il garda une immobilité de statue pendant toute la durée de la cérémonie. Son regard vide d'expression trahissait une douleur si tragique que nul n'osait la troubler. Après que le cercueil eut été mis en terre, il reçut machinalement les condoléances des assistants et, sans attendre, s'éloigna à grands pas.

Shane et Daisy parvinrent à le rattraper. Il ne proféra pas un mot jusqu'à ce qu'ils fussent entrés dans la maison. Alors, seulement, il se tourna vers eux:

— Je ne reste pas ici. Je veux être seul. Je pars.

— Ne réagis pas comme à la mort de ton père, mon cher enfant! l'implora Daisy, les yeux pleins de larmes. Ne te replie pas sur toi-même, donne libre cours à ton chagrin. C'est le seul moyen de t'en guérir, de continuer à vivre.

Il la dévisagea comme s'il contemplait à travers elle une image lointaine qu'il était seul à voir.

— Vivre? A quoi bon vivre, sans elle?

— Ne parle pas ainsi! Tu es jeune...

— Vous ne comprenez donc pas? En perdant Maddy, j'ai tout perdu.

— Tu as ta fille, voyons! L'enfant de Maddy!

Philip ne répondit même pas. Il tourna les talons et s'en fut, sans un regard en arrière.

Accablée, Daisy fondit en larmes. Shane lui prit le bras et la guida jusqu'au salon.

— Il se remettra, n'ayez crainte, dit-il d'un ton rassurant. Pour le moment, il est encore en état de choc, il n'a pas toute sa lucidité.

— Je sais, Shane, mais j'ai peur pour lui. Paula aussi. Quand elle m'a téléphoné de Londres, hier soir, elle craignait qu'il ne réagisse de la sorte. Il ne faut pas le laisser ainsi, sinon il ne s'en remettra jamais! Il me fait peur, Shane...

Elle se laissa tomber sur un canapé et s'essuya les yeux avec son mouchoir avant d'ajouter:

— Nous avons eu tort d'empêcher Paula de venir.

— Nous ne pouvions pas lui imposer un si long voyage pour si peu de temps, Philip était le premier à le dire.

— Elle aurait su l'aider. Ils ont toujours été si proches l'un de l'autre...

— Peut-être. Je crois pourtant que personne ne peut rien pour Philip dans l'état où il est. Le drame a été trop soudain, trop brutal. Il y a quelques jours encore, Maddy était en pleine santé. Elle attendait avec joie la naissance de son enfant, elle formait des projets. Ils s'aimaient, ils étaient heureux. Et puis, du jour au lendemain, il l'a vue mourir presque dans ses bras... Le choc est trop rude, Daisy. Philip est littéralement assommé. Mais il récupérera, j'en suis sûr. Il le faut, il n'a pas le choix. Donnons-lui simplement le temps de reprendre ses esprits.

— Le pourra-t-il? Il adorait Maddy à un point...

— C'est vrai, intervint Jason, et il souffrira très longtemps. Mais Shane a raison. Un jour ou l'autre, Philip surmontera sa douleur. On finit toujours par se consoler, tu le sais mieux que quiconque, ma chérie.

— Oui, murmura Daisy. Mais il m'inquiète, je n'y peux rien... A votre avis, Shane, où est-il allé?

— Il a probablement regagné Sydney. Dans l'immédiat, il préfère être seul. C'est compréhensible.

— Philip a de lourdes responsabilités professionnelles, dit Jason, et il est trop consciencieux pour les négliger. Je le connais assez pour parier qu'il sera à son bureau lundi matin — et qu'il se jettera sur le travail avec acharnement.

— C'est sans doute ce qui le sauvera, approuva Shane. Il travaillera pour oublier sa peine, comme il l'a fait après la mort de son père.

— Je l'espère de tout mon cœur, dit Daisy, comme je souhaite qu'il refasse sa vie plus tard. Mais Philip est tellement imprévisible... Il est longtemps resté une énigme pour beaucoup de gens, même pour moi. Pauvre Maddy! Je l'aimais comme ma propre fille. Pourquoi est-elle morte si jeune, si vite?...

Les sanglots l'interrompirent. Jason la prit dans ses bras et s'efforça de la consoler, tout en sachant que les mots étaient impuissants devant une telle douleur.

Daisy finit par se ressaisir. Elle sécha ses larmes et déclara, aussi bravement qu'elle put :

— Nous devons être forts pour aider Philip... Mais où est donc le Père Ryan ?

— A la bibliothèque, avec Tim et les autres. La cuisinière a préparé des gâteaux, du café — ou des boissons plus fortes pour ceux qui auraient besoin de se remonter, dit Jason.

— Je suis impardonnable ! s'écria Daisy en se levant. Nous devrions déjà y être et représenter Philip !

Jason et Shane la suivirent aussitôt.

En dépit de ses propos rassurants, Shane était mortellement inquiet. Il avait hâte de regagner Sydney afin de surveiller son beau-frère.

Nul ne sut jamais où Philip avait passé le week-end qui suivit son départ précipité de Dunoon, après l'inhumation de Madalena.

Ce soir-là, Shane avait téléphoné à la villa de Point Piper et à l'appartement de la tour McGill. On ne l'avait vu à aucune de ses deux résidences. Si les serviteurs mentaient sur ordre de leur maître pour protéger sa solitude, Shane savait qu'il était inutile d'insister. Philip était aussi obstiné que Paula, trait de caractère familial hérité d'Emma Harte.

Le lundi matin, Philip arriva à son bureau à sept heures trente précises et convoqua Barry et Maggie pour leur habituelle conférence quotidienne. Mais il leur parut si glacial, si redoutable même, qu'aucun des deux n'osa aventurer un mot de condoléances ou de réconfort.

Ainsi que Jason l'avait prédit, Philip se jeta dans son travail avec un acharnement défiant l'imagination. De jour en jour, ses horaires se firent plus longs, plus exténuants. Il ne remontait jamais à son appartement avant vingt et une heures trente, touchait à peine au souper froid préparé par son valet philippin, se couchait aussitôt après pour se lever le lendemain matin à six heures. Il n'avait plus de contact avec quiconque en dehors de ses collaborateurs, il évitait toutes les personnes autres que ses relations d'affaires, y compris Shane et sa mère que son comportement inquiétait d'autant plus qu'ils ne pouvaient intervenir.

Barry Graves, qui le connaissait intimement et avec qui il passait le plus clair de ses journées, s'attendait à ce qu'il fît enfin allusion à Madalena, à sa mort tragique ou même à leur enfant. Or, il ne lui en toucha jamais un mot et paraissait chaque jour un peu plus froid, un peu plus distant, un peu plus replié sur lui-même. Barry discernait en lui une sorte de rage qui devait finir par éclater un jour ou l'autre.

Sérieusement troublé, Barry se décida à confier ses inquiétudes à Daisy. Elle appela aussitôt Shane, qui venait de rentrer d'un voyage d'affaires à Melbourne et Adelaïde :

— Je compte aller en ville, lui dit-elle. Puis-je vous rendre une petite visite ?

— Avec plaisir ! Venez d'ici une heure, nous prendrons le thé et nous pourrons parler tranquillement.

A l'heure dite, Shane accueillit sa belle-mère dans son bureau de l'hôtel O'Neill.

— Vous ne me paraissez pas dans votre assiette, Daisy. C'est Philip qui vous tracasse encore, n'est-ce pas ?

Daisy lui prit la main, le regarda dans les yeux. Elle avait vu naître Shane et l'aimait comme son propre fils.

— Vous êtes le meilleur des gendres et le plus sûr des amis, Shane. Vous m'avez aidée à surmonter ma peine à la mort de ma mère et je n'oublierai jamais ce que vous avez fait pour moi au moment le plus pénible de mon existence, quand David a été tué. Depuis toujours, vous êtes un roc pour Paula et pour moi. Aujourd'hui encore, je viens vous demander votre aide.

— Vous n'avez jamais douté, je pense, de pouvoir compter sur moi en toute circonstance.

— Alors, allez voir Philip. Parlez-lui, faites-lui comprendre qu'il compromet sa santé, sa vie entière, en continuant d'agir comme il le fait.

— Comment lui parlerais-je? Il me fuit! s'écria Shane. J'ai passé des heures, des jours, à tenter vainement de forcer les barrages pour lui dire deux mots au téléphone. Une seule fois, j'ai réussi à convaincre Maggie de lui passer la communication. Quand je l'ai supplié de me recevoir, il a prétexté des conférences, du travail urgent, que sais-je?...

— Je sais, j'ai les mêmes difficultés à le joindre. Je crois quand même, Shane, que vous êtes, avec Paula, l'une des deux seules personnes à pouvoir l'approcher. Mais Paula est loin. Il faut donc que ce soit vous qui interveniez. Faites-le pour moi, je vous en conjure. Faites-le pour lui. Aidez-le à se sortir de cette situation malsaine qui le conduit à la catastrophe.

Pensif, Shane ne répliqua pas.

— Allez ce soir à son appartement, reprit Daisy d'un ton persuasif. Forcez sa porte s'il le faut! Non, j'ai une meilleure idée: je vais téléphoner à José, son valet philippin, pour le prévenir de votre arrivée. Il vous laissera entrer et Philip n'osera pas vous éconduire!

— Soit, j'irai, répondit-il enfin. Je tenterai de lui faire entendre raison.

— Merci, Shane, je sais que vous ferez de votre mieux. Barry m'a prévenue en désespoir de cause. Malgré leur vieille amitié, Philip est son patron, il n'ose pas aller trop loin avec lui, mais il ne m'a rien caché de son inquiétude. De jour en jour, Philip devient plus impitoyable avec les autres comme avec lui-même. Il maîtrise de moins en moins bien une sorte de fureur rentrée, il est incapable d'assimiler la mort de Maddy, de se résigner à vivre sans elle...

— Il a subi un choc terrible, Daisy.

— Cela justifie-t-il qu'il ne soit *pas une fois* venu voir sa fille, depuis que Jason et moi l'avons ramenée chez nous? Il n'a même jamais parlé d'elle ! s'écria Daisy, ulcérée.

— Je n'en suis guère surpris. Laissez-lui le temps de se

ressaisir, Daisy. J'ai l'impression, voyez-vous, qu'il rend l'enfant responsable de la mort de Madalena et que, par contrecoup, il s'en accuse aussi puisqu'il est le père. Rappelez-vous ce qu'avait dit le Dr Stimpson: la prolongation anormale de la grossesse aurait pu provoquer l'hémorragie. Je n'oublierai jamais l'expression de Philip quand il a entendu ces mots. Il était fou de douleur.

— Je l'ai vu et j'ai envisagé, moi aussi, cette hypothèse... Si j'en crois Barry, Philip s'enfonce chaque jour davantage dans une dépression dont je crains qu'il ne mette des mois à se guérir.

S'il en guérit jamais, s'abstint de répondre Shane, qui préféra détourner la conversation:

— Parlez-moi donc de la petite.

Daisy se transfigura en un clin d'œil:

— Oh, Shane! Si vous saviez comme elle est adorable! Elle ressemble à la fois à Linnet, la fille de Paula, et à Natalie, celle d'Emily. Je suis sûre qu'elle aura les cheveux roux, ou plutôt d'un beau blond vénitien. Une vraie Harte!...

Shane la laissa sans l'interrompre parler de sa petite-fille, l'héritière tant attendue de la fortune McGill, car il savait combien ce sujet lui tenait au cœur. Pauvre petite, se disait-il, venue au monde chargée de la plus terrible des accusations, avoir causé la mort de sa mère... Oui, il devait tout tenter pour amener Philip à accepter l'existence de sa fille, à l'aimer. Il le fallait, pour lui comme pour elle. Ils avaient besoin l'un de l'autre dès maintenant, ils en auraient bien davantage besoin à l'avenir.

Après le départ de Daisy, Shane étudia les dossiers accumulés sur son bureau pendant son absence, écrivit un mot affectueux à Paula et aux enfants. A dix-huit heures, il réunit ses principaux collaborateurs afin d'examiner l'avancement des travaux d'un hôtel O'Neill en cours de construction à Perth.

La conférence terminée, Shane alla dîner en ville avec le directeur général de la chaîne pour l'Australie. Les deux hommes continuèrent à parler affaires pendant le repas et se levèrent de table vers vingt-deux heures. Tandis que l'autre rentrait chez lui en taxi, Shane se dirigea à pied vers Bridge Street, où se dressait la tour McGill. Enfermé une journée entière dans son bureau, il avait besoin d'exercice et de grand air. Il espérait aussi gagner du temps, de sorte que Philip ait fini de dîner et soit un peu plus détendu quand il l'aborderait.

Il appréhendait cette rencontre, qu'il prévoyait pénible pour Philip comme pour lui. Incapable de rien lui offrir qui adoucît sa peine, il ne pouvait que lui parler avec sympathie, l'écouter avec compréhension, l'assurer de son soutien et de son affection. C'était peu, en regard des profondes blessures morales dont Philip était affligé.

Ainsi que Daisy le lui avait annoncé, Shane fut immédiatement introduit par le valet philippin, qui le conduisit au salon et alla prévenir son maître.

Au bout d'un quart d'heure d'attente, Shane alla se servir un cognac au bar et trompa son impatience en cherchant les mots qu'il allait dire à Philip afin de le convaincre. Daisy l'avait chargé d'une mission qu'il devait accomplir à tout prix, même s'il échouait par ailleurs : obtenir de Philip qu'il aille voir l'enfant le plus tôt possible. Shane partageait l'opinion de Daisy : il fallait que Philip cesse de se sentir responsable de la mort de Madalena et, surtout, d'en accuser sa fille. L'admission de son innocence, l'amour paternel qu'il se privait de lui prodiguer constitueraient la clé de sa guérison. Alors seulement pourrait-on espérer voir sa douleur s'atténuer peu à peu.

Un autre quart d'heure s'écoula avant que Philip ne parût enfin sur le seuil, d'où il observa son beau-frère d'un air maussade, sinon hostile. Shane se leva et réprima un cri de stupeur. Voûté, amaigri, les joues creuses, les yeux rougis et cernés de noir, Philip avait l'allure d'un malade au dernier degré de la consomption. Mais le plus incroyable n'était pas là : ses cheveux, d'un noir éclatant jusqu'alors, étaient devenus entièrement blancs sur les tempes.

Shane savait combien la mort de Madalena avait affecté Philip, mais il ne s'était pas douté à quel point. L'homme qu'il avait devant lui souffrait un véritable martyre. La froideur, le détachement qu'il affectait en public, et que Barry avait décrits, devaient constituer sa seule défense contre un effondrement total. Bouleversé, Shane comprit que le mal était plus profond qu'il ne l'avait craint.

A peine se furent-ils serré la main que Philip se versa un grand verre de vodka, dont il avala d'un trait la moitié.

— J'ai d'abord failli te renvoyer, mais je me suis dit : à quoi bon ? Tu serais revenu demain ou le jour d'après. Ensuite ç'aurait été le tour de ma mère, de Jason, de toute la sainte famille, jusqu'à ce que l'un d'entre vous ait l'idée saugrenue de faire venir Paula. Alors, autant te voir, toi...

Philip parlait d'une voix à peine audible. Epuisé par le manque de sommeil, il marcha vers un canapé et s'y laissa tomber. Shane l'observa quelques minutes en silence :

— Depuis l'enterrement de Maddy, il y a trois semaines, tu n'as vu personne, ni ta mère ni moi. Daisy est très inquiète à ton sujet, Philip, et je ne le suis pas moins...

— Aucune raison de vous faire du mauvais sang, je vais très bien, répliqua-t-il sèchement.

— Je constate, au contraire, que tu vas très mal.

— Fiche-moi la paix ! Je suis assez grand pour...

— Non ! Tu te conduis comme un gamin. Tu t'enfermes dans la solitude alors que tu aurais plus que jamais besoin d'être entouré de ta famille. Je t'en prie, Philip, cesse de nous fuir comme si nous étions tes ennemis ! Tu as besoin de moi, de ta mère, de Jason, avoue-le sans fausse honte. Nous sommes là pour t'aider du mieux que nous pouvons.

— Personne ne peut rien pour moi. Je n'en mourrai pas, on ne meurt pas d'amour... Mais ma douleur ne s'effacera pas. Jamais ! On se console de la mort des vieilles gens parce qu'elle est normale, parce qu'on s'y apprête. Mais comment se préparer, comment se résigner à l'injustice d'une mort comme celle de Maddy? Elle était trop jeune, tu ne comprends donc pas?

— Tu te trompes, Philip, la douleur n'est pas éternelle. Crois-tu que Maddy aimerait te voir dans l'état où tu es? Elle voudrait au contraire que tu cherches le réconfort dans...

— Ah ! non, je t'en prie! Pas de sermons sur la religion!

— Je n'avais pas l'intention de t'en parler.

Philip alla remplir son verre, en avala une gorgée. Accoudé au bar, il dit d'une voix assourdie:

— Veux-tu savoir ce qui m'arrive de plus atroce, Shane? Je ne me rappelle *rien* de l'année qui vient de s'écouler. J'ai un vide, un trou complet. Maddy s'est évanouie de ma mémoire comme si elle n'avait jamais existé. Comprends-tu, Shane? *Je ne me souviens plus de Maddy!* J'ai oublié la seule femme que j'aie jamais aimée!

— C'est un effet normal du choc psychologique. La mémoire te reviendra quand tu auras recouvré ton équilibre.

— Non, je suis sûr du contraire. Elle est morte, morte à jamais. Je l'ai perdue...

— Son corps est mort, pas son esprit. Crois-moi, Philip, je ne fais qu'énoncer une évidence. Maddy vit toujours dans ton cœur, dans tes souvenirs. Elle se survit dans son enfant.

Philip ne répondit pas. Du pas hésitant d'un vieillard, il alla devant la baie vitrée et s'absorba dans la contemplation du paysage. En fait, il avait entendu chaque parole, chaque argument de Shane et s'efforçait de les assimiler, d'en évaluer la véracité.

Devait-il croire son beau-frère? Maddy reviendrait-elle habiter sa mémoire? Non, ce n'étaient que des mots creux, des consolations illusoires. Depuis des jours, des semaines, il s'était rendu à l'évidence: Maddy l'avait quitté pour toujours. Elle seule l'avait guéri de ses angoisses passées, elle seule l'avait rendu heureux, et il ne se rappelait même plus les traits de son visage. S'il voulait la revoir, il devait regarder des photos! Pourquoi cette épreuve, la plus affreuse, la plus absurde de toutes? Maddy, qu'il avait tant aimée!...

Accablé, il ferma les yeux. Il avait tué la femme qu'il aimait plus que tout au monde, plus que sa propre vie. Elle avait perdu la vie à cause de son amour pour elle. Il avait signé son arrêt de mort en faisant l'amour avec elle. Comment comprendre, comment admettre pareille cruauté du sort?

La voix de Shane lui fit rouvrir les yeux. La nuit était belle. Les lumières de la ville scintillaient sous un ciel pur où brillaient les étoiles. Vers l'est, à l'horizon, on distinguait d'étranges lueurs améthyste, aux reflets jaunes d'or et rouge vermillon. La splendeur du spectacle lui serra le cœur. Combien de fois, ici même, avait-il entendu Madalena s'extasier devant la clarté du ciel, les formes des nuages, les couleurs changeantes du crépuscule?...

L'apparition au-dessus des tours d'un épais nuage noir, d'une forme bizarre, attira soudain son attention. Philip se pencha, fronça les sourcils, poussa un cri d'horreur:

— Mon dieu, mais...

Shane bondit.

— Philip! Qu'y a-t-il? Te sens-tu mal?

— Viens vite, regarde! Ce nuage de fumée, ces lueurs rouges, c'est un incendie! Bon dieu, Shane, mais... c'est ton hôtel qui brûle!

Il fallut quelques secondes à Shane pour reconnaître, entre les tours qui ne lui étaient pas familières, l'immense surface vitrée de *L'Orchidée*, le restaurant du dernier étage de l'hôtel, sur laquelle se reflétaient les flammes.

Sans un mot, il se précipita vers la porte. Philip le suivit, s'engouffra avec lui dans l'ascenseur. A peine au rez-de-chaussée, ils s'élancèrent en courant dans la rue, au coude à coude. Le hurlement des sirènes de pompiers qui les dépassaient couvrait le martèlement de leurs pas.

33

Tout en courant, Shane s'interrogeait sur l'étendue du désastre. Professionnel de l'hôtellerie, il se représentait trop bien les épouvantables conséquences d'un incendie dans un établissement de cette taille : les blessures de toutes natures — intoxications, brûlures, fractures. Les traumatismes psychologiques qu'engendre la terreur. La mort.

A peine eut-il tourné le coin de la rue qu'il stoppa, pétrifié devant le spectacle qu'offrait l'hôtel, le fleuron de la chaîne, transformé en « tour infernale ».

Dans les flammes et la fumée, des hélicoptères se relayaient pour évacuer les rescapés réfugiés sur le toit. Des pompiers, juchés sur les grandes échelles, sauvaient ceux qui restaient piégés dans les étages intermédiaires. Les lances à incendie déversaient des tonnes d'eau sur le brasier. Des voitures de police barraient les accès de la rue où, dans le hurlement des sirènes, se poursuivait le ballet des ambulances, des brancardiers et des médecins accourus sur les lieux.

Sous les effets conjugués de la chaleur et de sa course folle, Shane se sentit suffoquer. La catastrophe dépassait ses pires appréhensions. Le sol était jonché d'éclats de verre et de débris calcinés. L'épaisse fumée noire et les vapeurs toxiques empuantissaient l'atmosphère en limitant la vision. Près d'une voiture de police, des clients de l'hôtel en vêtements de nuit se regroupaient, terrifiés. Shane allait s'élancer à leur aide quand il vit que deux grooms et des infirmiers les secouraient déjà et les faisaient monter dans des ambulances. Alors, le nez et la bouche protégés tant bien que mal avec son mouchoir, il se fraya un passage entre les sauveteurs. Il était le patron, le responsable. C'était à lui de prendre les choses en main. Sa place n'était pas parmi les badauds.

Un policier l'arrêta :

— Ne vous approchez pas, monsieur, il y a du danger.

— Je suis Shane O'Neill, le propriétaire...

— Dans ce cas, je vais vous escorter.

Le policier l'aida à franchir les barrages. Au pied des marches, Shane reconnut le sous-directeur chargé du service de nuit, qui courut au-devant de lui :

— Ah, monsieur ! Vous êtes indemne, Dieu merci ! Nous avons essayé de vous appeler dès que l'alarme s'est déclenchée, vers vingt-trois heures. Mais votre suite ne répondait pas et nous ignorions si vous étiez encore dans l'hôtel ! On vous cherchait partout...

Shane coupa court à sa tirade :

— J'étais sorti. Combien de victimes ?

— On dénombre jusqu'à présent quatre morts et une quinzaine de blessés, mais le chiffre n'est pas définitif.

— Grand dieu !...

Shane s'interrompit afin de laisser passer un groupe de clients que deux employés de l'hôtel emmenaient en lieu sûr.

— Connaît-on la cause du sinistre ?

— Nous ne savons rien de précis, mais j'ai mon idée.

— Soupçonneriez-vous la malveillance ?

— Non ! Personne n'a de raisons de nous en vouloir ! Qui pourrait faire une chose pareille ?

— Un employé mécontent, récemment licencié peut-être.

— Non, monsieur, je suis presque sûr qu'il ne s'agit pas de cela. L'incendie a une cause accidentelle.

— Où a-t-il éclaté ?

— Au trente-quatrième étage. Comprenez-vous pourquoi nous étions inquiets à votre sujet ? Vous l'avez échappé belle !

Shane frémit d'une peur rétrospective : sa suite se trouvait en effet à cet étage, ainsi que plusieurs appartements loués à l'année. Quelques suites de luxe, réservées à la clientèle de passage, étaient situées à l'étage supérieur et le restaurant *L'Orchidée* occupait le trente-sixième et dernier étage.

— C'est providentiel que nous ayons fermé les deux derniers étages la semaine dernière pour refaire les peintures ! s'écria-t-il. Imaginez ce qui se serait produit avec deux cents personnes en train de dîner et de danser au restaurant ! Les clients indemnes ont-ils été relogés ?

— Le Hilton et le Wentworth les hébergent. Pour une fois, heureusement, l'hôtel n'était occupé qu'à la moitié de sa capacité.

Haletant, Philip les rejoignit à ce moment-là :

— Je te cherchais partout ! Puis-je me rendre utile ?

— Merci, Philip, mais il n'y plus grand chose à faire. Le personnel et les services de secours ont déjà pris la situation en main. Elle paraît moins désastreuse que je ne le craignais en arrivant sur les lieux.

Il lança un regard consterné vers l'hôtel, dont deux étages étaient encore en flammes. Des renforts se déployaient, mettaient en batterie de nouvelles lances à incendie. Le sinistre ne tarderait sans doute pas à être maîtrisé...

Une violente explosion les fit sursauter.

— Que diable était-ce ? s'exclama Philip.

— Des fenêtres qui éclatent sous l'effet de la chaleur, répliqua Shane. Pourvu qu'il n'y ait pas de nouvelles victimes !

— Je ne vois pas d'éclats de verre !

— Il s'agit probablement de l'autre façade, celle qui donne sur le port, répondit le sous-directeur.

Une jeune femme en chemise de nuit, le visage noir de suie, se précipita sur Philip et le tira par le bras :

— Au secours ! Aidez-moi, je vous en supplie ! J'ai perdu ma fille, je ne la retrouve nulle part ! Pourtant, je suis sûre qu'elle était sortie avec nous ! Elle n'a que quatre ans...

La jeune femme éclata en sanglots. Philip l'entraîna à l'écart, lui parla d'un ton rassurant :

— Soyez sans crainte, elle est sans doute quelque part en sûreté. Venez, nous allons la chercher.

Sa douleur, son désarroi s'effaçaient devant la tragédie dont il était le témoin. Il oubliait sa peine pour venir en aide à cette mère désemparée.

A quatre heures du matin, les flammes étaient éteintes et les blessés, au nombre de vingt-cinq, depuis longtemps admis dans divers hôpitaux où ils recevaient des soins. Les morts, neuf au total, reposaient à la morgue. Les pompiers, la police et le personnel de l'hôtel ramenaient l'ordre dans le quartier. Depuis plusieurs heures, Shane avait retrouvé tout son sang-froid et dirigeait les opérations.

Au petit matin, côte à côte sur le trottoir encore jonché de débris, Shane et Philip contemplaient la carcasse noircie et fumante de l'hôtel.

— J'en suis malade, dit Shane. Cela n'aurait jamais dû se produire. Quand je pense à ces morts, à ces blessés, à leurs familles... Au fait, merci d'avoir porté secours à cette jeune femme, Philip. Où as-tu retrouvé sa fille?

— Dans une des ambulances, aux soins d'un infirmier. Elle n'avait rien de grave, heureusement, sinon une belle peur d'avoir été séparée de sa mère... Je suis bouleversé qu'un pareil drame te soit arrivé à toi, Shane. Tu étais si fier de tes systèmes de sécurité. Et puis, ajouta-t-il, je sais combien tu tenais à cet hôtel. Je ferai l'impossible pour te donner un coup de main, demande-moi ce que tu veux.

— Merci, Philip...

Shane se frotta les yeux, épuisé. Le rêve de Blackie, parti en fumée! se répétait-il. Comment oublier la joie de son grand-père quand il en préparait la construction? Il avait choisi et acheté le terrain au cours d'un séjour à Sydney avec Emma Harte. Il voulait en faire le bâtiment-amiral de sa flotte d'hôtels. S'il n'avait pas eu le bonheur de le voir terminé avant sa mort, il avait lui-même vérifié et approuvé les plans des architectes. Ce rêve, il n'en restait que des ruines...

— Viens, lui dit Philip en l'entraînant. Allons chez moi.

Tu as besoin de te laver, de te reposer. Il te faut des vêtements propres.

A la fin de la matinée, douché, rasé, vêtu d'un costume de son beau-frère, Shane présida une réunion dans la salle de conférences de la McGill Corporation. Le directeur de l'hôtel, le sous-directeur et d'autres cadres de la chaîne se trouvaient autour de la table avec le capitaine Arnold, qui avait dirigé les compagnies de pompiers ayant lutté contre le sinistre.

Les préliminaires promptement expédiés, Shane se tourna vers ce dernier:

— Je vous donne la parole, capitaine. Vous avez déjà interrogé, m'a-t-on dit, plusieurs membres du personnel de l'hôtel. Avez-vous une idée de ce qui a causé l'incendie?

— La négligence. Selon les indices découverts au trente-quatrième étage où le feu a éclaté, l'incendie a été provoqué par une cigarette qui a enflammé un siège dans un des appartements loués à cet étage-là. Il s'agit de celui qu'occupe la Jaty Corporation.

— Pouvez-vous nous communiquer des détails plus précis?

— Oui, grâce au témoignage d'un garçon d'étage. En allant chercher le plateau du dîner dans cet appartement vers vingt heures trente, il avait remarqué un cendrier posé en équilibre sur l'accoudoir d'un canapé. Je ne crois pas me tromper en disant que les occupants se sont servis de ce cendrier avant d'aller se coucher. Le cendrier a basculé au cours de la nuit et un mégot mal éteint a enflammé le meuble en question. Le feu a vraisemblablement couvé au moins deux heures avant de se déclarer. Les occupants de la chambre à coucher sont morts quelques secondes après s'être réveillés.

— Comment le savez-vous?

— Deux de mes hommes les ont découverts sur le lit. Ils n'étaient pas morts brûlés, mais asphyxiés par les émanations toxiques. Le canapé était rembourré avec une mousse plastique, matériau hautement inflammable qui produit des flammes d'une chaleur assez intense pour attaquer une cloison ou un plafond et faire éclater le verre. En se consumant, il dégage des vapeurs mortelles — cyanure, oxyde de carbone, et j'en passe.

Atterré par ces révélations, Shane se tourna vers le directeur de l'hôtel :

— L'usage de ce genre de matériaux pour l'ameublement est strictement prohibé depuis 1981 ! Je l'ai moi-même interdit dans tous nos hôtels depuis plus d'un an. Comment se fait-il qu'il y en ait eu chez nous ?

— Nous avons toujours appliqué vos instructions, monsieur. Aucun meuble de l'hôtel ne contenait ce type de mousse. Nous avons remplacé tout le mobilier, comme vous le savez.

— Vous entendez pourtant ce que dit le capitaine Arnold ! Le canapé de cet appartement était rembourré avec de la mousse plastique !

— La seule explication, c'est qu'il ait échappé d'une manière ou d'une autre à notre vigilance. Le locataire avait son propre décorateur, qui s'est chargé de fournir les meubles.

— Etaient-ils informés de nos règlements ?

— Oui, mais ils n'en ont manifestement pas tenu compte.

— C'est scandaleux ! s'exclama Shane. Et leur négligence n'excuse pas la nôtre. Nous aurions dû vérifier le travail du décorateur et de ses fournisseurs... A-t-on identifié le couple trouvé mort dans la chambre à coucher ?

— Oui, répondit le capitaine des pompiers. Il s'agit du fils et de la belle-fille du président de la Jaty Corporation.

— Les pauvres gens... Mais revenons au sinistre, capitaine. Vous nous en avez clairement expliqué le début. Que s'est-il passé ensuite ?

— Je pense que les événements se sont déroulés de la façon suivante. Récapitulons : un mégot mal éteint met le feu au canapé, les flammes couvent environ deux heures avant d'éclater — entre 22 h 45 et 22 h 50, à mon avis — avec une telle intensité que la chaleur fait sauter les vitres en quelques secondes. L'appel d'air alimente le foyer qui se développe très rapidement. Les flammes consument alors les portes de l'appartement et gagnent le couloir... Tout cela n'a pas pris plus de quelques minutes — une dizaine, tout au plus. Le feu se propage vite, vous savez.

Horrifié, Shane ne répondit pas. Un drame de cette ampleur causé par l'incurie d'un décorateur et la négligence du personnel, qui aurait dû vérifier l'ameublement avant d'autoriser son installation dans les lieux! Au prix d'un peu d'attention et de discipline, la tragédie aurait été évitée...

— En tout cas, monsieur O'Neill, reprit le capitaine Arnold, je vous félicite pour vos systèmes de sécurité. Détecteurs de fumée, portes coupe-feu, sprinklers, tout a impeccablement fonctionné. Sans eux, l'incendie aurait pris des proportions catastrophiques et nous n'aurions jamais eu le temps d'évacuer autant de monde en déplorant aussi peu de victimes.

— C'est sinistre! s'exclama Jason. Rideaux tirés, pas de lumières... Et puis, ajouta-t-il en montrant la bouteille de scotch aux trois quarts vide, je ne vous reconnais pas, Shane. Boire autant au beau milieu de la journée? Allons, mon garçon, secouez-vous! L'alcool n'a jamais arrangé les choses.

— Je suis parfaitement sobre, Jason. Pourtant, ce n'est pas l'envie de me soûler qui me manque, croyez-moi. Je suis fou de rage.

— Vous n'avez pas eu de chance, soit. Mais vous n'êtes quand même pas un novice! N'importe qui est exposé à ce genre de choses, vous le savez très bien.

— Je n'arrive pas à croire que l'hôtel ne soit plus qu'un tas de cendres. Par négligence! Par incurie! s'écria-t-il avec fureur. Il faudrait les surveiller comme des gosses vingt-quatre heures sur vingt-quatre! Dès que j'ai le dos tourné, ils font n'importe quoi. C'est inadmissible, inexcusable!...

— On ne fait pas des affaires quand on veut éviter les problèmes! Et les problèmes, de nos jours, il n'y a plus que cela dans les affaires. Malgré tout, je vous comprends. Il n'y a rien de pire qu'un incendie...

Shane ne l'écoutait pas. Il poursuivit sur sa lancée:

— Je leur donne les meilleurs salaires de la profession, des primes, des avantages en nature, Dieu sait quoi encore, et ils ne sont même pas fichus de vérifier quelques meubles! C'est criminel, Jason. Oui, criminel! Cet incendie n'aurait jamais éclaté s'ils avaient fait leur travail convenablement. Tant de malheureux ne seraient pas morts ou blessés! Quant à moi, je me retrouve plongé jusqu'au cou dans les procès, sans parler des enquêtes et du chantage des compagnies d'assurances...

— Voyons, Shane, pas d'enfantillages, il fallait vous y attendre. Que craignez-vous? Votre responsabilité n'est pas engagée. Les assureurs en viendront aux mêmes conclusions que le capitaine des pompiers. Pensez plutôt à la reconstruction de l'hôtel. Mettez dès maintenant les architectes au travail...

— Je ne le reconstruirai pas, je suis trop écœuré.

— Il le faut, Shane! Vous le devez à la mémoire de votre grand-père. Vous vous le devez plus encore à vous-même.

Prostré, le visage dans les mains, Shane ne répondit pas. Jason était sérieusement inquiet. Il n'avait jamais vu Shane ainsi, débraillé, pas rasé, en pyjama à quatre heures de l'après-midi. Qu'ont-ils donc, ces jeunes? se demanda-t-il. N'ont-ils plus rien dans le ventre? D'abord, Philip qui paraît perdre la raison depuis la mort de sa femme. Et maintenant Shane, qui a l'air de vouloir s'écrouler à son tour...

— Vous avez été si désagréable avec Daisy au téléphone qu'elle m'a demandé d'aller voir ce qui se passait, reprit Jason. Elle vous demande de venir dîner demain soir.

— Je ne pourrai pas, j'ai trop de travail. Toutes ces paperasses, ces rapports...

— Demain, c'est samedi. Vous pouvez quand même prendre une journée de repos, non?... Au fait, où est passé Philip?

— Je n'en ai pas la moindre idée, Jason. Et je ne suis vraiment pas d'humeur, en ce moment, à penser à ses problèmes. Les miens me suffisent amplement.

— Je sais. C'est pourquoi Daisy et moi tenons à vous avoir demain soir. Cela vous fera du bien de vous changer les idées et de voir d'autre gens.

— Non, Jason. Merci de votre invitation mais je préfère rester seul. J'ai trop à faire. J'ai besoin de réfléchir.

Jason poussa un soupir de regret:

— A votre aise... Mais si vous changez d'avis, la maison vous est toujours ouverte, vous le savez.

— Je sais. Merci, Jason, dit Shane en vidant le fond de la bouteille de scotch dans son verre.

Jason hésita. Puis, avec un geste fataliste, il se retira sans bruit.

34

Depuis le vendredi soir, Philip était à Dunoon.

Il parcourait le domaine sur Black Opal, son étalon, en menant Gilda par la bride. La jument portait la selle préférée de Madalena, les étriers montés à l'envers en signe que sa maîtresse ne la chevaucherait jamais plus.

Il revenait à Dunoon pour la première fois depuis que Maddy y avait été inhumée, un mois auparavant. Tim et le personnel de l'exploitation lui avaient chaleureusement souhaité la bienvenue. Ils étaient heureux de son retour. Philip aussi: la mort de Madalena l'avait tant fait souffrir qu'il redoutait de se retrouver seul sur le théâtre de leur bonheur. Pourtant, à mesure qu'il parcourait la campagne, il se laissait gagner par l'apaisement qui émanait de ces paysages silencieux et tranquilles.

Après avoir suivi le cours de la Castlereagh, traversé les prairies, gravi le flanc des collines, il parvint au sommet où il mit pied à terre et contempla l'immense panorama verdoyant, déroulé devant lui à perte de vue. En ce dimanche de la fin août, le printemps était proche. Lavé par deux jours de pluie, le ciel étendait sa voûte sans nuages. C'était une journée radieuse, d'une rare pureté, de celles que l'on voudrait partager avec la personne aimée...

Philip s'assit sous le vieux chêne. Les pensées les plus sombres se heurtaient dans son esprit encore embrumé de tristesse. Mais s'il devait trouver le repos de l'âme, ce ne pouvait être qu'en ce lieu magique, qu'il vénérait depuis son enfance et que Madalena avait à son tour appris à aimer.

C'était ici qu'il l'avait emmenée, à peine un an plus tôt, le jour de leur première rencontre dans la galerie. Côte à côte, adossés à l'écorce rugueuse, ils avaient échangé des propos si personnels qu'il s'était étonné de les avoir dits. C'était ici que, sous le regard lumineux et profond de ses yeux gris, il avait su qu'elle deviendrait sa femme.

Pour lui, Madalena serait toujours unique, irremplaçable. Dès le premier instant, il avait ressenti entre eux une étrange familiarité, comme s'ils se connaissaient de toute éternité et se retrouvaient au terme d'une longue séparation. Elle incarnait ses rêves, son idéal. Elle était l'âme sœur qu'il avait crue inaccessible. Mais le destin ne les avait enfin réunis que pour les séparer. Trop vite. Trop cruellement.

Les yeux clos, Philip s'abandonna aux méandres capricieux de ses pensées. Peu à peu, encore flous, les souvenirs se présentèrent à lui au hasard. Il se rappela des moments épars de leur vie commune, puis d'autres mieux ordonnés, plus précis, d'autres encore, jusqu'à ce que la mémoire lui revînt d'un seul coup, claire, exacte dans les moindres détails. Il se souvint de chaque jour, de chaque heure, de chaque minute comme s'il voyait un film se dérouler devant ses yeux...

C'est ainsi qu'au sommet de la colline où Emma Harte l'emmenait enfant Philip retrouva Madalena. Son image se reformait devant lui, intacte. De nouveau, il pouvait humer son parfum, entendre sa voix, son rire, sentir le doux contact de sa main sur sa joue. Les larmes, que l'excès de douleur lui avait si longtemps refusées, montèrent à ses yeux. Sous son arbre magique, Philip pleura jusqu'à ce que le soleil, s'enfonçant derrière l'horizon, lui donnât le signal du retour.

Lorsqu'à travers les collines et les prés il reprit le chemin de la « grande maison », il distingua à chaque pas la présence de Madalena et il sut que, désormais, elle ne le quitterait plus. Elle venait de renaître dans son cœur, son souvenir resterait en lui aussi longtemps qu'il vivrait. Shane avait eu raison : l'esprit de Madalena l'habitait à jamais.

Philip regagna Sydney le soir même. Le lundi matin, il se rendit à Rose Bay, chez sa mère.

Daisy ne put dissimuler la surprise que lui causait sa présence. Son étonnement fit place à l'accablement sitôt qu'elle le vit en pleine lumière. Elle ne s'attendait pas à son visage hagard aux traits tirés ni, surtout, à sa chevelure à moitié blanchie. Prématurément vieilli, son fils n'était plus que l'ombre de l'homme jeune, énergique, éclatant de santé dont elle gardait le souvenir. Son premier mouvement fut de courir à lui, de le prendre dans ses bras, de le consoler. Elle n'osa pas : Philip la repoussait depuis la mort de sa femme et, tout en le déplorant, elle avait respecté son désir de solitude.

Aussi son étonnement redoubla-t-il quand Philip alla au-devant d'elle et la serra sur son cœur, dans le même élan qui le poussait, enfant, à se jeter dans les bras de sa mère en implorant son réconfort. Ils s'étreignirent ainsi un long moment, en silence. Les mots étaient inutiles : Daisy avait déjà compris que Philip était sur la voie de la guérison.

— J'ai trop tardé à venir vous voir et vous demander pardon pour ma conduite de ces derniers temps, dit-il lorsqu'ils se furent séparés. Je me suis montré odieux avec vous — comme avec tout le monde, d'ailleurs. Mais je n'y pouvais rien, j'étais hors de moi.

— Tu n'as pas à me demander pardon, mon chéri. Je te comprends. Je sais combien tu souffrais.

— Oui, j'ai souffert au point que je croyais ne jamais m'en remettre... Et puis, en revenant de Dunoon hier soir, je me suis rendu compte qu'il y avait dans mon chagrin un élément auquel je n'aurais pas dû me laisser aller. Je ne pleurais pas seulement la mort de Maddy, je m'apitoyais sur mon propre sort. Je pleurais la vie que nous ne pourrons plus avoir ensemble.

— C'est naturel, mon chéri.

— Peut-être, mais...

Il s'interrompit, hésita, fit quelques pas vers la porte avant de dire d'une traite :

— Je suis venu chercher ma fille.

Daisy le dévisagea, d'abord incrédule, avant de sentir la joie l'envahir ;

— Fiona est avec sa gouvernante, la jeune Anglaise que Maddy avait engagée avant sa… avant de…

— Avant sa mort. N'ayez pas peur des mots, maman. Je ne recule plus devant la réalité, je l'accepte.

Daisy préféra ne pas répondre de peur de se trahir. Elle précéda Philip dans l'escalier jusqu'à la chambre d'enfant. Après avoir distraitement salué la nurse, Philip se pencha sur le berceau. Il n'avait pas revu sa fille depuis le jour de sa naissance, un mois auparavant.

Un instant plus tard, il souleva le petit corps avec précaution, comme s'il craignait de le casser, et le tint à bout de bras. Deux yeux gris, bien ouverts, le fixèrent sans ciller. Philip sentit son cœur battre la chamade: les yeux de Madalena… Alors, d'un geste protecteur, il serra le bébé sur son cœur. L'enfant de Maddy. Le sien. La preuve concrète de leur amour — un amour qu'il éprouvait déjà pour ce petit être innocent et sans défense. Sa fille…

En la serrant encore plus fort contre lui, il se dirigea vers la porte, se retourna:

— J'emmène ma fille chez moi. Chez *nous*… Ne prenez pas cet air inquiet, maman, tout va bien. Je vais bien, maintenant. Et tout ira encore mieux pour nous deux, ajouta-t-il en souriant, puisque nous serons ensemble.

35

— J'ai essayé de t'appeler pour t'éviter de venir, Emily, mais tu étais déjà sortie.

Emily s'arrêta sur le seuil du petit salon de Belgrave Square et lança à Paula un regard surpris :

— Tu n'as plus besoin que je t'emmène à Heathrow ?

— Je ne pars pas, répondit Paula avec regret. Shane m'a téléphoné, il ne veut plus que j'aille à Sydney.

— Pourquoi ? L'autre jour, il te suppliait presque d'aller le rejoindre !

— En effet, et j'estime que ma place est auprès de lui dans un moment pareil. Mais il m'assure qu'il est capable de tout régler seul, qu'il s'est remis du premier choc et que, de toute façon, il vaut mieux que je reste avec les enfants — tu sais qu'il insiste pour qu'un de nous deux ne les quitte jamais.

— Winston est pareil. Encore les bons principes de grand-mère, pour qui les enfants devaient toujours passer en premier — sans doute parce qu'elle s'occupait si mal des siens !

— Emily ! Tu es méchante !

— C'est pourtant la stricte vérité. Grand-mère elle-même reconnaissait avoir été trop prise par ses affaires pour prêter attention à ses enfants. A l'exception de ta mère. Tante Daisy a eu de la chance, grand-mère avait déjà fortune faite au moment de sa naissance.

— Tu as raison, comme toujours ! dit Paula en riant. En tout cas, je regrette d'avoir décroché le téléphone tout à l'heure. Shane a beau dire, je sens qu'il a besoin de moi.

— Alors, pourquoi ne pas y aller ?

— Tu n'y penses pas, voyons! Shane serait furieux si je passais outre à ses « conseils ».

— C'est vrai, il a un côté dictatorial plutôt pénible par moments... Ah! C'est gentil d'avoir pensé à moi! dit-elle en se versant une tasse de thé et en s'emparant d'une brioche. Tu n'en veux pas?

— Non, j'ai grossi de deux kilos cette semaine. Tu devrais te surveiller toi aussi!

— Bah! Il sera toujours temps...

Emily savoura la brioche avec gourmandise, but quelques gorgées de thé:

— Il me vient une idée, dit-elle en reposant sa tasse. C'est Winston qui devrait aller à Sydney. Il tiendrait compagnie à Shane et pourrait lui rendre beaucoup de services! Je sais qu'il doit quitter Toronto cet après-midi pour New York. Si je l'appelais maintenant, il n'aurait qu'à prendre l'avion pour Los Angeles et attraper ce fameux vol de nuit dont tu me chantes toujours les louanges...

— Il est quatre heures du matin au Canada, Emily!

— Et alors? C'est un cas de force majeure.

— Non, inutile de réveiller Winston, je crois que Shane s'en sortira très bien sans aide. L'incendie l'a choqué au début, à cause des morts et des blessés dont il me parlait à chacun de ses appels. Il a été déprimé pendant quelques jours, selon ce que maman m'a dit, mais il a repris le dessus, je l'ai senti à sa voix. Et puis, il n'est pas seul là-bas. Il peut compter sur ma mère, sur Jason, sur Philip...

— Au fait, comment va ton frère?

— Beaucoup mieux. Shane m'a même appris qu'il a enfin emmené sa fille chez lui.

— A la bonne heure! Je commençais à m'inquiéter, je ne te le cache pas. Je ne voyais pas du tout Jason et ta mère, à leur âge, se charger de l'éducation d'une petite fille.

— Je n'étais pas moins inquiète!... Toujours selon Shane, l'incendie aurait secoué Philip au point de le faire sortir de sa léthargie et de le ramener à la réalité.

— A quelque chose, malheur est bon... Pauvre Maddy! Sa mort me bouleverse encore, tu sais.

Paula ne répondit pas, ses yeux s'emplirent de larmes. Le silence retomba.

— Je me demande parfois s'il n'y a pas une sorte de malédiction qui pèse sur notre famille, dit-elle tout à coup.

Emily ne put s'empêcher de sursauter:

— Paula! Deviendrais-tu superstitieuse, maintenant? Cela m'étonne de ta part!

— Ecoute, il suffit de voir ce qui nous arrive depuis un an! D'abord, ce pauvre Anthony, obligé de revivre l'affreux épisode de la mort de Minerva et qui se croit toujours responsable de l'attaque dont est mort son régisseur...

— Lamont a eu de la chance d'éviter la pendaison!

— Emily! Comment peux-tu dire pareilles horreurs?

— Je dis ce que je pense, voilà tout. Comme grand-mère.

— Si tu veux, admit Paula d'un air résigné. Ensuite, nous apprenons coup sur coup la maladie de Sandy, sa mort, celle de Maddy et, pas plus tard que la semaine dernière, la destruction de l'hôtel de Sydney. Cela fait beaucoup, non? N'importe qui verrait là-dedans l'effet d'un mauvais sort. Et je ne te parle ni des malheurs survenus à grand-mère tout au long de sa vie, ni de l'avalanche qui a tué papa, Maggie et Jim, ni même du handicap mental de notre petit Patrick. Je me demande, par moments, si nous ne sommes pas condamnés à expier je ne sais quelle faute...

Troublée malgré elle par cette sinistre énumération, Emily ne voulut cependant pas encourager Paula à se complaire dans ses pensées morbides.

— Je ne crois pas un mot de ces sornettes! s'écria-t-elle. Toutes les familles ont des malheurs au cours d'une vie. Comme la nôtre est plus nombreuse que d'autres, nous avons l'impression d'en subir davantage, voilà tout! Contrairement à ce que tu dis, j'estime que nous avons plus de chance que la plupart des gens.

— Nous sommes riches, mais sans doute trop... C'est peut-être pourquoi nous sommes affligés d'autant de drames.

— Et nous en subirons encore bien d'autres, crois-moi!

Ecoute, ma chérie, poursuivit Emily en voyant l'air bouleversé de sa cousine, ne crois pas que je prenne tout cela à la légère ni que je m'en moque. Je refuse tout simplement de me laisser influencer par la superstition. Malédictions, mauvais sort!... dit-elle avec dérision. Si grand-mère t'entendait, elle serait malade de rire!

— Tu exagères!

— Pas du tout. Grand-mère nous a souvent dit que nous étions responsables de ce qui nous arrivait, que c'était à nous d'écrire le scénario de notre existence et de créer autour de nous le monde où nous voulions vivre.

Paula fronça les sourcils.

— Je ne me rappelle pas le lui avoir entendu dire. Es-tu sûre que ces paroles sont d'elle?

— Absolument. Ou peut-être de ton grand-père, Paul. En tout cas, je n'ai jamais rien entendu de plus judicieux.

Paula n'insista pas et préféra changer de sujet.

Après le départ d'Emily, Paula passa le reste de la matinée et le début de l'après-midi dans le magasin de Knightsbridge. Elle regagna son bureau à 15 h 30 et, entendant sonner sa ligne privée, elle se hâta de décrocher dans l'espoir qu'il s'agissait de Shane. Sydney avait dix heures d'avance sur Londres, Shane l'appelait volontiers avant d'aller se coucher. Aussi s'efforça-t-elle de dissimuler sa déception quand ce fut Charles Rossiter, son banquier, qui s'annonça.

— Bonjour, Charles. Vous avez reçu mon message?

— Quel message?

— J'ai prévenu ce matin votre secrétaire que je ne partais pas pour Sydney, donc que notre déjeuner de vendredi n'était pas décommandé.

— Ah ! oui, je suis au courant... Mais ce n'est pas pour cela que je vous appelle, Paula.

Son embarras, ses hésitations la mirent en éveil:

— Que se passe-t-il, Charles? J'avais tout lieu de penser que les derniers états trimestriels...

— Il ne s'agit pas de nos affaires habituelles, Paula, mais d'un problème urgent et imprévu. Je dois vous demander de venir à la banque aujourd'hui même — disons, dix-sept heures ?

— Mais enfin, Charles, expliquez-vous ! De quel problème aussi urgent s'agit-il ? Pourquoi tant de mystère ?

— Eh bien... j'ai reçu tout à l'heure un coup de téléphone de Sir Logan Curtis, du cabinet Blair, Curtis, Somerset & Lomax — vous en avez entendu parler, je pense ?

— Bien entendu, c'est une des premières firmes juridiques de Londres ! Mais je ne vois pas...

— Sir Logan sollicite un entretien avec moi à la banque aujourd'hui même. Il souhaite aussi votre présence.

— Pourquoi donc ?

— Si j'ai bien compris, il représente votre cousin Jonathan Ainsley, qui réside à Hong Kong depuis une dizaine d'années et se trouve actuellement de passage à Londres. En fait, c'est lui qui désire cette rencontre afin, selon Sir Logan, de régler certaines affaires avec vous.

Dans sa stupeur, Paula faillit lâcher le combiné :

— Mais... je n'ai aucun rapport ni aucune affaire, de quelque nature que ce soit, avec Jonathan Ainsley ! Vous le savez aussi bien que moi, Charles, depuis le temps que vous êtes notre banquier ! Mon cousin touche ses dividendes de Harte Enterprises, un point, c'est tout ! Il n'a aucun autre contact avec la famille et n'a rien à voir dans nos affaires !

— Ce n'est pas ce que dit Sir Logan.

— Voyons, Charles, vous êtes parfaitement au courant de la situation ! Sir Logan se trompe ! On l'a induit en erreur !

— Je crains que non.

— Allez-vous vous expliquer, à la fin ?

— Ecoutez, Paula, je préfère ne pas entrer dans les détails par téléphone, le sujet est trop confidentiel. Je vous signale en outre que je suis en plein milieu d'un conseil d'administration et que je me suis absenté de la séance pour vous appeler sur l'insistance de Sir Logan. Je n'ai pas le temps de m'étendre davantage et je me borne à vous répéter que votre présence est indispensable.

— Mais je ne comprends rien, Charles! cria Paula.

— Soit, dit l'autre avec un soupire résigné. En deux mots: j'ignore de quoi Jonathan Ainsley veut vous entretenir, mais cette affaire peut avoir des conséquences sérieuses pour cette banque, d'autres établissements boursiers et financiers et les magasins *Harte's*. Je ne peux pas vous en dire davantage, Sir Logan ne m'a donné que de vagues indications. Il ne souhaitait pas lui non plus en parler trop longuement au téléphone. Il m'a cependant convaincu que l'importance du problème justifiait que nous nous réunissions sans délai. Voilà pourquoi je vous demande encore une fois d'être là.

— J'y serai, Charles. Cinq heures, comptez sur moi.

Après qu'elle eut raccroché, il fallut à Paula de longues minutes pour reprendre ses esprits. Jonathan Ainsley... Que faisait-il à Londres? Pourquoi était-il revenu? Que lui voulait-il? Elle eut beau retourner cent fois ces questions, elle ne trouva pas de réponses. Elle ne se souvenait que d'une chose: les menaces proférées par Jonathan douze ans plus tôt.

Et elle sentit son sang se glacer dans ses veines.

36

A dix-sept heures précises, Paula arriva au siège de la Rossiter Merchant Bank. La secrétaire de Charles Rossiter l'introduisit immédiatement dans le bureau du président. Vieil ami de la famille, Charles accueillit Paula en l'embrassant.

— Sont-ils arrivés ? lui demanda-t-elle.

— Oui, depuis un quart d'heure. Ils nous attendent à côté, dans la salle de conférences.

— Etes-vous mieux renseigné que tout à l'heure, Charles ?

— Un peu. J'ai pu m'entretenir quelques minutes avec Sir Logan.

— J'ai réfléchi en venant. Jonathan Ainsley détient des actions *Harte's*, n'est-ce pas ? Il a acquis tout ou partie des dix pour cent que j'ai récemment vendus ?

— Le tout.

— Je m'en doutais. Ensuite ?

— Il demande à siéger au conseil d'administration.

— Avec dix pour cent du capital ? Il n'y a aucun droit. Qu'il aille au diable !

— Pourtant, Paula, il l'exige, et j'ai l'impression qu'il s'apprête à vous créer de sérieux ennuis.

— Bien entendu, sinon il ne se serait pas donné le mal de venir de Hong Kong ! Allons les rejoindre, finissons-en.

Le banquier fit entrer Paula dans la salle de conférences. Aussitôt, Sir Logan Curtis se leva et se présenta lui-même. Paula lui rendit son salut, avec courtoisie, mais froideur. Impassible, Jonathan restait assis au bout de la table et Paula feignit d'ignorer sa présence.

— Votre cousin souhaite s'entretenir avec vous seul à

seul, madame. Nous allons donc nous retirer, dit l'avocat en faisant signe à Charles Rossiter de le suivre.

Vexé de recevoir des ordres dans ses propres locaux, le banquier l'arrêta d'un geste :

— Un instant!... Souhaitez-vous rester seule, Paula?

— Mais oui, Charles, ne vous inquiétez pas.

— Je serai dans mon bureau. Si vous aviez besoin de moi, n'hésitez pas à m'appeler.

Paula le remercia, referma la porte derrière les deux hommes et s'approcha à pas lents. Jonathan la dévisagea, décidé à ne pas se lever ni à la prier de s'asseoir afin de mieux humilier cette cousine qu'il haïssait, réincarnation de sa diabolique grand-mère Emma Harte. Il se délectait à l'avance de sa vengeance si longuement attendue, si soigneusement préparée.

Paula s'arrêta à quelques pas et attendit en le toisant avec froideur.

— Il y a bien longtemps que nous ne nous étions pas rencontrés autour d'une table de conférences, commença-t-il. La dernière fois, si je ne trompe, remonte à douze ans...

— Je ne pense pas que cette réunion ait pour objet l'évocation des vieux souvenirs, l'interrompit-elle. Je n'ai pas de temps à perdre. Venons-en au fait.

— Les faits sont simples. Je possède...

— Dix pour cent des actions *Harte's*, je le sais déjà. Je sais également que vous prétendez siéger au conseil d'administration. Il n'en est pas question. Je n'ai rien à ajouter, je puis donc me retirer.

Paula lui tourna le dos et se dirigea vers la porte. Elle se doutait, naturellement, que Jonathan ne s'en tiendrait pas là. Aussi ne s'étonna-t-elle pas de l'entendre dire :

— Je n'en ai pas terminé, moi, Paula! J'ai même beaucoup de choses à dire.

Elle s'arrêta, répondit par-dessus son épaule :

— Ah, oui? Lesquelles?

— Depuis plusieurs années, j'achète des actions *Harte's* par l'entremise d'un certain nombre d'intermédiaires, de sorte que je détiens actuellement vingt-six pour cent du capital.

Paula parvint à ne pas trahir sa surprise et se tint plus que jamais sur ses gardes.

— Je dispose en outre de pouvoirs représentant vingt pour cent du capital. Qu'en dites-vous, ma chère cousine? poursuivit-il avec un sourire de triomphe. Quarante-six pour cent, quand vous n'en contrôlez plus que quarante et un! L'actionnaire majoritaire, ce n'est plus vous, c'est moi! Vous être mise dans une position pareille, rien que pour acheter la chaîne Larson aux Etats-Unis, constitue une fâcheuse erreur de jugement! Si vous étiez à mon service, je vous aurais déjà licenciée pour grave faute professionnelle.

Paula crut que ses jambes allaient la lâcher. Au prix d'un violent effort sur elle-même, elle réussit à garder son apparence impassible et à parler d'une voix ferme:

— A qui appartiennent ces vingt pour cent?

— Aux héritiers de Samuel Weston.

— Ils sont mineurs. Leurs biens sont gérés par leurs tuteurs légaux, Jackson, Coombe & Barbour. Ils exercent leur droit de vote aux assemblées en ma faveur, comme ils l'ont toujours fait du vivant d'Emma Harte.

— Rien de plus changeant que les faveurs, Paula.

— J'ai peine à croire qu'une firme aussi réputée veuille se commettre avec un personnage tel que vous. Vous bluffez!

— Je ne bluffe jamais.

Il se leva à son tour, traversa la pièce. Il avait dépassé Paula quand il se retourna:

— Il ne me faut pas plus d'une dizaine de jours pour acheter les cinq pour cent qui me manquent et prendre le contrôle absolu de *Harte's*. Un bon conseil, cousine: faites vos paquets et préparez-vous à déguerpir de votre bureau. J'y serai bientôt chez moi...

Puis, en ménageant son effet, il lui assena le coup de grâce:

— Je vous préviens, parce que je suis bon prince: je lance une OPA sur les actions *Harte's*. Vous vouliez la guerre,

Paula, vous l'avez. Mais c'est moi qui gagne. Et c'est vous qui perdez. Sur toute la ligne.

Paula ne daigna pas répondre. Avec un dernier regard de défi, Jonathan partit en claquant la porte.

Vidée de ses forces, Paula se laissa tomber sur le siège le plus proche. Charles Rossiter sortit de son bureau et accourut vers elle, l'air soucieux:

— Je ne me doutais pas de la gravité du problème. Sir Logan vient de m'informer en détail des intentions de son client. Je suis atterré, Paula!

Elle se borna à faire un signe de tête.

— Vous avez besoin d'un remontant, dit le banquier. Moi aussi, d'ailleurs. Cognac?

— Non merci, je préfère la vodka.

Il revint un instant plus tard avec deux verres pleins. Paula avala le sien d'un trait. La couleur reparut peu à peu sur ses joues.

— Je n'arrive pas à m'expliquer comment des hommes de loi aussi conservateurs que Jackson, Coombe & Barbour aient pu s'acoquiner avec Jonathan Ainsley, dit-elle enfin. Qu'en pensez-vous, Charles? Bluffe-t-il?

— Je ne crois pas. D'ailleurs, pourquoi blufferait-il? Il a manœuvré habilement en engageant un avocat aussi réputé que Sir Logan Curtis, pour bien nous montrer qu'il entend opérer au grand jour et en toute légalité. Sir Logan m'a appris qu'il est très riche. Il dirige à Hong Kong une société holding, Janus & Janus, sur laquelle les banques donnent d'excellents renseignements. Sa femme et lui sont descendus au Claridge depuis plusieurs semaines. Non, Paula, j'ai bien peur qu'il ne s'agisse pas d'un coup de bluff.

— Mais enfin, pourquoi Arthur Jackson aurait-il accepté de voter contre moi? s'écria-t-elle.

— Ainsley lui a sans doute offert une contrepartie substantielle au profit des enfants mineurs dont il gère les intérêts. Croyez-moi, Paula, il ne serait pas venu s'il n'avait pas déjà tous les atouts en main... Mais il y a plus grave, poursuivit le banquier. Il cherche à nuire à votre réputation auprès de nous, à ébranler notre confiance, c'est pourquoi il a exigé que cette réunion ait lieu ici. Cet individu ne reculera devant rien! Mais je tiens à vous dire ceci, Paula: ma banque reste derrière vous à cent pour cent. Je vous soutiendrai comme j'ai toujours soutenu votre grand-mère.

— Merci, Charles. Je me suis mise dans un beau pétrin!

— Hélas! oui. Une simple rumeur d'OPA aurait pour vous des conséquences désastreuses.

— Je ne le sais que trop bien! dit-elle en se levant.

— Où allez-vous? demanda Charles, étonné.

— J'étouffe, ici. Je retourne à mon bureau.

— Mais nous n'avons pas abordé le fond du problème! Il faut mettre une stratégie au point, prévoir des mesures...

— Demain, Charles, si cela ne vous fait rien. Ne m'en veuillez pas, ce soir, j'ai besoin d'être seule.

Pour la première fois de sa vie, Paula avait peur.

Assise à son bureau, pétrifiée, elle ne pouvait chasser la pensée qui l'obsédait: *Je suis prise au piège. Il va me ruiner, détruire ma carrière — me détruire, ainsi qu'il m'en avait menacée il y a douze ans. Et il gagne par ma faute. Je ne puis m'en prendre qu'à moi-même.*

Sa panique s'aggravait d'un sentiment d'impuissance. Depuis son retour de la banque, elle sentait monter une nausée contre laquelle elle lutta tant qu'elle put. Au bout d'un moment, n'y tenant plus, elle se précipita dans son cabinet de toilette. Penchée sur le lavabo, elle vomit une bile amère qui lui brûlait la gorge. Lorsqu'elle se redressa enfin et vit son image dans le miroir, elle en eut peur: teint cireux, yeux larmoyants, joues souillées de traînées de mascara... C'est la vodka, se répéta-t-elle — sans conviction: elle connaissait trop bien la véritable cause de son malaise.

Elle retourna dans son bureau après une toilette sommaire. Le portrait d'Emma Harte parut lui faire signe : Paula s'arrêta devant lui et le contempla. Le sourire sembla se faire ironique, les yeux verts briller d'un éclat réprobateur. Paula ne put retenir un sanglot. *Qu'ai-je fait, grand-mère? Comment ai-je pu commettre pareille stupidité? J'ai compromis tout ce que vous avez bâti de vos mains, je me suis exposée moi-même à la ruine. Vous me demandiez de m'accrocher à votre rêve, de le maintenir — et j'ai fait exactement le contraire! Que vais-je devenir, grand-mère? Que dois-je faire pour reprendre l'avantage, pour éviter à votre œuvre de tomber dans des mains indignes? Si seulement vous étiez encore là pour me conseiller, pour m'aider...*

Les larmes lui brouillaient la vue. Jamais Paula ne s'était sentie aussi seule. Abandonnée. Elle s'assit lentement sur le canapé, face au portrait qu'elle ne lâcha pas du regard. Comment Emma Harte, la plus brillante femme d'affaires de sa génération, se serait-elle sortie d'une situation comme celle-ci? se demanda-t-elle. Mais Paula eut beau retourner la question sous toutes ses formes, aucune réponse ne lui vint à l'esprit. Son intuition habituelle la trahissait. Loin de s'apaiser, sa terreur s'aggravait au point de paralyser ses facultés mentales, d'inhiber son jugement.

Epuisée, elle ferma les yeux dans l'espoir de se calmer, de se ressaisir. Le tintement de la pendule la tira tout à coup de sa torpeur: elle constata avec effarement qu'il était déjà vingt et une heures et qu'elle s'était assoupie plus d'une heure sur le canapé.

Elle se leva, décrocha le téléphone, le reposa aussitôt. A quoi bon appeler Shane? Il avait assez de problèmes en ce moment pour le troubler avec celui-ci. Mieux valait attendre qu'elle ait trouvé une solution, défini l'ébauche d'une stratégie. Il fallait à tout prix bloquer l'OPA de Jonathan Ainsley l'empêcher de s'approprier *Harte's. A tout prix!* Elle n'avai pas le droit de le laisser faire sans réagir.

La sensation d'étouffement qui l'avait étreinte dans la salle de conférences de la banque Rossiter la saisit à nouveau. Elle eut tout à coup besoin d'espace, d'air frais. Elle ne pouvait rester une minute de plus enfermée dans ce bureau. Elle empoigna son sac, s'engouffra dans l'ascenseur, répondit à peine au salut du veilleur de nuit, stupéfait de voir sa patronne sortir en courant du magasin.

Il faisait presque froid en ce mercredi soir de septembre, mais la fraîcheur revigora Paula, qui marchait d'un pas vif vers sa maison de Belgrave Square.

Depuis son entrevue avec Jonathan, elle s'était sentie diminuée par la panique, réduite à l'impuissance, elle voyait tout à travers un brouillard cotonneux. Celui-ci se dissipait enfin et Paula retrouvait sa lucidité. Si elle ignorait encore comment lutter contre Jonathan Ainsley, elle était désormais décidée à le combattre. Dans une guerre totale, on use de tous les moyens pour emporter la victoire, et elle les mettrait en œuvre sans hésiter contre un adversaire dénué de scrupules. Elle ne pouvait pas se permettre de perdre: Jonathan était moins obsédé par le désir de contrôler les magasins *Harte's* que par l'envie d'humilier Paula, elle le savait. Dans l'esprit tortueux de son cousin, la soif de vengeance prenait le relais d'une jalousie maladive, qu'il nourrissait depuis l'enfance.

A mesure que ses pensées s'éclaircissaient, Paula découvrait de nouvelles possibilités de contrer les manœuvres de Jonathan et de reprendre l'avantage. Seraient-elles efficaces? Certaines étaient peut-être illégales... Elle devrait se renseigner, relire avec soin les statuts, consulter son avocat — elle aurait grand besoin de ses services.

Soulagée de constater que ses facultés mentales avaient retrouvé leur agilité, Paula s'aperçut tout à coup que, trop absorbée par ses réflexions, elle avait dépassé sa maison et débouchait dans Eaton Square. Etait-ce un signe du destin? C'est là qu'habitait Sir Ronald Kallinski, son cher et sage oncle Ronnie, son mentor, le seul capable de la conseiller, de la guider comme l'aurait fait Emma Harte si elle était encore de ce monde...

Alors, d'un pas résolu, Paula traversa la place et sonna à la porte de Sir Ronald.

37

En dépit de son flegme, le maître d'hôtel de Sir Ronald Kallinski ne put dissimuler sa surprise à l'arrivée de Paula.

— Bonsoir, Wilberson. Je voudrais voir Sir Ronald de toute urgence.

— Mais, Madame... Sir Ronald a des invités, ce soir. Ils sont encore à table, et...

— Il s'agit d'un problème très urgent. Prévenez-le, je vous prie. Je l'attendrai à la bibliothèque.

Paula traversa le vestibule sous le regard réprobateur du digne serviteur, qui s'inclina avec résignation et se dirigea vers la porte de la salle à manger. Un court instant plus tard, Sir Ronald rejoignit Paula. L'étonnement que lui causait sa visite inopinée à pareille heure se mua en inquiétude quand il vit sa mine défaite:

— Paula! Qu'y a-t-il? Serais-tu malade?

— Non, oncle Ronnie. Pardonnez mon intrusion, mais j'ai de graves ennuis et j'ai besoin de votre aide: on m'a avertie d'une OPA sur *Harte's*, je risque de tout perdre.

Sir Ronald connaissait trop Paula pour mettre sa parole en doute. Il n'en était pas moins stupéfait.

— Donne-moi le temps de m'excuser auprès de mes invités et de dire à Michael de me remplacer. Je serai de retour dans quelques minutes.

Il revint plus vite que Paula ne s'y attendait.

— Je t'écoute, dit-il en s'asseyant en face d'elle. Commence par le commencement et ne néglige aucun détail.

Avec la précision qu'elle mettait en toutes choses, Paula lui rapporta sans rien omettre les événements de la journée, de l'appel téléphonique de Charles Rossiter à son entrevue avec Jonathan Ainsley. Sir Ronald l'écouta sans l'interrompre.

— Mon père aurait usé d'un mot yiddish très imagé pour qualifier un individu tel que ton cousin Ainsley! s'exclama-t-il quand elle eut terminé. C'est un malandrin, un voleur!

— Je ne puis pourtant m'en prendre qu'à moi-même. Je n'aurais jamais dû oublier que les actions *Harte's* sont cotées en Bourse et que je dois tenir compte de mes actionnaires. Je me suis trop longtemps aveuglée en croyant que la société m'appartenait, que personne n'oserait s'attaquer à moi. J'ai péché par excès de confiance, par imprudence.

Sir Ronald ne répondit pas aussitôt. Il aimait Paula comme sa propre fille, il la respectait. Il l'admirait d'avoir eu le courage de se confesser comme elle venait de le faire et de reconnaître ses fautes, mais il restait choqué de la découvrir capable de commettre l'erreur monumentale de s'être dessaisie d'un aussi gros paquet d'actions.

— Je ne comprendrai jamais ce qui t'a poussée à vendre ces dix pour cent, Paula, dit-il enfin. Je te croyais douée d'un jugement plus sûr.

Elle baissa les yeux, se troubla:

— Je sais, oncle Ronnie. Mais comprenez-moi: je voulais accomplir quelque chose par moi-même, acheter cette chaîne de magasins avec mon argent...

— Et l'orgueil t'a troublé l'esprit.

— C'est vrai.

— Personne au monde n'est infaillible, surtout pas les gens comme nous, dit-il avec plus d'indulgence. On nous croit différents du commun des mortels, à l'abri des faiblesses et des passions humaines, doués de facultés supérieures parce que nous brassons des millions. Il n'en est rien, hélas! comme ton exemple l'illustre trop clairement.

— J'avais besoin, je crois, de me prouver quelque chose à moi-même. La leçon me coûte cher...

— Inutile de se lamenter, les regrets et les récriminations n'ont jamais servi à rien. Il faut maintenant retourner la situation, transformer le handicap en avantage et s'assurer la victoire. Voyons de quels moyens d'action tu disposes.

Paula le remercia d'un regard. Depuis qu'elle était avec lui, elle sentait sa confiance renaître.

— Je pourrais d'abord prendre contact avec Arthur Jackson, en appeler à son honnêteté, l'amener à revenir sur sa décision de donner pouvoir à Jonathan Ainsley, et même tenter de découvrir par quel moyen de pression, ou quelle proposition financière, Jonathan a obtenu son concours.

— Fais-le si tu en as envie, mais ne t'étonne pas si ta démarche se solde par un échec. Jackson n'a aucune obligation à ton égard, il n'est tenu que par ses devoirs envers les enfants mineurs dont il gère le patrimoine. Si les propositions d'Ainsley lui paraissent les plus favorables, il est tenu de les accepter. De mon côté, j'essaierai dès demain de me renseigner discrètement — il n'existe guère de secrets dans les cercles financiers, tu le sais. Attends donc que j'en sache davantage avant d'appeler Jackson.

— Merci, oncle Ronnie. Autre chose: y a-t-il une raison qui s'oppose à ce que je lance moi-même une OPA sur les actions détenues par des petits porteurs?

— La meilleure de toutes: je t'en empêcherai.

— Pourquoi? Ce serait parfaitement légal!

— Légal, peut-être, mais absurde! Tu te livrerais pieds et poings liés à tous les *raiders* du marché, de la City à Wall Street — sans parler des places européennes! — et je ne te permettrais jamais de commettre pareille folie. Les offres pleuvraient de partout, y compris — je dirai même surtout — les offres hostiles. Réfléchis: rien n'oblige les actionnaires à te vendre leurs parts plutôt qu'à Jimmy Goldsmith, par exemple... ou à Jonathan Ainsley. Vous ne feriez que surenchérir les uns sur les autres et faire grimper les cours hors de toutes proportions. Je te le répète: ce serait absurde et suicidaire.

Paula dissimula de son mieux sa déception:

— Que faire, alors?

— La même chose, mais dans la discrétion. Recherche des petits porteurs détenant dix pour cent de ton capital. Tu en trouveras quatre ou cinq, peut-être dix ou douze.

Contacte-les personnellement, rachète leurs actions au-dessus du cours s'il le faut, jusqu'à ce que tu aies reconstitué ta participation majoritaire de cinquante et un pour cent.

— Décidément, je deviens idiote ou je perds la tête, ce soir! C'est tellement évident! Pourquoi n'y ai-je pas pensé?

— Tu es encore sous le choc, voilà tout. Il te restera ensuite à faire une chose essentielle: éliminer Jonathan Ainsley. Te débarrasser de lui une fois pour toutes.

— L'éliminer? Que voulez-vous dire?

— Je ne te suggère pas de le faire abattre par des tueurs! répondit Sir Ronald en souriant. Il y a d'autres moyens aussi efficaces de se défaire d'un gêneur... Que savons-nous au juste de cet individu?

— Peu de chose, je le crains, depuis qu'il a quitté l'Angleterre pour s'établir à Hong Kong.

— Hong Kong? Voilà qui est intéressant!... Ne sais-tu vraiment rien sur son compte?

Paula lui rapporta ce qu'elle avait appris de Charles Rossiter, qui le tenait lui-même de Sir Logan Curtis.

— Eh bien, il faut approfondir tout cela, Paula, et sans perdre de temps! Te sers-tu déjà d'une agence d'enquêteurs privés pour tes affaires? Veux-tu que je t'en recommande une?

— J'emploie Figg International depuis des années. Nous les chargeons des fonctions habituelles de sécurité dans nos magasins — vigiles, transferts de fonds. Mais je sais qu'ils exercent par ailleurs une importante activité de renseignement et qu'ils disposent d'agents et de bureaux dans le monde entier.

— Bien. Confie-leur immédiatement l'enquête. Je serais fort surpris qu'un personnage tel que Jonathan Ainsley ne cache pas quelque squelette au fond d'un de ses placards...

L'arrivée de Michael l'interrompit:

— C'est toi, le cas de force majeure? dit-il gaiement en reconnaissant Paula. Mais... tu en fais une tête! ajouta-t-il, inquiet devant sa pâleur et sa mine défaite. Que se passe-t-il? L'incendie de Sydney?...

— Non, il s'agit de tout autre chose, dit Sir Ronald. Jonathan Ainsley est de retour à Londres, il essaie de mettre Paula en difficulté.

— Comment le pourrait-il?

Michael écouta avec attention les explications de son père. Il s'assit près de Paula, lui prit la main:

— Les idées de papa me semblent excellentes. Et moi, que puis-je faire pour t'aider?

— Rien, Michael. Merci quand même. Pour le moment, je vais retourner au bureau chercher dans les dossiers ces fameux petits porteurs. Il faut les trouver le plus vite possible.

— Eh bien, j'y vais avec toi!

— Inutile, voyons! protesta Paula. Je n'ai déjà que trop perturbé votre dîner...

— Papa s'occupera des invités. Tu ne peux pas faire ce travail toute seule, la nuit n'y suffirait pas!

— Je comptais téléphoner à Emily...

— Excellente idée! A nous trois, nous en viendrons plus vite à bout. Appelle-la tout de suite, dis-lui qu'elle nous rejoigne à ton bureau.

Paula voulut encore une fois protester. Sir Ronald l'en empêcha:

— Laisse donc Michael te donner un coup de main, ma chère petite. Accepte pour moi, veux-tu? Je me sentirai plus rassuré de le savoir avec Emily et toi.

Paula capitula:

— Je ne sais comment vous remercier de vos conseils, oncle Ronnie.

Sir Ronald l'embrassa affectueusement.

— En famille, c'est la moindre des choses, dit-il en souriant.

38

— On prétend que c'est le renseignement qui gagne les guerres, dit Paula, et j'en suis convaincue. Je suis dans une situation critique, Jack, sinon je ne vous aurais pas demandé de venir à une heure pareille... Mon dieu! Bientôt minuit!

Jack Figg, PDG de Figg International, la première agence privée de sécurité et de renseignement de Grande-Bretagne, approuva d'un signe de tête.

— Aucune importance, Paula. Pour vous, je viendrais à n'importe quelle heure. Allez-y, je prends des notes. Donnez-moi tous les éléments en votre possession.

— Ils se réduisent à presque rien. Jonathan Ainsley est installé à Hong Kong depuis une douzaine d'années. Il dirige une société du nom de Janus & Janus Holdings, dont l'activité se situe vraisemblablement dans le domaine de la promotion immobilière. Il est marié, mais j'ignore à qui. Le ménage serait descendu au Claridge et la femme est, paraît-il, enceinte. Je ne peux rien vous dire de plus.

— Nous en apprendrons davantage à Hong Kong, mais je le ferai quand même surveiller ici... Bien entendu, vous voudriez avoir le rapport avant-hier!

— Non, l'année dernière!... Je vous le répète, Jack, la situation est critique.

— J'ai compris, Paula. Mais, sérieusement, combien de temps m'accordez-vous?

— Cinq jours, au maximum. J'aimerais avoir votre rapport sur mon bureau lundi matin à la première heure.

— Vous me demandez un miracle, Paula! Il est impossible d'effectuer une enquête de cette ampleur en si peu de temps!

— Ces renseignements ne me serviront à rien si je les

reçois trop tard, Jack. Mettez sur l'affaire autant d'agents qu'il faudra, cent, deux cents...

— Cela vous coûterait une fortune!

— Ai-je jamais marchandé vos prix?

— Non, mais rendez-vous compte! Enquêter en profondeur comme vous me le demandez risque de faire très vite grimper la note — surtout quand on dispose d'aussi peu de temps. Je vais devoir affecter à l'opération presque tous mes agents sur l'Extrême-Orient. Il faudra distribuer des gratifications aux indicateurs, des pots-de-vin aux officiels...

— Ce genre de détails ne m'intéresse pas. Faites le nécessaire à n'importe quel prix, Jack! Récoltez tous les renseignements que vous pourrez sur Jonathan Ainsley, j'ai besoin de munitions pour me défendre. Il n'a pas pu amasser aussi vite une telle fortune sans avoir *quelque chose* à se reprocher!

— Peut-être, Paula. Peut-être aussi découvrirons-nous qu'il est blanc comme neige... Je ne le pense pas et, pour vous, je ne le souhaite pas, se hâta-t-il d'ajouter. Cela dit, je ferai l'impossible pour vous remettre mon rapport lundi. Mardi matin au plus tard.

— Je compte sur vous, Jack.

— Je me mets immédiatement au travail, dit-il en se levant. Là-bas, il fait déjà grand jour.

Après avoir raccompagné Jack Figg à l'ascenseur, Paula rejoignit Emily et Michael qui compulsaient les registres.

— Alors? demanda-t-elle.

— Rien encore, mais je suis sûre que nous ne tarderons pas à trouver ce qu'il nous faut, répondit Emily. Tu as vu Jack Figg? Il a bien compris ce que tu veux?

— Je lui fais confiance. S'il existe la moindre chose à découvrir au sujet de Jonathan, Jack mettra le doigt dessus.

— Il y a toujours eu quelque chose de louche dans la vie de Jonathan! Souviens-toi de ses fréquentations bizarres, ce répugnant Sebastian Cross, par exemple.

— Je préfère ne pas y penser, il me donne encore la chair de poule.

— Bah! Il est mort... Ne reste pas plantée là à nous regarder, viens plutôt nous aider! Mais, avant de t'y mettre, attends une minute. J'ai apporté des sandwiches, je vais faire du café. Tu n'as rien mangé depuis ce matin.

— Un café, je veux bien. Je n'ai vraiment pas faim.

Paula commença à consulter une liste et faillit céder au découragement. Le capital de *Harte's* était réparti entre des milliers de petits porteurs, possédant souvent moins de dix actions. Comme le disait Michael, la nuit ne suffirait pas pour venir à bout de cette tâche. Jonathan s'était vanté d'acheter en quelques jours les cinq pour cent qui lui manquaient pour détenir la majorité. Que ferait-elle s'il la prenait de vitesse?

— Je parierais qu'il a chargé tous les agents de change de la place de rafler des actions une par une! s'écria-t-elle.

— Peut-être, dit Michael. Mais tu es seule à disposer sur eux d'un avantage décisif, cette liste d'actionnaires.

— Courage! renchérit Emily. Je sens que nous allons bientôt obtenir des résultats... Si seulement Winston et Shane étaient là pour nous aider!

— C'est vrai. Shane me manque plus que jamais en ce moment, je l'avoue, dit Paula. J'ai hâte qu'il revienne d'Australie. Sans lui, je me sens... incomplète.

— Vas-tu lui téléphoner demain pour le mettre au courant de ce qui se passe? demanda Emily.

— Bien sûr, il serait mortellement blessé si je lui cachais un événement pareil... Pauvre chéri! Il doit faire face à tant de problèmes, depuis quelque temps...

Michael avait suivi ce dialogue sans quitter Paula des yeux. L'amour évident qu'elle portait à son mari ne lui avait pas échappé et cette constatation le ramena brutalement sur terre. Comment avait-il pu s'aveugler au point d'espérer séduire Paula? L'idée qu'il aurait pu, dans un moment d'égarement, se ridiculiser en lui avouant sa flamme le fit rougir de honte et il affecta de s'absorber dans la lecture des listes. Obsédé par le désir qu'elle lui inspirait, il n'avait rien vu, rien remarqué. Il comprenait seulement pourquoi, depuis des mois, elle lui poussait Amanda dans les bras...

— Ça y est! s'écria Emily. J'en tiens un!

— Combien? demanda Paula.

— Quatre pour cent. Elle doit être riche comme Crésus!

— Une femme? Qui est-ce?

— Il s'agit d'une Mme Iris Rumford, de Bowden Ghyll House, Ilkley...

— Yorkshire, compléta Michael. C'est bon signe.

Le samedi, à dix heures du matin, Paula était assise en face de Mme Iris Rumford, dans le douillet petit salon de son élégant manoir. Sans être « riche comme Crésus », selon les mots d'Emily, Mme Rumford jouissait visiblement d'une confortable aisance. Elle avait accueilli Paula en lui offrant du café et des biscuits, les deux femmes avaient sacrifié aux convenances en bavardant de la pluie et du beau temps. Une demi-heure s'était écoulée ainsi et Paula, qui bouillait d'impatience, se décida à entrer dans le vif du sujet en reposant sa tasse vide:

— Je suis très touchée que vous ayez consenti à me recevoir, chère madame. Ainsi que mon assistante vous l'a sans doute appris, je désirais vous parler de vos actions *Harte's*.

— Et moi, je suis ravie de vous rencontrer, madame. Je ne pouvais d'ailleurs pas faire moins que de vous accorder ce rendez-vous, puisque votre cousin Jonathan Ainsley est venu prendre le thé jeudi dernier.

Paula se raidit.

— Il est, lui aussi, venu vous parler des actions?

— Oui, madame. Il m'en a d'ailleurs offert une somme qui m'a semblé assez considérable.

Paula dut s'y reprendre à plusieurs fois pour avaler sa salive et retrouver l'usage de la parole:

— Avez-vous... accepté son offre?

— Non pas, chère madame. Non pas!

Paula laissa échapper un soupir de soulagement :

— Dans ce cas, dit-elle en souriant chaleureusement à la vieille dame, puis-je vous soumettre ma propre proposition ?

— Rien ne vous en empêche, chère madame.

— Votre prix sera le mien.

— Je n'ai aucune idée de ce que valent ces actions. Et puis, voyez-vous, je n'ai guère envie de m'en séparer, mon défunt mari me les avait offertes en 1959. J'y suis d'autant plus attachée, sentimentalement parlant, que *Harte's* est mon magasin préféré à Leeds. J'y fais tous mes achats depuis son ouverture.

Paula dissimula de son mieux son exaspération. Elle avait trop besoin de Mme Iris Rumford pour se permettre de la vexer, aussi lui fit-elle son plus gracieux sourire :

— Je suis ravie que vous aimiez notre magasin, nous nous efforçons de satisfaire notre clientèle. C'est pourquoi je me permets d'insister pour que vous considériez ma proposition. Je suis prête à vous offrir la même somme que M. Ainsley.

Mme Rumford fronça les sourcils, la mine indécise :

— S'agit-il d'une de ces batailles financières, comme il m'arrive d'en lire les échos dans le *Times* ?

— J'espère sincèrement que nous n'en arriverons pas là !

Mme Rumford hésita encore un instant et se leva, signifiant ainsi que l'entretien était terminé :

— Acceptez mes excuses, chère madame. Je n'aurais sans doute pas dû vous faire perdre votre temps en vous disant de venir me voir. Toute réflexion faite, je crois que je vais conserver mes actions.

— J'en suis désolée, madame...

Au comble de l'irritation, Paula parvint cependant à faire bonne figure et tendit la main à Mme Rumford, qui la secoua avec cordialité :

— Vous êtes mécontente, je le vois bien, et je serais la dernière à vous le reprocher. J'espère néanmoins que vous voudrez bien vous montrer indulgente envers une vieille dame qui ne sait pas ce qu'elle veut.

— Vous n'avez pas à vous excuser, chère madame, c'est

moi qui regrette de vous avoir dérangée. En tout cas, si vous deviez changer d'avis, n'hésitez pas à me le faire savoir.

Les hésitations de Mme Rumford déconcertaient Paula autant que son refus la décevait. Avait-elle voulu se donner de l'importance pour une fois dans sa vie? S'agissait-il simplement de la curiosité d'une vieille femme solitaire, avide de compagnie? Paula se demandait surtout, avec une inquiétude croissante, comment Jonathan avait trouvé sa trace, par quel moyen il avait été informé de l'importance du paquet d'actions qu'elle détenait.

Décidément, sa visite à Iris Rumford avait été une perte de temps... Paula enfonça rageusement l'accélérateur et l'Aston-Martin bondit sur la route de Leeds.

Paula passa le reste de la journée à son bureau du magasin de Leeds, plongée dans des tâches fastidieuses afin de ne pas penser à Jonathan Ainsley, à sa menace d'OPA et à la terreur que lui inspirait la perspective de tout perdre.

Elle s'efforçait de se réconforter en se répétant que ses agents de change et Charles Rossiter avaient réussi, en quarante-huit heures, à racheter sept pour cent du capital à neuf des petits porteurs sélectionnés par Michael et Emily. Mais il lui manquait encore trois pour cent... Non, il ne me faut *plus que* trois pour cent, se corrigeait-elle quand elle sentait son moral baisser. Piètre consolation...

A seize heures, ne tenant plus en place, elle fourra des dossiers dans son porte-documents et partit. Emily devait la rejoindre à Pennistone pour le dîner et Paula voulait avoir quelques heures de tranquillité seule avec Patrick et Linnet. C'était un bel après-midi de septembre, les campagnards rentraient chez eux, la circulation était dense. Paula s'y faufila habilement et se trouva bientôt sur la route de Harrogate. Elle abordait le rond-point d'Alwoodley quand son radio-téléphone sonna. La standardiste du magasin s'annonça:

— Ici Doris, madame. J'ai une certaine Rumford sur une

autre ligne. Elle insiste pour vous parler, elle dit que c'est très urgent. Vous avez son numéro de téléphone, paraît-il.

— Oui, mais je l'ai laissé au bureau. Donnez-lui le numéro de la voiture, Doris, et demandez-lui de me rappeler.

Quelques minutes plus tard, le téléphone sonna de nouveau. Cette fois, Iris Rumford alla droit au but :

— Pouvez-vous venir demain, que nous reparlions de ces actions ?

— C'est malheureusement impossible, madame, je dois repartir pour Londres. D'ailleurs, je ne vois pas de quoi nous parlerions puisque vous ne voulez pas vendre.

— Je serais prête à reconsidérer votre proposition.

— Dans ce cas, pourquoi pas tout de suite ?

— Volontiers. Je vous attends.

— Je suppose que vous ne savez pas qui je suis, dit Mme Rumford à Paula, moins d'une heure plus tard.

Paula l'étudia plus attentivement. Mince, nerveuse, le teint coloré sous les cheveux blancs, âgée d'environ soixante-dix ans, elle lui était parfaitement inconnue.

— Nous serions-nous déjà rencontrées ?

— Non, mais vous avez connu mon frère avant sa mort.

— Ah, oui ? Comment s'appelait-il ?

— John Cross.

Paula réprima à grand-peine un cri de stupeur.

— Nous nous connaissions, en effet, quand il dirigeait Cross Communications, parvint-elle à dire d'une voix normale.

Tout s'éclairait ! John Cross était le père de Sebastian, le pire ennemi de Paula et le meilleur ami de Jonathan. Voilà donc comment celui-ci était au courant de l'existence d'Iris Rumford et de son paquet d'actions...

— Vous avez fait preuve de beaucoup de bonté à l'égard de mon frère vers la fin de sa vie, reprit Mme Rumford. Il m'a parlé de vous sur son lit de mort et il m'a dit beaucoup de bien de vous. J'ai aussi rencontré votre cousin Alexander

Barkstone, quand mon frère était à l'hôpital Saint-James de Leeds... Je dois dire, poursuivit-elle après avoir marqué une pause, que M. Barkstone et vous m'avez parus très différents de Jonathan Ainsley.

Intriguée, Paula attendit la suite — qui ne vint pas.

— Je le crois aussi, du moins, je l'espère, dit-elle pour meubler le silence. Mon cousin Barkstone est mort il y a quelques mois.

— Ah! le pauvre jeune homme...

Puis, après un nouveau silence, Mme Rumford reprit, l'air songeur :

— Que de différences, parfois, au sein d'une même famille. Ainsi, mon neveu Sebastian était foncièrement mauvais et je ne l'ai jamais aimé. John l'adorait, il était son fils unique. Pourtant, Sebastian l'a tué. Il a littéralement poussé son père dans la tombe par ses mauvaises actions. Son ami Jonathan Ainsley était aussi malfaisant que lui — et il a autant contribué à la mort de mon pauvre frère. Oui, on peut dire de ces deux-là qu'ils étaient de la mauvaise graine...

Mme Rumford se redressa, se tourna vers Paula :

— Je tenais à faire votre connaissance, madame, afin de me rendre compte par moi-même de votre caractère. Voilà pourquoi je vous avais demandé de venir ce matin. J'ai compris que vous étiez une personne sincère et droite — je l'ai vu dans votre regard. Je n'ai jamais non plus entendu dire du mal de vous. On affirmait aussi que vous ressembliez à Emma Harte, votre grand-mère. Je l'ai connue, c'était une femme remarquable et je suis heureuse de constater que vous tenez d'elle... Par conséquent, conclut-elle, j'accepte de vous vendre mes actions si cela doit vous rendre service.

Paula faillit pleurer d'énervement et de soulagement.

— Merci, madame, merci. Vous me rendrez en effet un immense service. Je craignais, je l'avoue, que vous ne les vendiez à mon cousin Ainsley...

— Oh, mais je n'en ai jamais eu l'intention! Je lui avais demandé de venir uniquement pour le revoir et m'assurer de ne pas m'être trompée dans mon premier jugement sur lui!

Et puis, je ne vous le cache pas, j'ai éprouvé un certain plaisir à lui tendre la carotte pour la lui retirer à la dernière minute... Quand il m'a téléphoné au sujet de ces fameuses actions, j'ai tout de suite senti qu'il préparait un mauvais coup. C'est un méchant homme, il sera puni un jour...

Paula préféra mettre un terme à sa diatribe:

— Je vous avais offert ce matin de racheter vos actions au prix que Jonathan Ainsley vous proposait. Mon offre tient toujours, je ne reviens pas sur ma parole...

— Mon dieu, il n'en est pas question! Jamais je ne voudrais tirer avantage de cette situation à votre détriment, chère madame. Je vous les vendrai à leur cours, pas un sou de plus!

39

Le mardi, à 15 h 30, debout sous le portrait d'Emma Harte dans son bureau de Knightsbridge, Paula attendait Jonathan Ainsley.

En semaine, pour son travail, elle s'habillait généralement de noir ou de teintes neutres. Ce jour-là, elle portait une robe d'un rouge éclatant qui reflétait son humeur. Elle se sentait sûre d'elle-même. Elle avait réussi à transformer son handicap en avantage. Elle s'apprêtait à écraser l'ennemi.

Lorsqu'il arriva quelques minutes plus tard, Jonathan s'attendait visiblement à remporter la victoire. Sourire aux lèvres, la mine arrogante, il toisa l'adversaire qu'il croyait à sa merci :

— Vous m'avez demandé de venir. Qu'avez-vous à me dire ?

— Vous avez perdu la partie.

Jonathan eut un ricanement méprisant :

— Moi ? Je ne perds jamais !

— Ce sera donc votre première défaite. Sachez que j'ai racheté des actions *Harte's* et que je contrôle cinquante-deux pour cent du capital.

Il accusa le coup mais se ressaisit aussitôt :

— La belle affaire ! J'en possède toujours quarante-six. En ma qualité de deuxième actionnaire, j'exige le siège d'administrateur auquel j'ai droit, et j'en ferai dès aujourd'hui la demande officielle par l'intermédiaire de mes hommes de loi. Je compte également mener mon OPA à son terme. Ce bureau sera le mien avec quelques jours de retard, voilà tout.

— J'en doute d'autant plus que vous ne *possédez* pas quarante-six pour cent du capital, mais vingt-six.

— Auriez-vous oublié les vingt pour cent des héritiers Weston, dont je détiens le pouvoir?

— Je n'ai rien oublié. Apprenez qu'Arthur Jackson et ses associés Coombe et Barbour ne traiteront plus avec vous.

— Vous ne savez pas ce que vous dites! Je suis lié avec eux par un contrat en bonne et due forme.

Paula prit sur la table basse une enveloppe qu'elle lui montra:

— Peut-être. Mais quand Arthur Jackson aura fini de lire ce rapport, qui lui a été remis il y a moins d'une heure, il s'empressera de déchirer votre contrat.

— De quoi parlez-vous? dit-il avec dédain.

— D'une enquête sur vos activités à Hong Kong.

— Vraiment? Ce rapport doit être bien mince! Je n'ai strictement rien à me reprocher.

— J'aurais, en effet, tendance à le croire. Mais je serai la seule, car...

— Qu'osez-vous insinuer?

Paula fit mine de n'avoir pas entendu l'interruption:

— Vous avez pour associé un certain Tony Chiu, fils du banquier Wan Chin Chiu décédé l'an dernier. Le père était votre conseiller et votre bailleur de fonds à vos débuts. Dommage que le fils ne soit pas aussi recommandable.

— Ma vie privée et mes affaires à Hong Kong ne vous regardent pas! s'écria Jonathan en rougissant de colère.

— Elles me regardent de près, au contraire, depuis que vous prétendez vous approprier ce qui ne vous appartient pas. C'est ainsi que j'ai découvert, avec beaucoup d'intérêt, que votre ami Chiu exerce d'autres activités que son métier de banquier. Activités hautement lucratives, d'ailleurs, puisqu'il jouit de la réputation d'être le plus gros trafiquant de drogue en provenance du Triangle d'Or. Il dispose d'un réseau de distribution couvrant le monde entier et blanchit très commodément son argent à travers Janus & Janus Holdings, sans que nul se doute de rien... Je me demande quelle serait la réaction du gouverneur et du chef de la police de Hong Kong s'ils étaient informés de cette situation.

Jonathan manqua s'étrangler de fureur :

— Vous mentez ! Tony Chiu n'est pas un trafiquant de drogue ! C'est un des premiers banquiers de la place, un des plus respectables ! Ce rapport n'est qu'un ramassis de calomnies, un méprisable tissu de mensonges ! Jamais il ne s'est servi de ma société pour blanchir de l'argent ! Je le saurais, il n'aurait pas pu me le cacher !

— Vous êtes bien naïf, Jonathan. Vos employés chinois sont ses créatures. Il les avait déjà mis en place du vivant de son père, dont il savait bientôt devoir prendre la suite, afin de vous espionner pour son compte.

— C'est faux !...

— Demandez donc à Arabella, votre femme, elle est au courant de tout. Elle travaille avec Chiu depuis des années. C'est lui qui a financé la plupart de ses affaires, y compris sa boutique d'antiquités. Elle ne vous a épousé que pour mieux s'introduire dans la place et servir son ami Chiu.

Tremblant de fureur, Jonathan fut un instant incapable d'articuler un mot. Il résistait mal à l'envie de se jeter sur Paula, de la rouer de coups pour la punir d'oser calomnier Arabella.

— Vous avez été roulée par un privé de troisième ordre doté d'une imagination débordante, parvint-il enfin à dire. Ma femme n'a jamais rencontré Tony Chiu.

— Demandez-le-lui vous-même, vous verrez bien.

Jonathan changea de couleur. La vue du portrait d'Emma, devant lequel se tenait Paula, attisa sa haine envers elle :

— Sale garce ! gronda-t-il. Tu es bien la digne petite-fille de cette vieille sorcière !...

L'insulte faite à sa grand-mère balaya les derniers scrupules de Paula, qui assena le coup de grâce avec un plaisir presque sadique :

— Puisque nous parlons de garce, apprenez que la ravissante Arabella Sutton, fille d'un digne médecin du Hampshire, n'est pas tout à fait celle que vous croyez. Vous savez sans doute qu'elle a vécu quelques années à Paris. Mais vous ignorez peut-être le métier qu'elle y exerçait. Eh bien, elle faisait tout simplement partie de l'organisation de Mme Claude...

Devant la mine décomposée de Jonathan, elle poursuivit d'un ton plus sarcastique:

— Je n'apprendrai pas à un homme d'expérience tel que vous, Jonathan, qui était la célèbre Mme Claude, ni la manière dont ses *protégées* gagnaient leur vie. Elles devaient en avoir honte ou craindre des ennuis, puisqu'elles prenaient la précaution d'adopter des pseudonymes. Arabella Sutton était connue sous celui de Francine. Entre nous, elle aurait pu mieux choisir. Cela fait un peu... bonniche, vous ne trouvez pas?

Horrifié, livide, Jonathan la dévisageait comme s'il voyait le Diable:

— Je n'en crois pas un mot! s'écria-t-il.

Paula ne put se dominer davantage:

— Eh bien, voilà de quoi vous convaincre! répliqua-t-elle en lui jetant l'enveloppe au visage. Ce rapport, auquel sont jointes les copies de certains documents officiels, vous fournira, j'en suis sûre, une passionnante lecture!

L'enveloppe tomba aux pieds de Jonathan, qui ne fit pas un geste pour la prendre.

— Avant de venir remuer la boue chez les autres, commencez donc par balayer devant votre porte, conclutelle.

Jonathan ouvrit la bouche pour riposter, la referma sans rien dire, hypnotisé par l'enveloppe qui gisait à ses pieds. Il aurait voulu partir sans la ramasser, afin de montrer en quel mépris il tenait ce rapport et celle qui s'en servait contre lui ; mais l'existence des « documents officiels », auxquels Paula avait fait allusion, excitait en lui une curiosité morbide. Il finit par y céder, s'empara de l'enveloppe et tourna aussitôt les talons.

— J'ai gagné, ne l'oubliez pas! lui dit Paula.

Il s'arrêta, lui lança un regard haineux:

— C'est ce que nous verrons!

Après son départ, Paula s'assit à son bureau et réfléchit quelques minutes. Afin de s'assurer une victoire définitive, il lui restait à prendre une dernière mesure devant laquelle elle reculait encore. Son regard alla du portrait de sa grand-mère à une photographie de Shane et des enfants, posée sur son bureau. Ils étaient, eux aussi, les héritiers d'Emma Harte. Elle n'était que dépositaire de leur patrimoine, dont la défense lui incombait. Elle devait agir, quoi qu'il lui en coûte.

Sans plus hésiter, elle décrocha son téléphone, composa le numéro personnel de Sir Ronald Kallinski :

— Je suis désolée de vous déranger, oncle Ronnie...

— Tu ne me déranges pas. Est-il parti ?

— Oui. Il est sonné, mais il ne s'avoue pas vaincu et semble déterminé à poursuivre le combat. Je suis donc obligée de me « débarrasser » de lui comme vous me l'aviez conseillé, et de transmettre aux autorités de Hong Kong une copie du rapport. Mais je ne le fais qu'à contrecœur et...

— Pas de regrets inutiles, Paula !

— Grand-mère elle-même n'est jamais allée si loin.

— Détrompe-toi, ma chère petite. Emma pouvait se montrer totalement dénuée de scrupules quand il s'agissait de défendre son œuvre et ceux qu'elle aimait.

— Vous avez sans doute raison...

— Pas sans doute, sûrement ! Je te le disais hier soir encore, Paula : Jonathan Ainsley ne te laissera jamais en paix. Il tentera toujours de faire main basse sur ce qui appartient aux autres, c'est dans sa nature. Aussi te répéterai-je ce que je t'ai déjà dit : tu n'as pas le choix. Tu dois le stopper dès maintenant pour te défendre et protéger ta famille.

Il y eut un long silence sur la ligne.

— Vous êtes un sage, oncle Ronnie.

Assis dans le hall du Claridge à l'heure du thé, Jonathan n'entendait ni le cliquetis de la vaisselle, ni les mélodies de l'orchestre de chambre. Son attention était totalement absorbée par le rapport, qu'il lisait pour la seconde fois.

Son incrédulité première avait été sérieusement ébranlée par l'abondance et la précision de faits qu'il croyait être seul à connaître. Ainsi, une page entière était consacrée à sa liaison avec Susan Sorrell. Ils avaient pourtant fait preuve, l'un et l'autre, d'une discrétion exemplaire et Susan, dans sa hantise d'un scandale susceptible de provoquer la colère de son mari, ne s'était certes pas vantée de ses exploits, ni pendant ni après. Où et comment les enquêteurs s'étaient-ils procuré leurs informations?

Comme il l'avait affirmé devant Paula, son intégrité personnelle n'était pas mise en cause. Mais les renseignements concernant Tony Chiu étaient inquiétants. S'ils se révélaient exacts, il se trouvait impliqué à son insu dans des affaires qui l'exposaient, ainsi que Janus & Janus, à de graves dangers. Il devait rentrer d'urgence à Hong Kong et entreprendre sa propre enquête.

Le pire, cependant, n'était pas là mais dans le passé d'Arabella. Le compte rendu, étayé par des photocopies de documents — rapports de police, fiches d'hôtel, billets d'avion, notamment vers les émirats du Golfe, etc. — retraçait avec un luxe de détails la vie qu'elle avait menée à Paris. Il ne pouvait plus conserver le moindre doute: elle avait bel et bien appartenu au réseau de call-girls de luxe de Mme Claude. D'autres éléments, auxquels il n'avait pas jusqu'alors prêté autrement attention, lui faisaient ajouter foi à la véracité du rapport: son expérience de l'amour, son élégance recherchée, son attitude envers les hommes en général, sa connaissance de pays plus connus pour leurs richesses pétrolières que pour leur exotisme, l'étendue même de sa culture générale lui permettant d'aborder n'importe quel sujet... Tout cela faisait partie du bagage obligatoire des filles de Mme Claude — il le savait pour en avoir naguère bénéficié au prix fort.

En proie à une rage froide, il referma le rapport et se dirigea à grands pas vers l'ascenseur. Si, dans l'immédiat, il ne pouvait agir sur ce qui concernait Hong Kong, il confondrait au moins celle qui se disait sa femme.

Arabella l'accueillit à la porte de leur suite par un sourire et un baiser:

— Te voilà enfin, mon chéri! Raconte! Comment cela s'est-il passé?

Encore sous le choc de ce qu'il venait d'apprendre, Jonathan réprima à grand-peine un geste de dégoût et l'envie de la frapper. Il l'avait passionnément aimée parce qu'il la croyait parfaite. Maintenant qu'il la savait souillée, son seul contact lui répugnait.

— Comme ci, comme ça, répondit-il en se dominant.

Son trouble, sa froideur inattendue n'échappèrent pas à Arabella, qui les mit toutefois sur le compte de son entrevue avec Paula. Elle regagna son fauteuil du salon où elle tricotait de la layette et recommença à faire cliqueter les aiguilles.

Jonathan posa l'enveloppe sur une table, alla se verser une rasade de vodka et la but à petites gorgées en observant Arabella. L'accouchement devait se produire d'un jour à l'autre et Jonathan, en dépit de la violence qu'il sentait gronder en lui, se maîtrisa afin de ne pas nuire à l'enfant. Il n'en allait pas de même pour elle! A peine aurait-elle accouché qu'il se débarrasserait d'elle en demandant le divorce, mais il tenait à son héritier...

— Connais-tu à Hong Kong un certain Tony Chiu? interrogea-t-il avec une désinvolture affectée.

Arabella ne sourcilla pas:

— Non. Pourquoi?

— Pour rien. Je déjeunais avec mes avocats, son nom est venu dans la conversation. Je me demandais si tu ne l'avais pas rencontré au cours de tes voyages, voilà tout.

— Non, vraiment, le nom ne me dit rien.

Jonathan vida son verre, reprit l'enveloppe et alla s'asseoir en face d'elle:

— Tu as habité Paris plusieurs années mais tu ne veux jamais y aller. C'est pourtant une ville agréable.

— Pas de mon point de vue. Je ne m'y plaisais pas.

— Alors, pourquoi y as-tu passé près de huit ans?

— Il le fallait bien, pour mon travail. J'étais mannequin, comme tu le sais... Mais pourquoi tant de questions sur Paris, mon chéri?

— Aurais-tu peur de retourner à Paris?

— Bien sûr que non! Je ne te comprends pas...

— Craindrais-tu, par hasard, de tomber sur un de tes anciens amants, *Francine*?

Arabella posa sur lui un regard plein d'innocence:

— Je comprends de moins en moins où tu veux en venir et pourquoi tu m'appelles Francine, mon chéri.

— Parce que c'était ton pseudonyme de call-girl.

— Au nom du ciel, de quoi parles-tu? s'écria-t-elle.

— Ne mens pas! Les preuves sont là, je les tiens de ma chère cousine Paula O'Neill. Tiens, lis toi-même. Cette garce a fait faire une enquête complète sur ma vie. Du même coup, ils ne se sont pas privés de fouiller dans la tienne!

Arabella voulut repousser l'enveloppe. Il la lui mit de force dans la main:

— Lis, te dis-je!

L'éclair de rage qui apparut dans ses yeux, son expression soudain dure, implacable, la terrifièrent. Poussé à bout, Jonathan pouvait faire preuve de cruauté, elle le savait, comme elle connaissait ses brusques sautes d'humeur. Elle n'eut pas besoin de lire le rapport: un mot, un nom ici et là suffirent à lui faire comprendre qu'il était inutile de nier davantage.

Livide, elle lui rendit l'enveloppe:

— Tu ne comprends pas, mon chéri, laisse-moi t'expliquer, dit-elle, les larmes aux yeux. Mon passé n'a plus rien à voir avec toi, avec nous. J'étais jeune, j'avais à peine dix-neuf ans. J'ai abandonné cette vie-là depuis si longtemps...

— Pour la dernière fois: connais-tu Tony Chiu?

— Oui, répondit-elle à voix basse.

— A-t-il, oui ou non, financé ta boutique d'antiquités?

— Oui.

— Pourquoi? A quel titre?

— Nous avions déjà fait des affaires ensemble. Il savait qu'avec moi il ferait un bon placement...

— Et c'est lui qui t'a jetée dans mes bras, n'est-ce pas? Il voulait que je t'épouse afin que tu puisses surveiller mes affaires pour son compte?

— Non, Johnny, ce n'est pas vrai! Je t'ai épousé par amour, je te le jure!

— Avoue que tu m'as piégé! Je sais tout, j'ai les preuves!

Tremblante de peur, elle fondit en larmes:

— Eh bien, oui! Le premier soir, quand nous avons fait connaissance chez Susan Sorrell, je cherchais simplement à te draguer, c'est vrai. Mais c'est moi qui ai été prise au piège, Johnny. Je suis devenue amoureuse de toi, je ne voulais plus rien de toi que ton amour, je te le jure! Tu le sais, tu l'as bien vu depuis que nous vivons ensemble...

— Je ne sais rien et je ne veux plus croire un mot de ce que tu me dis!

Il fit nerveusement les cent pas avant de se rasseoir. Elle attendit qu'il parût calmé avant de reprendre:

— J'ai dit à Tony que je refusais de rien lui apprendre sur toi ou sur tes affaires. Depuis que je suis enceinte de notre enfant, mon chéri, j'ai rompu tout contact avec lui. Je t'aime trop pour te mentir...

— Collaborais-tu avec lui dans ses affaires de drogue?

— De drogue? s'exclama-t-elle sincèrement étonnée. Je ne comprends pas...

— Assez de mensonges! Cesse de dire que tu ne comprends pas alors que tu es au courant de tout!

Sa rage fut la plus forte. Levé d'un bond, il l'empoigna aux épaules et la secoua violemment:

— Menteuse! Putain! Je t'ai aimée, je t'ai adorée. Je te prenais pour la femme la plus belle, la plus parfaite, la plus merveilleuse du monde, et tu n'es qu'une ordure!

— Il faut me croire, Johnny! s'écria-t-elle entre ses sanglots. Je t'aime comme je n'ai jamais aimé aucun homme, je t'aime du plus profond de moi-même! Je ne t'ai pas trahi...

— Menteuse !

Elle l'agrippa soudain par la manche, se crispa.

— Ne me touche pas ! hurla-t-il en se dégageant.

— Non, Johnny... C'est l'enfant. J'ai une contraction ! Aide-moi, je t'en supplie ! Emmène-moi à la clinique. Vite !

A peine arrivée, Arabella fut admise en salle de travail pendant que Jonathan arpentait les couloirs. Une heure plus tard, une infirmière vint lui annoncer la naissance de son fils. Il aurait le droit de voir la mère et l'enfant dans une vingtaine de minutes.

Le sort d'Arabella l'indifférait. Seul comptait désormais son fils, l'héritier dont il rêvait. Il l'arracherait le plus vite possible à sa mère indigne et l'élèverait en gentleman : d'abord Eton, bien entendu. Ensuite, Cambridge...

Il avait hâte de tenir cet enfant dans ses bras. Ses parents seraient fous de joie — leur premier petit-fils ! Il l'appellerait peut-être Robin, comme son père. A l'occasion du baptême, il lui demanderait d'ailleurs d'organiser une grande réception à la Chambre des Communes. Pour un parlementaire de sa réputation, cela ne poserait pas de problème... Il devrait aussi pousser l'offensive contre Paula O'Neill et mener son OPA jusqu'au bout. Maintenant qu'il avait un héritier, il fallait plus que jamais arracher à cette garce la fortune dont elle l'avait spolié.

L'infirmière revint plus vite que prévu, le conduisit à la chambre d'Arabella et se retira aussitôt en disant qu'elle allait chercher l'enfant.

Pâle et lasse, Arabella était adossée à l'oreiller :

— Ne te conduis pas avec moi comme tu le fais, Johnny, dit-elle en lui tendant la main. Pour notre enfant, donne-moi une nouvelle chance, je t'en supplie. Je t'aime trop pour vouloir te faire le moindre mal, tu le sais bien...

— Je n'ai rien à te dire.

— Pourtant...

Le retour de l'infirmière l'interrompit. Arabella tendit les bras. L'infirmière y déposa le bébé. Attendri, Jonathan se pencha, esquissa un sourire...

Soudain, il recula comme s'il avait reçu un coup dans la poitrine. Le visage du nouveau-né émergeait du luxueux châle de cachemire où il était emmailloté : teint mat, yeux bridés, le doute n'était pas permis. L'enfant était asiatique.

Elle-même stupéfaite, Arabella le dévisageait sans mot dire. Muet d'horreur et de dégoût, Jonathan laissa enfin éclater sa fureur :

— *Ça*, mon enfant ? hurla-t-il. Putain ! Tu oses m'imposer le bâtard de Tony Chiu ?

Il bouscula l'infirmière ahurie, sortit en courant et ne s'arrêta qu'en montant en voiture. Le chauffeur ne roulait pas encore assez vite pour l'éloigner d'Arabella.

Le soir même, il quitta le Claridge.

Calé dans les moelleux coussins de la Rolls, Jonathan tremblait encore de rage. Il ne parvenait pas à se remettre de la découverte du passé d'Arabella, de sa duplicité, de ses trahisons. Pis encore elle couchait avec un autre depuis leur mariage. Un Chinois ! Cette fois, elle ne pouvait pas le nier, l'enfant en était la preuve irréfutable. Tony Chiu, son vieil ami ! se répétait-il avec une colère croissante. Le salaud ! C'était lui le père, Jonathan en était certain.

Le rapport était dans son porte-documents, posé à côté de lui sur la banquette. Jusqu'à quel point les informations concernant Tony Chiu étaient-elles exactes ? Si vraiment il se servait de Janus & Janus pour blanchir l'argent de la drogue, il fallait sans tarder mettre un terme à ses agissements et les lui faire payer, d'une manière ou d'une autre. Jonathan se faisait fort de lui rendre la monnaie de sa pièce...

Il avait hâte, maintenant, de regagner Hong Kong. La circulation était dense, sur la route de Heathrow, mais il avait largement le temps d'arriver pour le vol de minuit.

Machinalement, il mit la main dans sa poche, en sortit le galet de jade dont il ne se séparait jamais, le contempla dans la lumière diffuse du plafonnier. Le talisman lui parut changé. Il ne brillait plus du même éclat. Curieux talisman! se dit-il avec un ricanement désabusé. Il ne lui avait guère porté chance, ces derniers temps. Au contraire, il semblait désormais chargé de maléfices...

Jonathan baissa la vitre, jeta le morceau de jade, le vit rouler sur la chaussée et disparaître dans une bouche d'égout. La voiture accéléra. Carré dans son siège, Jonathan eut un sourire satisfait.

Il avait bien fait de se débarrasser de ce morceau de jade sans valeur. Désormais, sa chance allait revenir.

EPILOGUE

Ils étaient assis côte à côte au Sommet du Monde.

En ce samedi de la fin septembre, il faisait un temps radieux. Le soleil étincelait dans un ciel immaculé. Le pourpre des bruyères transfigurait la lande inhospitalière. On entendait au loin cascader un torrent. L'air embaumait les fleurs sauvages. Ils savouraient en silence le plaisir d'être ensemble, de partager la beauté apaisante de l'immense paysage déroulé à leurs pieds.

Shane prit Paula aux épaules, l'attira contre lui :

— Que c'est bon d'être avec toi, de se retrouver chez nous... Sans toi, loin d'ici, je me sens perdu.

— Sans toi, je ne suis plus moi-même, répondit-elle.

— Je ne connais rien au monde de plus beau que cette lande.

— La lande de grand-mère... Elle l'aimait tant !

— Surtout ici, au Sommet du Monde.

— Elle avait dit, je crois, que le secret du bonheur est de savoir durer — et aimer. Je t'aime. J'espère que je saurai durer, surmonter les épreuves...

— Tu le fais déjà, ma chérie. Emma voulait que tu sois la meilleure. Elle serait fière de toi.

— Tu manques d'objectivité, Shane !

— C'est vrai, mais cela n'enlève rien à la valeur de mon jugement.

— J'ai failli perdre, tu sais.

— Tu as gagné, c'est le résultat qui compte. Viens, dit-il en l'aidant à se relever. Il se fait tard et les enfants comptent sur nous pour le goûter.

Descendus de l'éminence rocheuse, ils traversèrent main dans la main le tapis de bruyère en direction de leur voiture, stationnée sur un sentier non loin de là. Heureuse, soulagée qu'il soit enfin revenu d'Australie, Paula ne quittait pas Shane des yeux. Arrivé la veille au soir, il se montrait intarissable sur ses projets de reconstruction de l'hôtel à Sydney.

Paula s'arrêta. Etonné, Shane se tourna vers elle :

— Qu'y a-t-il, ma chérie ? Rien de grave, j'espère ?

— Je l'espère aussi ! dit-elle en riant. Depuis hier soir, je voulais te dire quelque chose, mais tu as tant parlé que tu ne m'as pas laissé le temps de placer un mot.

— Eh bien, je t'écoute.

Elle s'appuya contre lui, le regarda dans les yeux :

— Nous allons avoir un autre enfant, mon amour. Je suis enceinte de trois mois.

Dans un élan de joie, il la prit dans ses bras, la serra contre sa poitrine en la couvrant de baisers :

— Oh, mon amour ! C'est le plus beau cadeau de bienvenue que j'aie jamais reçu de ma vie ! s'écria-t-il en souriant de bonheur.

Et le sourire ne le quitta plus jusqu'à Pennistone.

Dans la même collection

Noël Barber
Tanamera
La ballade des jours passés
La femme du Caire
Koraloona

Barbara Taylor Bradford
L'espace d'une vie
Accroche-toi à ton rêve
Les voix du cœur
Quand le destin bascule
L'héritage d'Emma Harte

Jacqueline Briskin
Paloverde
Les sentiers de l'aube
La croisée des destins
Les vies mêlées
Le cœur à nu

Marcia Davenport
Le fleuve qui tout emporta

Cynthia Freeman
Illusions d'amour

Arthur Hailey
Le destin d'une femme

Ruth Harris
Maris et amants

Sarah Harrison
Les dames de Chilverton

Brenda Jagger
Les chemins de Maison Haute
Le silex et la rose
Retour à Maison Haute
La chambre bleue

Yvonne Kalman
Te Pahi les jours heureux

Gloria Keverne
Demeure mon âme à Suseshi

Judith Krantz
A nous deux, Manhattan !

Rosalind Laker
Mademoiselle Louise
La femme de Brighton

Shulamith Lapid
Le village sur la colline

Michael Legat
Les vignes de San Cristobal

Colleen McCullough
Les oiseaux se cachent pour mourir
Tim
Un autre nom pour l'amour
La passion du Dr Christian
Les dames de Missalonghi

Graham Masterton
Le diamant de Kimberley

Dalene Matthee
Le fils de Tiela

Sandra Paretti
La dernière croisière du Cécilia
Maria Canossa
Les tambours de l'hiver
L'arbre du bonheur
L'oiseau de paradis

Michael Pearson
La fortune des Kingston

Brauna E. Pouns
Amerika

Alexandra Ripley
Charleston

Cathy Spellmann
Le manoir de Drumgillan

Danielle Steel
Palomino
Souvenirs d'amour
Maintenant et pour toujours

Fred Stewart
Ellis Island : les portes de l'espoir
Le titan

Jacqueline Susann
Love machine
La vallée des poupées

Reay Tannahill
Sur un lointain rivage

Barbara Wood
Et l'aube vient après la nuit
Les battements du cœur

Cet ouvrage a été composé par Eurocomposition (Sèvres)
et imprimé par la S.E.P.C. à Saint-Amand-Montrond (Cher)
pour le compte des Éditions Belfond

Achevé d'imprimer en avril 1989

Imprimé en France
N° d'édition : 2317. N° d'imprimeur : 685.
Dépôt légal : avril 1989.